AVENTURE
série dirigée par Marc de Gouvenain

TOURMENTS ET MERVEILLES
EN PAYS KHMER

DU MÊME AUTEUR

PARASOLS suivi de *INTÉRIEUR NUIT*, Climats, 2001.
BERNARD BERGER, PRÊTRE DES SANS-PAPIERS (entretiens), Desclée de Brouwer, 2003.
LES AVENTURES MYSTIQUES D'UNE TOUTE PETITE FILLE, Melville, 2004.
QUESTION DE STYLE : MANUEL D'ÉCRITURE, CFPJ, 2006.

DANE CUYPERS

Tourments
et merveilles
en pays khmer

ACTES SUD

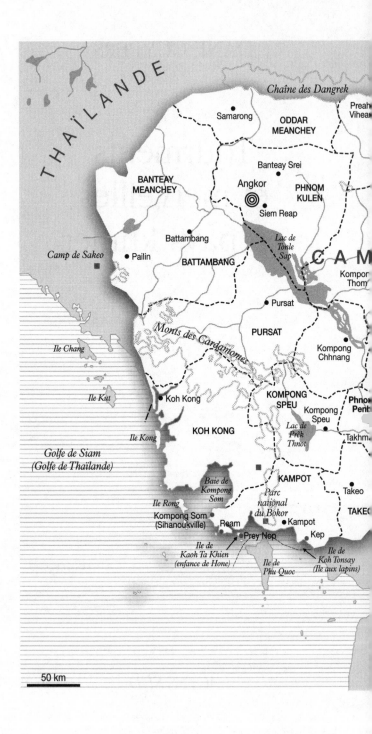

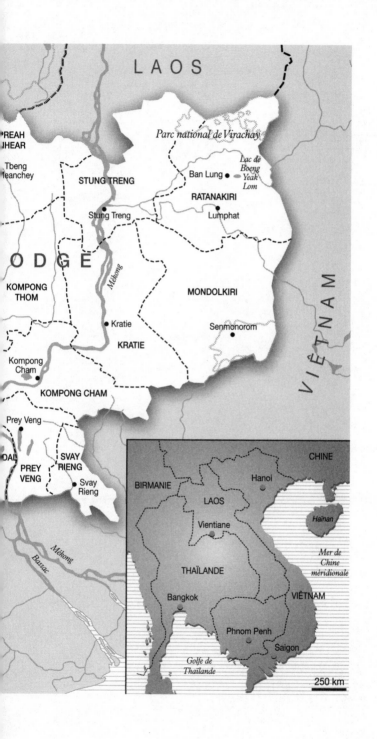

PROLOGUE

*La légende veut que le royaume ait été
fondé voilà deux mille ans par un prince,
Kambu, venu de l'Inde, et la reine des
najas (serpents de mer)... La contraction
des mots "Kambu" et "naja" donne le mot
Kambuja qui, prononcé par les Khmers,
devient Kampuchea ; par les Anglais
Cambodia ; par les Français Cambodge.*

NORODOM SIHANOUK,
Souvenirs doux et amers.

Au moment de m'immerger dans ce récit, soudain noyée avant même d'entrer dans l'eau des
mots, j'ai regardé un DVD acheté deux dollars à
Phnom Penh, *Dogora*, un film de Patrice Leconte,
sorti en 2004. "Tu verras, il n'y a pas une parole
et c'est génial !" m'avait dit une prof de français
routarde, un soir où nous avions partagé une
Angkor beer.

Elle avait raison. Ce film d'une heure vingt,
sans acteurs ni dialogues, porté, structuré, scéna-
risé par une suite musicale due au compositeur
Etienne Perruchon, était effectivement génial.
Tout était dit. Sans un mot. De quoi renoncer...
Que pouvais-je écrire qui en dise plus que ces
plans de visages, à moitié masqués par le *krama*,
de femmes et d'hommes penchés dans les rizières

11

ou lavant des voitures souillées de poussière, ces silhouettes dégingandées de cyclo-pousse attendant et tirant sur leurs clopes, ces filles aux yeux de star trimant dans des usines de textiles, ces ribambelles débonnaires de bonzes safran, d'enfants se tenant par l'épaule, leur bouche comme un bouton de lotus, d'enfants, encore, sur la décharge à ordures de Phnom Penh, leur regard grave, déjà vieux, et la fraîcheur si pure, si vivante de très jeunes filles dansant, dormant, rêvant peut-être… ? Un envoûtement. Un bouleversement.

Dans une interview donnée au magazine *L'Ecrit d'Angkor*, le réalisateur disait : "J'ai été assailli d'émotions diverses et invraisemblables telles que je n'en avais jamais ressenti dans les autres pays. Ce qui m'a le plus marqué au Cambodge est ce sentiment que la vie est la plus forte malgré des conditions extrêmes." Voilà. Douceur et violence, abondance et misère. Rien que de banal dans ces régions "en développement" de la planète. Oui, c'est vrai. Avec une acuité particulière pourtant, due sans doute à ce choc entre une histoire lointaine glorieuse, celle de l'empire angkorien, et le cataclysme encore si proche – trente ans depuis la fin du génocide par les Khmers rouges.

Autre raison d'atermoyer : quelle était ma légitimité pour écrire un livre sur le Cambodge ? Le hasard – l'éditeur Desclée de Brouwer me confie en 2003 un livre d'entretiens avec Bernard Berger, curé de la cathédrale de Phnom Penh quand les troupes de Pol Pot y entrèrent en avril 1975 –, hasard conforté par un coup de foudre quand je me rends pour la première fois dans ce pays… Alain Daniel, professeur à l'Inalco (Institut national des langues et civilisations orientales), que je cite maintes fois dans ces pages, "m'autorise à…" – l'autorisation a du poids, venant d'un grand spécialiste et d'un amoureux impénitent de la terre khmère. Il me dit, en substance, qu'il vaut mieux le faire tant que je suis encore dans la fraîcheur de la découverte – moi, je dirai : dans l'illusion d'y comprendre quelque chose. Qu'ensuite ce sera trop tard, je serai paralysée par l'ombre grandissante de ce que j'ignore d'un pays dont la complexité est, il faut le dire, assez affolante. Comme se moquait un responsable d'une ONG : *"Le Cambodge pour les nuls"*, ça ne marche pas ! Le pays ne se laisse pas réduire…" comme on réduit une sauce. Alain Daniel avait ajouté : "Quand j'étais plus jeune, je m'emportais contre des gens qui avaient des visions du Cambodge différentes de la mienne. J'ai désormais un peu de recul et je me suis aperçu qu'il y a toujours quelque chose à prendre, que ce pays, ce peuple est tellement profond, tellement large, tellement riche, que nous avons chacun notre vision du Cambodge. Chacune exprime une partie de vérité", avait-il conclu.

D'accord ! Quelle vision, quelle vérité alors ? Plus modestement, quel angle, quel projet ? Celui de donner une image sensible et, tant que faire se peut, précise, du Cambodge d'aujourd'hui, à la veille ultime d'un procès remis pendant des années, "un procès qui nous concerne tous", dira le Français Marcel Lemonde, cojuge d'instruction au TKR, le Tribunal spécial Khmers rouges. Un Cambodge d'aujourd'hui si tissé par son passé qu'il est impossible d'en faire, peu ou prou, l'impasse. J'allais donc m'attacher à donner des clés, des repères, des chevilles, ouvrant ou structurant ou étayant les chapitres nourris par mes deux séjours au Cambodge en janvier 2006 et à l'été 2007. A commencer par la figure théâtrale, colossale, et bon enfant pourtant, d'un Norodom Sihanouk, appelé affectueusement par les Khmers *Samdech*

Euv, monseigneur-papa, qui, monté sur le trône en 1941, conquit l'indépendance en 1953 en mettant fin à quatre-vingt-dix années de protectorat français, fut chassé par le général pro-américain Lon Nol en 1970, retrouva les pleins pouvoirs lors des élections de 1993 et se retira des affaires en 2004, laissant la place à son fils Sihamoni ; la puissance de l'imaginaire liée à cette royauté, dans la lignée des souverains d'Angkor, civilisation qui brilla de tous ses feux avant d'être balayée par les Siamois (les Thaïlandais) au milieu du XIVe siècle ; le poids du patrimoine culturel, et d'abord celui de la "danse royale" qui renaît dans le Cambodge moderne en quête de son identité perdue. Identité sinon perdue, du moins dévastée par une utopie meurtrière qui voulait donner le pouvoir au paysan de la rizière et qui élimina de 1975 à 1979, par l'exécution, la faim, les travaux forcés, 1,7 million de Khmers sur une population de 7 millions. Pour arriver au présent, à la reconstruction d'une nation riche de sa jeunesse et de sa vitalité (le nombre d'habitants a doublé depuis 1979, passant à 14 millions) ; et pourtant, malgré cette faculté de rebondissement, exceptionnelle après un tel trauma – aucune famille n'y a échappé complètement –, l'interrogation persistante : le Cambodge peut-il sombrer à nouveau sous la pression de la misère (plus d'un tiers des habitants vivent au-dessous du seuil de pauvreté) mais surtout de l'écart grandissant entre les riches et les pauvres ?

"Ce pays était avant la guerre le troisième exportateur mondial de riz. Maintenant il ne mange même plus à sa faim !" s'exclame Sam Rainsy, seul opposant politique au tout-puissant PPC, le Parti du peuple cambodgien. Il n'est pas le seul en revanche à dénoncer la corruption (le record après la Côte-d'Ivoire), les expropriations des paysans, le système éducatif malade et autres scandales d'un régime à la fois démocratique et mafieux. Le Cambodge trouvera-t-il le second souffle ? Peut-il redevenir ce petit pays béni des dieux, porteur d'une grande culture ? Culture la plus ancienne de la péninsule sud-est asiatique et qui, selon Marie-Sybille de Vienne, maître de conférences à l'Inalco, devrait être en tant que telle inscrite au patrimoine mondial de l'humanité. Ce que certains qualifient de "génie khmer" va-t-il triompher ?

Au fil de mon voyage et des pages, j'ai frotté – rien de plus – ces questions à la réalité de ce que j'ai vu, entendu, deviné, compris ou cru comprendre... Mais paysages et visages sont là pour aussi donner envie de découvrir ce *pocket kingdom* : ses terres encore vierges, ses côtes aussi belles que celles de la Thaïlande (la foule en moins), la splendeur du Mékong nourricier – dans la Forêt noyée fraie le poisson royal qui peut atteindre deux cent cinquante kilos –, l'effervescence des marchés et la vaste quiétude des campagnes, les pétarades des motos et l'éternité des temples, la rencontre avec les "sourires khmers" (il n'y en a pas qu'un !), avec la sensation fugace de la tendresse bouddhique, avec la force et sans doute la violence secrète d'un peuple qui vous prend dans ses filets vite fait bien fait ! "Pas un matin, me disait Dominique, un Français expatrié, où je n'ouvre l'œil sans me demander : Que va-t-il arriver aujourd'hui qui va me surprendre ?"

Reste à souhaiter que j'aie su moi aussi tirer mes filets et surprendre...

TUK-TUK MADAM !

J'ai vérifié ce que savent tous les voya-
geurs : c'est pas le tout de voyager. C'est au
retour que commence le boulot : quand
on raconte le voyage.

GILLES LAPOUGE

Ils m'ont trimballée, dépannée, promenée, déposée, récupérée, réconfortée, perdue aussi... Le
Cambodge c'est d'abord avec eux que je l'ai
connu. Eux, les *drivers* de *moto-dop*, les conducteurs de *tuk-tuk*. Je les ai adorés et parfois maudits.
Ils m'ont émue souvent et rendue folle d'énervement – ah, ce rendez-vous avec François Ponchaud, le temps qui tournait, les rues qui se
succédaient, les conciliabules sous la pluie de
mousson et le plan de Phnom Penh qui, petit à
petit, se déchirait, plan que de toute façon ni lui
ni moi ne parvenions à lire. Au fil des pages ils
roulent avec moi, ceux que j'ai connus et tous les
autres, entrevus, aperçus, sourires échangés,
Tuk-tuk madam ! No thank you, tous les autres, enfermés dans cette quête perpétuelle, cette
attente du bon touriste, celui qui les gardera
pour plusieurs courses, plusieurs jours peut-
être, en distribuant sans ergoter la manne de ses
dollars.

J'ai assez vite compris qu'un bon *driver*, un bon chauffeur, était l'une des clés qui simplifieraient mon séjour. A peine arrivée quelque part, je me mettais en quête de l'oiseau rare, pas si rare que ça, gentil, efficace, se débrouillant bien en anglais ou plus rarement en français, conduisant pas trop vite et respectant quelques règles de circulation – les premières traversées en diagonale des grandes artères m'avaient pour le moins marquée. L'idéal étant qu'il possède un portable puisque moi-même j'en avais un du cru, le portable est ici comme dans presque toute l'Asie bien plus répandu que le téléphone fixe*.

A la vérité, tout a commencé par mon obligation de me rendre chaque matin à Naga Clinic, rue 254, à Phnom Penh, pour soigner une bronchite un peu sérieuse couvée dans la voiture réfrigérée d'une ONG. S'y rendre pour une intraveineuse quotidienne n'est déjà pas une partie de plaisir. Réexpliquer tous les matins le chemin et perdre une demi-heure de plus, ça je pouvais l'éviter. J'ai fait affaire avec Ladi qui m'embarquait donc dès potron-minet sur sa moto, un prénom aux sonorités anglaises à nos oreilles mais c'est le français qu'il parlait de façon étonnante – un oncle lui a murmuré la langue de Molière dès le plus jeune âge. Ladi qui, sous son casque – réflexe encore rare ici alors que le masque antipollution se répand –, plisse dès qu'il sourit des yeux brillants de malice et arbore une barbiche filiforme à la Trotski. Ladi, c'est lui qui le dit, et c'est vrai, "connaît tout !" J'ai besoin d'une *memory stick* pour mon numérique. Pas de problème, en trois pétarades nous voilà au Marché central : il est huit heures du matin

---

* 350 000 utilisateurs de mobiles, dix fois plus que de fixes au Cambodge (chiffres 2004).

mais déjà la bâtisse jaune années 1970 bourdonne de tous ses alvéoles*. Une carte mémoire ici, ça m'étonnerait, que je bougonne *in petto*. Femme de peu de foi ! Les premiers temps au Cambodge je m'adonne au doute systématique… Mais non Ladi, pas ici, pas au Marché central ! Ladi sourit et hausse gentiment les épaules en m'arrêtant devant une boutique que j'aimerais bien avoir à Belleville. Il triomphe : "Je connais tout." Je m'incline. Respect. Enchaînons sur le Centre culturel français ; son petit restaurant frais et peinard, ses étudiants sagement penchés sur leur dico franco-khmer et ses crêpes au miel en font un lieu de rendez-vous idéal. Naturellement il connaît. C'est bon, on y va ? me demande-t-il.

Ladi prend de surcroît des initiatives heureuses. Un jour où je l'appelle, j'entends de la musique sur la ligne. J'arrive, hurle-t-il. Et dès qu'il me voit : "Tu veux que je t'emmène voir des danses traditionnelles, c'est là que j'étais quand tu m'as appelé…" D'accord. Le quartier où nous nous rendons semble très pauvre. L'immeuble – il s'agit du Building, une institution à Phnom Penh** – est dans un état lamentable. On monte des escaliers branlants, on traverse des couloirs bâchés de noir, des dizaines d'yeux ne nous lâchent pas, des gens habitent là dans un capharnaüm indescriptible ; va pour le cliché car une légère trouille m'empêche de noter les détails. Certes Ladi m'inspire confiance mais je ne le connais que depuis hier. La musique s'amplifie, on pousse une porte : sur un balcon des musiciens, dans la salle de très jeunes filles qui dansent. Des allures de lycéennes

* 3 000 commerçants sur 20 000 mètres carrés.
** Le Building a été construit par Vann Molyvann, l'architecte-vedette des années 1960, un Le Corbusier khmer.

en train de répéter pour le spectacle de quartier dans le 9-3. De fait, c'est presque le cas sauf qu'ici la précarité est extrême. Une danseuse du Ballet royal entraîne ces jeunes du quartier du Bassac pour un festival qui va se dérouler en province à Battambang. Le spectacle m'enchante, j'oublie le lieu misérable. Mes yeux vont des mains des danseuses qui dessinent dans le contre-jour des arabesques de lumière à leurs brunes chevilles, délicates et robustes, cernées d'un anneau doré – et c'est pure jouissance de voir leurs talons faire voler la poussière.

Ladi me ramène épuisée – la bronchite sévit toujours – mais heureuse. Je me glorifie d'avoir le meilleur *driver* de la capitale. Ce n'est pas faux mais je n'en ai pas l'exclusivité, je l'apprendrai le lendemain, lovée dans un fauteuil du *Rising Sun*, un salon de thé, à deux pas du Palais royal, un café pour *barang*, pour Blancs, mais si reposant, où j'étonne la patronne en la suppliant de m'épargner le pitoyable thé Lipton et de me faire le plaisir d'un thé chinois ou khmer, peu m'importe comme elle le nomme. Avec les feuilles au fond ? Oui ! Ainsi fait-elle, prenant sur sa réserve personnelle, car, bien sûr, c'est le thé qu'elle boit, elle. Ravie d'avoir échappé à l'insipide petit sachet international, j'appelle mon Ladi comme convenu. Ah ! il ne peut pas, sa moto, désolé, une panne ! Je comprends très bien. *I call you tomorrow, OK ?* D'accord, répond-il, car l'anglais n'est pas sa tasse de thé à lui non plus.

Le soir même je change d'hôtel et m'installe dans un quartier plus calme pour échapper au vacarme de ma très khmère mais assez éreintante rue 118 – je vais, tant pis, regretter la proximité du fleuve, le fascinant film de la rue, les rencontres incessantes. La soirée est infiniment douce, le traditionnel *amok** savoureux, le jeune serveur s'inquiète de ma santé, *"How are you Mam ?"* Je partage ma table avec une jeune voyageuse, solitaire elle aussi. Elle me raconte son bel après-midi à l'île de la Soie, le calme si près de la *crazy* capitale, et l'exceptionnel *moto-dop* qui l'a guidée. Elle vante son français, son astuce, sa courtoisie. Une idée me traverse. Il ne s'appellerait pas Ladi par hasard ? Si ! Ladi était donc cet après-midi à l'île de la Soie et non pas en rade de moto. L'affaire est rigolote. Un petit génie s'est joué de lui aujourd'hui : les deux Françaises qui se rencontrent dans une ville de 1 300 000 habitants et parlent de lui… Etrangement je ne le lui dirai que bien plus tard ; sans doute ai-je un peu peur qu'il ne se sente ridicule, qu'il ne "perde la face", chose insupportable pour un Khmer. Cela le fera, apparemment en tout cas, beaucoup rire.

* Du poisson cuit au lait de coco.

2

LA TRISTESSE DU ROI

Il souffrait des maladies de ses sujets
plus que des siennes,
car c'est la douleur du peuple
qui fait la douleur des rois,
et non leur propre douleur.

Stèle de Jayavarman VII[*]

Phnom Penh. Août 2007. A peine le pied au petit royaume du Cambodge – *"pocket kingdom"*, disaient les Américains qui y mirent sans vergogne les deux pieds – et me voilà immergée, par la grâce d'une invitation, dans un autre monde dont j'ignore tout. Celui où l'on s'adresse à un homme en lui disant Sire, où on lui envoie un mail qui commence par Votre Majesté, où la royauté n'est pas qu'un mot réservé aux contes de fées. Olivier de Bernon, membre de l'Ecole française d'Extrême-Orient, spécialiste du bouddhisme khmer et ordonnateur depuis 2004 des archives personnelles de Norodom Sihanouk, se coule volontiers dans cet univers. Lui et Xavier d'Abzac, notre hôte, lui aussi fin connaisseur du Cambodge, y sont comme deux poissons dans l'eau. Il y a quelque chose d'une relation filiale entre eux et le roi-père

---

[*] Exergue du livre de François Ponchaud, *Cambodge, année zéro*, Julliard, 1977.

Norodom Sihanouk qui a laissé sa place à son fils Sihamoni en 2004.

"C'est un personnage exceptionnel, affirme Xavier d'Abzac qui fut conseiller de son fils, le prince Ranariddh, de 1986 à 2004. Rendez-vous compte ! Monté sur le trône en 1941, Sihanouk n'a jamais cessé d'être aux affaires. Il est vénéré par les Khmers. Il a connu de Gaulle, Nehru, Nasser, Mao Tsé-toung, Ceausescu, Tito... Il a tissé des liens exceptionnels avec Chou En-lai, avec Kim Il Sung (Corée-du-Nord). Son intelligence et sa culture sont tout simplement confondantes. L'autre jour, comme je l'interrogeais sur le thème du pouvoir, il m'a parlé trois bons quarts d'heure des philosophes italiens de la Renaissance avec un développement époustouflant sur Machiavel. Mais le roi-père est aussi d'une grande simplicité et l'incarnation même de la courtoisie. Je n'ai jamais vu cette qualité poussée à un tel degré, une telle prévenance, la simplicité avec laquelle il vous reçoit, sa façon de vous mettre à l'aise, de vous écouter – il a cette qualité rare de vous faire paraître intelligent... Vous ne pouvez que l'aimer !"

"Sihanouk est le prince absolu de la courtoisie, approuve Olivier de Bernon. Lorsqu'il donne une soirée, lui et la reine reçoivent leurs invités un par un et le roi a un mot pour chacun. Il signe chaque menu de sa main, ce qui est très touchant : il sait bien qu'on repart avec ! Il s'arrange pour vous faire cadeau d'une perle de la soirée : un mot drôle, une allusion plaisante. Le tout dans un français magnifique ; c'est le dernier homme politique au monde à utiliser l'imparfait du subjonctif… Et drôle !"

On passe au salon. Sur la table, des DVD qui portent tous le titre *Royal Singing*. Dans son livre de mémoires *Souvenirs doux et amers*, que je n'avais pas encore lu ce soir-là, Sihanouk raconte que son goût de la musique lui vient de son père qui voulait faire de son fils un violoniste. Donc le roi chante, j'en suis fort aise, mais il chante quoi ? Des tubes du monde entier. *Les Feuilles mortes*, par exemple, ou *La Lambada* en portugais… Il chante, me précise-t-on, en khmer et en français, cela va de soi, mais aussi en chinois, vietnamien, malais, japonais, thaï, anglais, italien. "Il chante en grand professionnel, s'enflamme mon hôte. Cela se passe au cours de ses soirées, les plus belles du monde, avec la plupart du temps une cuisine française." Si l'on en croit ses Mémoires, Sihanouk sait en effet ce qui est bon : "Je raffole du foie gras, frais, rose et moelleux dans sa gelée au porto, et des poussins de Hambourg rôtis, à la chair tendre et savoureuse…" "Quand on arrive aux «mignardises», poursuit Olivier de Bernon, le roi se lève, prend le micro et devient un incroyable crooner." Je vais en avoir la preuve illico, sur l'écran de télévision, où, le champagne aidant, de plus en plus hallucinée, entre Alice au pays des merveilles et Cendrillon avant minuit, je vois Sa Majesté Norodom Sihanouk interpréter *Besa me mucho*, une de mes chansons préférées… Quand, de surcroît, l'Ecole française d'Extrême-Orient esquisse quelques pas de danse avec moi, que dire, sinon que le roi n'est pas mon cousin…

Tout cela est bel et bon et très amusant mais tout cela va-t-il m'aider à me faire mon opinion sur Sihanouk ?… Les titres de ses dernières réalisations cinématographiques également sur la table du salon – il a fait une centaine de films – ajoutent à ma perplexité. Son amour du cinéma, je le lirai plus tard, Sihanouk le doit également à ses parents : "Ils m'emmenaient chaque soir au cinéma. Nos vedettes préférées étaient Marlène Dietrich et Maurice Chevalier." Titre donc de l'un des derniers films, *L'Attachement singulier d'une pucelle*… dans lequel Xavier d'Abzac joue le rôle d'une personnalité française qui visite le Musée national de Phnom Penh "et fait des commentaires passionnés et passionnants – mais j'ai été un peu longuet", ironise l'acteur occasionnel. D'accord, mais pourquoi ce titre ? *A priori* rien à voir avec le contenu du film. En fait, explique Xavier, il l'a fait en pensant à sa fillette Kantha Bopha qu'il chérissait infiniment, morte d'une leucémie à l'âge de quatre ans en 1952. Mais je n'ai rien vu de ça ! s'étonne Olivier. Ne pas s'étonner. La seule vedette de tous les films de Sihanouk serait le Cambodge. "Ce qui compte, plaide Xavier, c'est le lieu du tournage, les magnifiques décors naturels, les danses, la musique. D'ailleurs le roi écrit souvent le scénario en une nuit. Un matin, à Pyongyang (Corée-du-Nord), il m'a donné le synopsis, où il avait laissé en blanc les dialogues me concernant, en me disant : Vous me ferez l'honneur de les écrire vous-même !"

Je regarde mes deux interlocuteurs et je risque : "Il ne vous énerve jamais ?" Il nous épuise mais ne nous énerve pas, telle est la réponse des deux compères. Et, à les entendre, sa jouissance de vivre très profonde – et très khmère, je le comprendrai au cours du voyage – cohabite avec une profonde souffrance. "Je le compare volontiers à Louis XIV : comme lui, il a eu un règne extrêmement long au cours duquel il a horriblement souffert personnellement, sans jamais se départir de l'apparence qu'il jugeait devoir être celle d'un roi, dit Olivier de Bernon. On ne pourrait le comprendre qu'en ayant été roi soi-même." "Oui, renchérit Xavier, ce qu'il a vécu, les traîtrises, les insultes, les humiliations, c'est effrayant. Comment il a été vilipendé par la presse étrangère, traité de tous les noms, de prince rouge, de monarque tyrannique, corrompu… Sans parler de la période noire. Dans son livre *Prisonnier des Khmers rouges*, il raconte comment, en résidence surveillée, il avait caché une corde dans le frigidaire : il craignait sous la torture de perdre sa dignité."

"Les archives de ces années-là (1976-1979), enchaîne Olivier, se résument à trois documents : un pauvre cahier de recettes de cuisine de la reine et deux cahiers d'écolier extraordinaires, entièrement de sa main, dans lesquels il a recopié les exercices des méthodes Assimil d'italien et d'allemand. Sihanouk est seul, totalement coupé du monde, il n'a ni correspondants ni bibliothèque, il n'a rien et, pour ne pas devenir fou, il apprend ces deux langues."

"Le roi m'a dit récemment, confie Xavier : «C'est trop de souffrance. Je ne veux pas être réincarné. Je suis allé prier mes ancêtres dans la salle du Trône (au Palais royal à Phnom Penh) pour qu'ils m'accordent de n'être plus qu'un esprit chargé de veiller sur le royaume…»"

Je fus très chanceuse ce soir-là car bien d'autres invités virtuels poussèrent la porte de la très belle demeure khmère : l'écrivain François Bizot et son

chef-d'œuvre *Le Portail*, le prêtre François Ponchaud qui révéla le génocide à l'Occident, des
ministres d'antan ou d'aujourd'hui, un auteur de
roman policier, une danseuse… J'assistai à l'unique représentation d'une pièce, d'un opéra ou
plutôt du traditionnel théâtre d'ombres khmer. Je
m'y divertis et je m'y instruisis. Après que le car-
rosse de l'EFEO m'eut déposée, j'ai perdu mes
pantoufles de vair, j'ai rechaussé mes Pataugas et
je suis partie sur le quai Sisowath tout près de
mon hôtel – personne ne m'avait encore dit qu'il
valait mieux pour une *barang*, une Occidentale,
ne pas s'y risquer la nuit. Il fait chaud. Naturellement. Heureusement. Le quai vit sa vie nocturne.
Intense. Fourmillante. Diseuses de destin, vendeurs de riens, familles couchées sur le trottoir…
Une minuscule fillette me dépasse qui porte un
bébé presque aussi grand qu'elle.

C'est à mon retour à Paris que je lis les deux
récits autobiographiques de Norodom Sihanouk :
Souvenirs doux et amers paru en 1981 et *Prisonnier
des Khmers rouges* en 1986. Très belle écriture, sens
du récit, drôlerie, émotion : je suis bluffée. Et surtout j'ai l'impression de connaître intimement le
roi… Les touches du portrait esquissé par mes
hôtes trouvent leur place, le puzzle Sihanouk
prend forme. D'abord un souvenir que j'avais
gardé de l'enfance et qui a resurgi ce soir-là, à
Phnom Penh, celui de la voix du personnage :
une voix si particulière, le timbre haut perché aux
intonations presque criardes, le trémolo agaçant,
le rire si étrange, presque un rire de fou, disaient,
me semblait-il, les adultes dans les années 1960.
Le récit de Sihanouk me le confirme. Cela se
passe en 1953, au moment de sa croisade pour

l'indépendance de son pays sous protectorat français, et il écrit : "Au sein de l'état-major du général de Langlade, certains officiers se plaindront que je profite «cyniquement» des difficultés de la France au Nord-Viêtnam pour la «chasser du Cambodge». Ils demanderont à leur chef : «Mon général, allez-vous vous laisser faire par ce fou ?» L'ambassadeur d'un grand pays allié de la France me rapportera la réponse de Langlade, qui me conserve son estime : «Messieurs, le roi est fou, mais c'est un fou de génie…»" La légende d'un "Sihanouk fou à lier" persistera longtemps : ce dernier y revient à plusieurs reprises dans ses souvenirs.

Autre pièce du puzzle, la figure du roi au Cambodge. C'est un *preah*, une personne sacrée, pour lequel on utilise un vocabulaire spécial. Aux yeux des paysans, près de 90 % de la population, le souverain est intermédiaire entre le ciel et la terre, il est le successeur des rois-dieux d'Angkor, il agit sur les éléments, sur la fécondité du sol. Ce qui explique l'attachement du "petit peuple" (comme dit Sihanouk sans aucune condescendance, je crois) à *Samdech Euv*, monseigneur-papa. Dans ses deux autobiographies, il nous en donne moult preuves. Lui-même est, de toute évidence, sincèrement touché par cette vénération. Par exemple en 1976 sous les Khmers rouges : "Je vois un vieux qui se prosterne en m'adressant un sourire plein de tendresse et de vénération. Je lui réponds par un très affectueux salut à la khmère de l'ancien temps. Je suis bouleversé par ces témoignages inattendus de fidélité et d'indestructible attachement à ma personne, pourtant copieusement calomniée par les deux régimes qui m'ont succédé." Oui, entre le "petit peuple" et Sihanouk, ce fut un mariage d'amour. Petit peuple qui l'a inconditionnellement et jusqu'au bout suivi et défendu. Encore aujourd'hui, quand vous évoquez Sihanouk à la campagne, les visages s'éclairent et c'est toujours de la tendresse qui affleure dans les paroles prononcées. Dans le registre de la tendresse, certaines pages sont plus que touchantes : celles sur ses amours (il n'a connu, dit-il, que dix-neuf dames et demoiselles et s'est assagi à trente ans avec la femme de sa vie, la princesse Monique, devenue la reine Monineath), celles sur sa petite fille, "la plus caressante, la plus attachée à son père". "Je donnerai à mon enfant adoré des funérailles de reine. Sa perte me laissera à jamais inconsolable."

Très étonnants, toujours sous sa plume, la façon dont il est conscient très tôt d'avoir un destin, et ce mélange de grande rationalité – c'est un homme d'une brillante intelligence – et de vivaces croyances, dont lui-même d'ailleurs se moque. La montée sur le trône par exemple, décision émanant de la France et qui lui tombe dessus, alors qu'il a dix-neuf ans, et franchement d'autres désirs en tête, lui inspire ces commentaires : "Le soir de mon couronnement (1941), le destin m'adresse un sinistre avertissement. Un violent coup de vent éteint le grand cierge de la victoire *(tean chey)* que j'avais solennellement allumé le matin (…). Or ce cierge, selon la tradition, devait brûler constamment pendant trois jours et trois nuits… Chacun, au palais et dans les milieux traditionalistes de la capitale, est frappé d'effroi. Un grand malheur, prédit-on, s'abattra sur moi, la monarchie, le pays et la nation. Cette prédiction, hélas, se vérifiera,

car mon règne deviendra de plus en plus dramatique, la monarchie sera abolie par ceux qui lui
doivent tout, le peuple sera victime de la politique de génocide des Khmers rouges et le pays
colonisé en 1979 par les Vietnamiens. Etais-je,
mon règne à peine commencé, un roi maudit ?"
Autre exemple, un chapitre sur les *chhma ba*,
genres de chats-huants, d'oiseaux de mauvais au-
gure, chapitre qui raconte par le menu la série de
catastrophes que Sihanouk leur impute. Il va jusqu'à faire abattre et déraciner les grands arbres où
nichent ces oiseaux de malheur. Las ! ce faisant
l'un des bûcherons se blesse gravement à la tempe
droite...

On comprend pourquoi Hélène Cixous s'est em-
parée de ce personnage dont elle dit : "Sihanouk
est «théâtral». C'est-à-dire digne de théâtre (…). Le
prince vit sur la terre comme sur une scène de
théâtre (…). Il a fait sienne la malice shakespea-
rienne : *«All the world's a stage.»*" Sa pièce, *L'Histoire
terrible mais inachevée de Norodom Sihanouk,
roi du Cambodge,* fut jouée en 1987 à la Cartoucherie de Vincennes par le Théâtre du Soleil*. Le
texte splendide, inspiré, et pourtant limpide, précis, commence avant le coup d'Etat du général
Lon Nol soutenu par les Américains et la destitution du roi**, et se termine le 6 janvier 1979, à

* Ariane Mnouchkine la reprend au Cambodge en langue
khmère avec la troupe Kok Thlok de Phnom Penh et l'école
Phare Ponleu Selpak citée dans le chapitre "La reconstruc-
tion" ; les répétitions ont lieu à Battambang.
** Le 18 mars 1970, le général Lon Nol renversait Norodom
Sihanouk, établissant un régime républicain avec l'appui de
Washington.

l'entrée des Vietnamiens qui libèrent – avant de l'occuper – le Cambodge des Khmers rouges. Extrait : "J'ai trois mille ans. Je n'ai plus rien à perdre. Je suis assis à la pointe du temps. Il y a des siècles que Sihanouk est sorti du fleuve. Ici, il n'y a plus d'erreur, plus de rage. Devant moi s'étend l'immense champ tranquille de la légende. Je pourrais m'allonger, me reposer. Encore vivant, je suis devenu sage et âgé comme les morts. Je n'ai plus la force, le courage de faire des erreurs, la course, tout ce qu'il faut faire pour participer aux jeux de cette terre. Je ne dirai plus rien."

Hélène Cixous ne le sait pas à l'époque mais Sihanouk reviendra. Les Vietnamiens quittent le Cambodge en 1989, les accords de paix sont signés en 1991, le Cambodge est placé sous le contrôle des Nations unies et en 1993 les élections sont un "extraordinaire succès historique", au dire même du roi, puisque son parti récolte 45,71 % des voix. Il passera la main à son fils Sihamoni dix ans plus tard.

Je m'interroge. Ce roi, cet homme, dont on a tout dit, le meilleur et le pire, mais qui a de toute certitude profondément aimé le Cambodge et les Cambodgiens, comment vit-il les déviances actuelles du régime – corruption, pas nouvelle certes mais devenant consubstantielle, prostitution, violences familiales, systèmes de justice, de santé, d'éducation plus que défaillants –, déviances qui entachent, gauchissent un développement par ailleurs indéniable, et qui pénalisent d'abord ce "petit peuple" ? Je me demande s'il n'est pas souvent habité, malgré ses films et ses chansons, par une grande tristesse. Ce qui lui est par-dessus tout insupportable, me dira plus tard Xavier, c'est, sous des couverts de légalité, l'expropriation parfaitement ignominieuse des paysans. Sans doute cette inquiétude du roi de voir les paysans chassés de leurs terres est-elle nourrie par son expérience. Qui sait mieux que lui en effet à quelle détresse facilement récupérable peut conduire le sentiment d'injustice au Cambodge ! Or, selon un rapport du Pnud (Programme des Nations unies pour le développement), les habitants des zones rurales ont de bonnes raisons de se sentir lésés : le taux de pauvreté y est de 39 % contre 5 % à Phnom Penh. Alain Daniel, un temps chef du secrétariat particulier de Sihanouk, à qui je poserai cette question de la tristesse du roi, me dira : "Le roi a bien des raisons d'être triste. Et ces raisons je les partage en particulier dans deux domaines qui me sont chers : le clergé bouddhiste, qui n'a plus la même spiritualité, et le Ballet royal, l'une des expressions les plus achevées au monde de la danse, qui est dans un état de désagrégation dramatique." (Voir le chapitre "Divines apsaras".)

Le lendemain de cette royale soirée chez Xavier d'Abzac, je lirai dans *Cambodia Daily* qu'une ONG américaine œuvrant pour la justice au Cambodge* a écrit au président de l'Assemblée nationale pour lui demander de priver le roi Sihanouk de son immunité : "un obstacle aux investigations des juges et une injustice vis-à-vis des autres dirigeants khmers rouges", Sihanouk ayant été, argumente l'ONG, à la tête du Kampuchea

* CACJE : Cambodian Action Committee for Justice and Equity.

démocratique, la dictature des Khmers rouges*. Sihanouk, le fait est, arriva de Pékin à Phnom Penh le 9 septembre 1975 (soit cinq mois après la prise de pouvoir par Pol Pot). Mais François Ponchaud, parlant de cette période, écrivait dans *Cambodge, année zéro* : "Contrairement à son intention, il n'est pas autorisé à porter les cendres de sa mère [décédée à Pékin] à Angkor. S'il préside un Conseil des ministres, il n'a plus le pouvoir de décision. Si l'on en croit un membre de son entourage : dans l'obscurité de son palais, le prince pleura." Sihanouk démissionnera de ses fonctions en avril 1976 et restera en résidence surveillée jusqu'à l'arrivée des Vietnamiens. "Quand ils n'auront plus besoin de moi, ils me jetteront comme un noyau de cerise", avait-il prédit en 1973, revenant du maquis où il avait rencontré les Khmers rouges. Entre-temps le régime de Pol Pot aura mené jusqu'au bout son entreprise de purification et de destruction du Cambodge. Sihanouk perdra sous les Khmers rouges cinq enfants et quatorze petits-enfants.

Aujourd'hui, le roi-père a quatre-vingt-six ans et, sur son site Internet, moderne théâtre, il travaille, avec une opiniâtreté qui fut toujours la sienne, à son image, à sa mémoire. Il se raconte, se donne à voir, ne laisse rien passer qui le mette en cause, explique, réfute, argumente. La prolifération des récits, des souvenirs, des lettres de sa main reproduites sur écran, parfois enflammées, rageuses ou

---

* Le prince a violemment réagi sur son site Internet et le Premier ministre Hun Sen a condamné cette demande. D'une façon générale, il y a une espèce de consensus qui rend plus ou moins intouchable la personne du roi.

émues, donne le vertige… Dans *Souvenirs doux et amers*, Sihanouk racontait que son prénom, choisi par son grand-père paternel, venait du mot pâli *siha*, le lion ! "Sihanouk, du moins pour mon cher grand-père, devait être une sorte de «Richard Cœur de Lion» khmer. C'était beaucoup attendre de l'enfantelet vagissant que j'étais."

3

PERLES, ILLUMINATIONS ET SORTILÈGES

> *Au fond des forêts du Siam, j'ai vu l'étoile*
> *du soir se lever sur les grandes ruines*
> *d'Angkor...*
>
> HENRI MOUHOT

"Mon histoire cambodgienne commence avec un livre de photos en noir et blanc. Je me souviens que la couverture était en lin, un format carré, avec une petite attache en ivoire ; il n'y avait aucun texte, juste des photos de pêcheuses de perles japonaises. Je l'avais trouvé au grenier, dans une malle, je l'avais pris dans ma chambre, je le regardais pendant des heures." A en croire Xavier d'Abzac, et pourquoi ne pas le croire, c'est ainsi que serait née sa fascination pour l'Asie et singulièrement pour le Cambodge. La rencontre en France de la femme de sa vie, cambodgienne, rescapée des Khmers rouges, "elle avait treize ans, j'en avais seize, on a plus tard uni nos destins", sera le vrai déclencheur d'un attachement à ce pays qui lui fera vivre de près les soubresauts de l'après-guerre et la difficile renaissance du petit royaume – notamment en tant que chargé de mission en 1986 par le prince Ranariddh, fils du roi Sihanouk. Reste que les images des pêcheuses de perles sont le ferment premier. Il ajoute : "Ces photos me transportaient. Elles ont d'une façon que je ne peux expliquer été déterminantes." Oui, on le croit tant on sait bien que ces "illuminations" enfantines sont presque toujours celles qui éclairent une vie. L'écrivain Pierre Loti ne racontait pas autre chose dans *Un pèlerin d'Angkor** paru en 1911 dans le journal *L'Illustration*. Ses perles à lui, ce sont des coquillages et des parures océaniennes qu'il garde jalousement, dans son "musée d'enfant". Un soir, plutôt que de faire ses devoirs, il feuillette des papiers de son frère mort en Indochine. Et entre autres un numéro d'une revue coloniale : "Il y avait une image devant laquelle je m'arrêtai saisi de frissons : de grandes tours étranges que des ramures exotiques enlaçaient de toutes parts, les temples de la mystérieuse Angkor !" "Ce soir-là, écrit-il un peu plus loin, j'eus la prescience très nette d'une vie de voyages et d'aventure avec des heures magnifiques, presque un peu fabuleuses comme pour quelque prince oriental, et aussi des heures misérables infiniment."

Ce n'est que trente-cinq ans plus tard, en 1901, que Pierre Loti réalisera son rêve d'enfant, verra de ses yeux les tours en forme de tiare, et encore dix ans plus tard qu'il en fera le récit. Un récit d'une certaine façon désenchanté (mais ce désenchantement, il l'avait aussi pressenti enfant). Certes le voyage – et le texte – est magnifique avec la remontée du Tonle Sap, l'étape à Phnom Penh, le lever du soleil sur le lac immense où en quelques minutes tout se colore tandis que "la vieille lune morte, la grande pleine lune couleur d'étain commence à pâlir", l'arrivée en charrette à bœufs à Siem Reap, petit village avant le site des temples, aujourd'hui ville en pleine explosion

* Disponible sous le titre *Angkor* chez Magellan et Cie.

démographique… Certes. Mais l'émotion tant attendue à Angkor n'est pas au rendez-vous. C'est le lendemain seulement, à la tombée de la nuit, que l'homme, que l'écrivain en tout cas, essaiera de la convoquer jusqu'à ce que revienne chanter en lui la phrase qui jadis le berça à la fenêtre de sa chambre d'enfant : "Au fond des forêts du Siam, j'ai vu l'étoile du soir se lever sur les grandes ruines d'Angkor."

Quelque vingt ans après, en 1923, André Malraux expérimente le même sortilège au cours d'un périple en Indochine. Il a lui aussi fait rouler les perles du rêve, il a été pareillement un enfant amoureux de cartes et d'estampes, un adolescent qui se plongeait dans *Le Tour du monde* ou *La Revue géographique* dénichés chez les bouquinistes. Et bien sûr il a lu Loti : "Je n'avais pas quinze ans quand je lisais Loti : J'ai vu l'étoile du soir se lever sur Angkor", écrit-il dans *La Tête d'obsidienne*. Les trésors de l'Empire khmer lui inspirent son roman *La Voie royale*, paru en 1930, j'y reviens un peu plus loin. L'Asie est alors en vogue, elle devient selon les mots mêmes de Malraux "un des lieux privilégiés du rêve". Et, commente Christiane Moatti, sa préfacière, "*La Voie royale* a pour cadre cet Orient dont les mirages avaient déjà attiré au siècle dernier bien des écrivains voyageurs – Chateaubriand, Lamartine, Nerval, Flaubert, Gobineau, Loti et plus tard Segalen*."

C'est dans la même période, en 1927, que Pierre Benoit publie *Le Roi lépreux*, son rocambolesque roman, et c'est aussi au crépuscule que le narrateur

---

* A l'Exposition coloniale de 1931, au bois de Vincennes, une réplique grandeur nature des étages supérieurs d'Angkor Vat déclencha une vague d'*Angkormania* chez les Parisiens…

cède au lyrisme. "Les cinq tours, en monumentale pyramide, s'étageaient confusément dans le ciel nocturne. Une étoile tremblait au sommet de la plus haute à la place où, dans les temps héroïques, s'épanouissait l'immense lotus d'or."

Nul doute que les uns et les autres – et j'ai envie de citer la grande prose journalistique d'Albert Londres –, avant de tremper leur plume dans l'exotisme khmer, l'ont aiguisée à la prose d'Henri Mouhot, le naturaliste à qui il est de tradition d'attribuer en 1859 la première découverte d'Angkor (par les étrangers, les Khmers, eux, ne l'ont jamais perdue) et des autres temples de la région, vestiges des capitales bâties entre le IXe et le XIVe siècle ; en fait Mouhot fut précédé par le missionnaire Charles-Emile Bouillevaux qui sut sans doute moins bien vendre son opuscule *Voyage dans l'Indo-Chine* ; et encore avant, au XVIIe siècle, il y eut des découvreurs portugais et espagnols. Le Journal de voyage du naturaliste et ses extraordinaires dessins à la plume parurent dans la revue *Le Tour du monde*. Extrait : "Lorsque au soleil couchant mon ami et moi nous parcourions lentement la superbe chaussée qui joint la colonnade au temple, ou qu'assis en face du superbe monument principal, nous considérions, sans nous lasser jamais ni de les voir ni d'en parler, ces glorieux restes d'une nation éclairée qui n'est plus, nous éprouvions au plus haut degré cette sorte de vénération, de saint respect que l'on ressent auprès des hommes de grand génie ou en présence de leurs créations."

Peut-être influencée à mon tour par ces lectures, c'est seulement à la tombée du jour que j'ai moi aussi ressenti un émoi à la hauteur de mes fantasmes, quand la marée des touristes – pas si effrayante qu'on le dit souvent tant le site est immense – s'est retirée. Je suis à Angkor Vat, le plus grand temple du monde, conçu par Sûryavarman II au XIIᵉ siècle*. Je viens de redescendre le dernier niveau du sanctuaire central, le soulagement d'avoir passé l'épreuve des marches, quasiment à quatre-vingt-dix degrés, a installé en moi un bien-être physique. Une jeune femme, Meala, de retour au Cambodge qu'elle a quitté toute petite après les Khmers rouges, m'a offert son dessert préféré dont elle venait de retrouver le goût : une pâte de riz gluant et de coco. Je suis dans la douceur de cette nourriture d'enfance, la lune est déjà là, le chant des oiseaux en sourdine comme avant un lever de rideau, sauf de temps en temps un trille aigu qui vrille l'air. Je me suis arrêtée pour prendre des photos du bassin aux lotus dans lequel se noient les tours, maintenant j'ai quitté la chaussée qui sur trois cent cinquante mètres mène au temple, Angkor Vat vient de se refermer sur sa splendeur, je marche dans l'herbe, ça sent bon, des odeurs de ferme, la nuit descend, dans l'eau des douves il y a des reflets d'argent, je m'allonge sur un muret de pierres chaudes, mon exceptionnelle cigarette rougeoie entre mes doigts. Je suis à Angkor et je le sais et je le vis pleinement. "Finalement, ce qui constitue l'ossature de l'existence, ce n'est ni la famille ni la carrière, ni ce que d'autres diront ou penseront de vous, mais quelques instants de cette nature, soulevés par une lévitation

---

* Chez la plupart des étrangers, remarque Sihanouk dans un de ses livres, il y a une confusion curieusement persistante à propos d'Angkor : ils confondent "Angkor" tout court et "Angkor Vat". C'est vrai ! Angkor désigne les quelque trois cents temples et autres monuments de la province de Siem Reap édifiés entre le IXᵉ et le XIIIᵉ siècle ; Angkor Vat est le nom du plus prestigieux de ces temples.

plus sereine encore que celle de l'amour et que la vie nous distribue avec une parcimonie à la mesure de notre faible cœur." Ainsi le dit Nicolas Bouvier dans *L'Usage du monde*.

Rendons grâce ! le lendemain fut aussi un grand jour. Si j'avais encore quelque réserve, une once de quant-à-soi, j'y renonçai et basculai pour de bon dans l'univers onirique d'Angkor. Il faut dire que je découvrais les cinquante-quatre tours à visages du Bayon, temple élevé fin XIIᵉ siècle, au cœur de ce qui fut la cité d'Angor Thom, sous le règne du premier roi bouddhiste Jayavarman VII. Personne, je présume, n'y résiste. Ces gigantesques visages dont, au fur et à mesure de mon ascension, je croisais l'éternel regard comme à moi seul destiné, visages dont certains, dirait-on, émergent de la fastueuse forêt tandis que d'autres se découpent sur le bleu tranchant du ciel, visages mordorés au soleil, si sombres à l'ombre, ont bien sûr inspiré Loti et Benoit. Inspiré une certaine frayeur d'ailleurs ! "(…) et je frémis tout à coup d'une peur inconnue en percevant un grand sourire figé qui tombe d'en haut sur moi… et puis un autre sourire encore, là-bas sur un autre pan de muraille… et puis trois, et puis cinq, et puis dix ; il y en a partout et j'étais surveillé de toutes parts…" Voilà pour Loti. "Je sursautais au glissement des lézards et des serpents qui fuyaient sous les herbes luisantes de chaleur. De tous côtés au-dessus de ma tête, à cinquante pieds, à quatre-vingts, à cent pieds en l'air, les gigantesques visages taillés au flanc des tours laissaient peser sur moi le faix indéfinissable de leur regard mort." Voilà pour Benoit.

Bien timorés les deux écrivains ? C'est que l'atmosphère n'était évidemment pas la même à l'orée du XXᵉ siècle qu'en 2007. Sur une photo datant précisément de 1901, prise par le photographe

Charles Carpeaux avant que les travaux de dégagement ne commencent, le Bayon peut effectivement filer des frissons. Aujourd'hui, la ribambelle de Coréennes à ombrelle qui me précède engendre plus volontiers un léger agacement qu'une frayeur sacrée ; de même que les jeunes apsaras, non de pierre mais bien en chair, qui me pressent de poser avec elles, mettent un terme à ma modeste méditation... Cela dit, j'ai gardé un grand souvenir du Bayon, et la lumineuse sérénité d'un visage que j'ai photographié et agrandi continue à m'émerveiller à Paris – seul le visage d'un nouveau-né peut rayonner autant.

Toujours guidée par mes lectures, je me suis mise tranquillement en quête de la terrasse du Roi lépreux. Se perdre à Angkor Thom, dans la quiétude du parc, qui fut une cité pleine de vie, est délicieux. Marcher sous les arbres géants, reprendre le *tuk-tuk* pour gagner un autre site – plaisir de s'asseoir dans cet épatant moyen de transport, sièges moelleux et brise légère, et de circuler telle une reine au cœur de la beauté –, acheter dans les échoppes, sans trop se faire prier – ces petits vendeurs sont peut-être les descendants de ceux qui construisirent ces splendeurs –, craquer donc pour un *krama*, une flûte, une petite corbeille en vannerie ou encore des bananes naines pour juguler le coup de pompe, s'asseoir et bouquiner le guide – et quelle bonne idée d'avoir cédé à un jeune garçon qui m'a donné, c'est le mot, pour cinq dollars le remarquable *Angkor, cité khmère* de Claude Jacques et Michel Freeman – en sachant que ce n'est pas demain la veille que je m'y retrouverai dans les règnes et les styles. Et ce n'est pas grave vraiment tant j'ai de joie à me promener de merveille en merveille dans la lumière dorée de cette journée.

Et la voici ! la fameuse terrasse du Roi lépreux édifiée sous Jayavarman VIII au XIIIe siècle. Le roi lépreux, qui donne son titre au roman de Pierre Benoit, est une statue nue et sans sexe, portant une massue. L'aspect de la pierre, sans doute des taches de lichen, explique l'appellation : selon la légende en effet, un des rois d'Angkor aurait été lépreux ; mais la statue représenterait en fait Yama, le dieu des morts. L'œuvre ne m'a pas bouleversée, de plus c'est une copie, l'original est au Musée national de Phnom Penh. Non, ce que j'ai adoré ce n'est pas le roi mais la petite galerie souterraine qui suit en zigzag le tracé de la terrasse. Une suite de personnages masculins, flanqués de divinités féminines, ornent les bas-reliefs : étonnante galerie de portraits, aucun n'est semblable, certains ont des visages féroces, au-dessous d'eux serpentent des nâgas à cinq, sept ou neuf têtes. Impression de lire une BD antique.

Si, dans la pochade de Pierre Benoit, Angkor est un décor exploité avec talent, dans *Jarai*, la puissante fresque de Lou Durand, le Cambodge est le ressort même du roman, son ossature. Une scène se passe sur cette terrasse du Roi lépreux. Nous sommes en 1969. Les flamboyants héros Lisa et Lara arpentent la non moins flamboyante Angkor, sous une pluie qui renforce, pour leur bonheur, leur solitude. "Sous la pluie encore et toujours ils avaient parcouru des jours durant les pistes reliant un temple à l'autre (…). Elle avait embrassé sur ses lèvres le roi lépreux avant de s'insinuer dans la gorge étroite de la terrasse des Eléphants, puis de se courber pour l'enfilade des petites portes claires et sombres en alternance du Preah Khan d'Angkor (…)." Et, disait Lara : "Il n'y a rien au monde comme Angkor. Les monuments grecs et les cathédrales parlent à l'intelligence.

Angkor touche ta peau et ton sang. Angkor se res-
pire autant qu'il se voit."

Je suis reconnaissante à Lou Durand de me dé-
douaner de l'érudition pour privilégier l'émotion !
Cette primauté des sensations s'imposa quand je
me rendis le lendemain au Ta Prohm, édifié au
XIIe sous Jayavarman VII. Le temple est dans son
état naturel et c'est comme si nous le découvrions
au XIXe siècle avec Henri Mouhot : l'enchevêtre-
ment intime, viscéral, des pierres et des racines, du
minéral et du végétal. "Au contraire de ce qu'ils
avaient fait partout ailleurs, les archéologues de
l'Ecole française d'Extrême-Orient n'avaient pas
ici cherché à lutter contre l'envahissement irrésistible de la végétation. D'abord parce que nulle
part ailleurs qu'au Ta Prohm ces sortes de poulpes
géants couleur de lait ne s'étaient autant emparés
de la pierre en étouffant sous leurs tentacules un
bâtiment de presque cent cinquante mètres de
long, et que le travail de dégagement eût été co-
lossal, ensuite parce qu'ils avaient voulu garder le
Ta Prohm comme un exemple dramatique de la
terrible emprise de la forêt, de cette fantastique et
irrépressible digestion à laquelle la jungle s'employait constamment." *(Jarai.)* Il suffirait, disent
les spécialistes, d'une décennie sans surveillance
pour que la forêt engloutisse à nouveau Angkor.

Impression comparable, plus stupéfiante encore au temple de Beng Meala, cathédrale dans la
jungle, à quelque soixante kilomètres d'Angkor
Vat et construit également sous le règne de Sûryavarman II. Meala, la jeune femme qui m'avait
offert le doux dessert, avait insisté pour qu'on visite ce haut lieu dont elle portait le nom. Je rechi-
gnais. J'avais tort. C'est là, dans ce site grandiose
du XIIe siècle, que Jean-Jacques Annaud tourna
Deux frères – la passerelle édifiée pour les besoins

du film permet d'y entrer plus facilement. La violence, la puissance de l'enserrement des racines de fromagers géants sont telles que je me sens oppressée. Moiteur de l'air, odeur fade et forte à la fois. Chaos primordial. Et des trouées de lumière qui ont la froideur d'un projecteur. Dehors, quand je rejoins la chaussée dallée et le groupe, et que l'on s'arrête pour déguster un énorme fruit du jacquier, la vie tranquille reprend ses droits. Et si Meala, qui toute petite fille échappa aux Khmers rouges dans une fuite cauchemardesque, si Meala, qui prend pour la photo une pose de danseuse de bas-relief, si Meala a bien le visage harmonieux des apsaras du lieu, son rire est celui d'une jeune femme heureuse de vivre et de montrer les grandeurs de son pays à son mari et à ses amis français.

A l'opposé de Beng Meala, tout en délicatesse, situé à trente-deux kilomètres d'Angkor, le fameux Banteay Srei datant du Xe siècle, découvert par les Français en 1914, dit la citadelle des Femmes, est tout de grès rose et de taille beaucoup plus petite. Ce qui soudain repose… Je vais pouvoir faire le tour de ce temple-là qui plut tant à Malraux qu'il le délesta de quatre apsaras en 1923, en fait des *devata*, des déités gardiennes ; à Siem Reap, dans une boutique tenue par un Français, j'ai trouvé la photo de l'une des beautés volées par le jeune et impulsif futur ministre de la Culture. Eh bien non, je n'en fis pas le tour, de la citadelle de la beauté : chaque parcelle de surface est décorée… J'avais beau m'appliquer, passer sous les *gopura*, admirer les oiseaux *garuda*, scruter les scènes du *Râmâyana*, tenter de danser avec Shiva, j'avais beau… à Banteay Srei, j'ai déclaré forfait, j'avais besoin de me reposer. J'en profiterai pour finir *La Voie royale* dans laquelle, à la vérité, je m'enlisais un peu.

Je suis donc rentrée à Siem Reap dans mon hôtel le bien nommé *Ancient Angkor*, dix dollars la nuit, belle déco, petit format y compris celui de la piscine, mais c'est plus que parfait pour y prendre un café, se laisser glisser dans l'eau tiède, profiter des cinq minutes de fraîcheur consécutives au bain pour faire semblant de lire Malraux, presque s'endormir comme le soleil décline – quand il aura disparu, ce qui ne va pas traîner, il continuera à faire bon. Demain je ne veux pas voir un seul temple, je suis morte, je fais glaces-shopping-glaces-cartes postales dans Siem Reap. Oui ! j'en viens enfin à Malraux et à sa *Voie royale*. Sacré Malraux ! Il a vingt-deux ans et des problèmes d'argent – deux années qu'il se la coulait douce avec sa femme Clara. Idée : il doit y avoir le long de la voie royale, du Siam (Thaïlande) aux montagnes des Dangrek (Nord du Cambodge), des temples pas encore découverts : "(…) nous enlevons quelques statues, nous les vendons en Amérique, ce qui nous permettra de vivre ensuite tranquilles pendant deux ou trois ans." Sitôt dit, sitôt fait. Embarquement, le 13 octobre 1923, à Marseille d'André et Clara. Etape à Hanoi pour obtenir de l'EFEO, l'Ecole française d'Extrême-Orient, une lettre de mission. Préparatifs de l'expédition à Phnom Penh avec un ami d'enfance qui sera le troisième larron. On imagine l'excitation ! Remontée du Tonle Sap. A Siem Reap, il est bien précisé aux jeunes gens qu'un décret vient d'être promulgué qui déclare "monuments historiques protégés" les ruines disséminées dans la région. Qu'à cela ne tienne ! Une cinquantaine de kilomètres dans la jungle avec guide et chars à buffles et c'est l'arrivée à Banteay Srei. Extraction, découpage, arrachage de quatre grands blocs ornés de bas-reliefs, retour à Siem Reap, les charrettes chargées du vol, descente du Tonle Sap, arrivée à Phnom Penh dans la nuit du 23 au 24 décembre, la gendarmerie y cueille la fine équipe, arrestation. Condamnation six mois plus tard en vertu du nouveau décret à trois ans de prison pour Malraux. Non-lieu pour Clara qui mobilise Gide, Aragon, Mauriac et les autres. Cour d'appel de Saigon. Réduction de la peine à un an avec sursis.

Je me souviens d'une émission télévisée en janvier 2007 où un architecte cambodgien racontait le pillage du temple de Preah Khan qui venait d'avoir lieu : des statues découpées au burin, à la tronçonneuse, puis arrachées à la barre à mine ; certains pieds d'apsaras étaient restés sur place. L'architecte pleurait. Le vandalisme qui prit des proportions catastrophiques dans les années 1990 est en régression grâce à la police du patrimoine installée sur place.

Malraux reviendra en 1925 fonder un journal, *L'Indochine* – cette résidence forcée l'a mis en contact avec les réalités de la colonisation et orientera son œuvre, *dixit* la préfacière. *La Voie royale* est publiée en 1930. Le roman est nourri de l'aventure. Extrait : "Regardant du coin de l'œil l'entaille ainsi qu'il l'eût fait d'une bête aux aguets, il prit la masse de carrier et en frappa le bloc, après une sorte de moulinet de tout son corps. La poussière du grès recommença de couler. Il la regarda, fasciné par sa ligne brillante ; sa haine se concentrait sur elle et, sans la quitter du regard, il frappa à grands coups, le buste et les bras liés à la masse, oscillant sur ses jambes comme un lourd balancier. Il n'avait plus de conscience que dans les bras et les reins ; sa vie, l'espoir de sa dernière année, le sentiment d'un échec se confondaient en fureur et il ne vivait plus que dans le choc frénétique qui l'ébranlait tout entier, et le délivrait de la brousse comme un éblouissement."

J'abandonne sans regret dans la forêt vierge les héros Claude et Perken pour dormir tout mon soûl. Le lendemain, pour gagner le centre de Siem Reap, ni moto ni *tuk-tuk*, la route devant l'hôtel est cabossée, ravinée : à pied c'est mieux. Je jette mon dévolu sur la terrasse du *Soup Dragon* très fréquentée par les Cambodgiens et qui donne 7 % de ses recettes à l'hôpital pour enfants du bienfaiteur suisse, le docteur Richner. Thé vietnamien, œufs au plat, toast, gâteau au beurre digne du meilleur *kounia man* breton. Régal pour un prix dérisoire, deux dollars peut-être. Ecriture, lecture, boutiques.

Déjeuner dans un restaurant très branché recommandé par un ami cambodgien, *The Blue Pumpkin* – tout y est blanc, c'est comme ça que j'imagine le nirvana, ça fait peur un peu ! la clim est à son max, la musique binaire, on mange sur de grands lits adossé à de gros oreillers tout mous, servi sur des plateaux, on amène son ordinateur, on boit des jus de fruits et on déguste des raviolis à l'*amok*, un détournement du plat national : c'est osé, très épicé, délectable. Je suis quand même contente quand je ressors. Il y a des terrasses partout. On se croirait à Saint-Germain-des-Prés. C'est clean et chic. Je pousse la porte d'une pharmacie U-Care où on trouve la même chose que dans une – belle – pharmacie française. Je m'installe au *Banana Leaf* et j'ouvre le *Cambodia Daily*, journal acheté un dollar à un gamin, avec la première gorgée de *shake coconut*. Oh la belle vie...

Je ne tiens pourtant pas mon programme farniente jusqu'au bout : je finis par monter dans un *tuk-tuk*, dont le chauffeur me guette depuis des siècles, pour aller faire un tour le long de la *Stung Siem Reap*. Pas très propre la rivière. Des femmes y lavent du soja dans des paniers. Je passe devant le très charmant hôtel *La Noria*. Un panneau *Angkor Miniatures* m'intrigue. Entrons. Un sculpteur a reproduit dans un jardinet les temples du site. On les a enfin à portée de main. C'est rigolo.

Deuxième halte imprévue lorsque nous passons devant le panneau d'un mythe, l'Ecole française d'Extrême-Orient. Créée en 1898 à Saigon, elle a hérité en 1907 d'un des plus grands chantiers archéologiques du monde : faire sortir de terre la cité royale d'Angkor. Entreprise interrompue par les Khmers rouges (qui d'ailleurs, fascinés qu'ils étaient par l'empire angkorien, ne touchèrent pas aux temples). Entrons. Belle demeure coloniale. Je pousse la première porte au rez-de-chaussée. Un chercheur lyonnais est en train de recevoir un jeune guide cambodgien qui a trouvé sur le site d'assez gros morceaux de poterie, période pré-angkorienne apparemment. Il parle un français quasi impeccable. Je les suis dans la salle des céramiques où les deux hommes ont un échange assez technique. Le jeune Khmer avait sans doute une idée derrière la tête en apportant sa trouvaille ici plutôt qu'à la structure cambodgienne APSARA (Autorité pour la protection du site et l'aménagement de la région d'Angkor). Il dit qu'il reviendra s'il trouve autre chose. A tout hasard, avant de partir à mon tour, je demande si je peux rencontrer Christophe Pottier. Un peu mythique lui aussi. Il est ici depuis 1992, date de la réouverture, après vingt ans d'interruption, de la mission de Siem Reap. La restauration de la terrasse du Roi lépreux, que Bernard Groslier* avait dû abandonner à l'arrivée des troupes de Pol Pot, c'est lui. Entre autres. Il part demain en France mais me reçoit quelques instants.

* Le fils de George Groslier, voir p. 55.

En 1993, l'architecte se souvient de s'être trouvé seul sur le site d'Angkor avec juste quelques bonzes. Un moment à la fois merveilleux et inquiétant... Plus d'un million de visiteurs par an, est-ce une bonne chose ? Le développement touristique est moteur indéniablement, le déplorer serait une réaction purement égoïste. Ce dont Christophe Pottier est fier après quinze ans de travail ? Paradoxalement, que ce soit désormais les Khmers avec APSARA qui assurent la gestion et décident de l'avenir d'Angkor. Fier sans doute aussi que le parc ait disparu en 2004 de la Liste du patrimoine mondial en péril. Il insiste sur la mission formatrice de l'EFEO qui accueille nombre de jeunes stagiaires. "Nous sommes des enseignants-chercheurs", dit-il. Son dada, c'est l'archéologie, les premières formes d'urbanisme. En ce moment des kilos de tessons provenant d'un hôpital du XIIe siècle sont à l'étude.

Ce jour-là je n'en sus pas plus mais j'appris ensuite, sur le site Internet du *Monde*, que le brillant architecte était à l'origine d'une campagne d'investigation archéologique, soit trois années de recherches menées par une équipe de spécialistes français, australiens, cambodgiens et américains. Les relevés sur le terrain et les radars de la Nasa ont fait apparaître plus d'un millier de bassins artificiels nouveaux et au moins soixante-quatorze temples et autres édifices : ainsi donc la cité khmère s'étendait sur quatre cents kilomètres carrés pour la ville proprement dite et sur près de trois mille kilomètres carrés, si on inclut les zones agricoles cultivées à l'aide d'un système d'irrigation unique (que les Khmers rouges auront l'ambition démente de reproduire) ; aucune ville à l'époque dans le monde n'occupait une telle étendue. Les raisons du déclin de l'empire jusqu'à sa chute au XVᵉ siècle – économiques ? politico-reli-gieuses ? – seront au centre de l'énorme chantier qui s'ouvre.

Angkor, fantastique levier de développement ? Rien n'est gagné mais tout est possible. Ici, comme partout dans le monde, il faudra se battre pour que ce développement soit respectueux, durable, qu'il devienne un véritable outil de lutte contre la pau-vreté dans la région. Pour l'instant l'afflux de touristes à Siem Reap – en 2004 le nombre de chambres d'hôtel a doublé, dépassant les cinq mille – est plutôt inquiétant, les hôtels creusant souvent leur propre puits et modifiant la couche aquifère au risque de fragiliser les fondations des temples (*Grands reportages*, décembre 2005). Cet afflux ne profite pour l'instant que très peu à la po-pulation locale : les dollars vont pour l'essentiel dans l'escarcelle des multinationales. Reste une immense fierté chez tous les Cambodgiens, même si cela ne leur rapporte pas un sou, d'être le peuple qui a édifié Angkor. *Did you visit Angkor ?* Ils posent la question et ils attendent, l'œil brillant et le sourire aux lèvres, votre coup de chapeau.

Le sourire de mon *driver*, cette fois, me faisait penser à celui de mon fils à vingt ans. Il faut dire qu'à peine étais-je montée dans son joli *tuk-tuk* chamarré que Sunleang, vingt printemps donc, m'avait demandé s'il pouvait m'appeler *Mè*, maman, ajoutant qu'il avait accepté de faire la course à trois dollars au lieu de cinq parce que je ressem-blais à sa mère ! Nous allions à cinq ou six kilo-mètres juste avant l'entrée du parc d'Angkor à une exposition sur le Tonle Sap. Je dis "nous" car Sunleang m'y servit de guide. C'était une modeste expo, montée par l'association Krousar Thmey (Nouvelle famille), et au demeurant très pédago-gique sur le plus grand lac d'Asie du Sud-Est. La mère de Sunleang est pêcheuse et il me donne mille détails sur les poissons, les différentes façons de les attraper, de les cuisiner – il adore l'*elephant fish* à la vapeur avec des *noodles*. Il me fait un topo sur la réserve de biosphère du lac et sur la déforestation. Il s'insurge contre ceux qui tuent les loutres dans la rivière pour de l'argent. Bref il est intelligent, charmant, il a son bac, et il voudrait devenir guide à Angkor. Mais comment trouver deux mille dollars ? – je ne parviens pas à comprendre si c'est le prix des études ou l'"enveloppe" pour avoir l'examen. Il le dit plusieurs fois : Si on ne connaît personne, on ne peut pas y arriver… Il me laisse son mail. Me serre longuement la main. Son joyeux sourire est un peu triste soudain.

4

DIVINES APSARAS

Ces doigts écartés, ouverts, rayonnants ou
recourbés les uns vers les autres comme
dans une rose de Jéricho ; ces doigts pré-
sentés tout au bout des longs bras ravis,
dans l'extase ou dans l'angoisse : eux-
mêmes dansant.

Extrait d'une lettre du poète Rilke, 1907.

Deuxième parenthèse bateau. Celui-ci, hélas, est un ultrarapide, qui me ramène de Siem Reap à Phnom Penh. Pas trop moyen d'aller sur le pont. On est pourtant quelques-uns à le tenter en s'accrochant au bastingage. Récompensés ! Le lac Tonle Sap traversé, sillonné, frissonnant de lumières nacrées. Une fois que je m'en suis soûlée, je regagne l'intérieur du bateau. Je voudrais visionner sur mon numérique mes photos d'Angkor. Il apparaît clairement que j'ai deux obsessions : les balustres et les apsaras. Pour les balustres, j'ai été influencée par un guide qui m'a convaincue que les Khmers ont inventé la climatisation ! Ces colonnettes renflées empêchent les rayons de soleil d'entrer mais laissent la lumière passer. Je ne me souviens plus ni comment ni pourquoi, mais cela me paraît juste. En tout cas ils sont d'une grande beauté, ces barreaux tournés dans le grès comme s'ils étaient en bois et qui révèlent, me dit le guide, une technique très aboutie.

Quant aux apsaras – pas grand mérite – j'en suis tombée amoureuse toute seule. Trois dansantes syllabes pour dire, à mon sens, le ciel, la sensualité, la terre. Les apsaras sont des demi-déesses, avais-je lu, des danseuses célestes venues de la mythologie indienne, nées du barattage de la mer de lait. Le barattage… j'avais toujours trouvé cette scène irrésistiblement surréaliste : dieux et démons remuant, barattant les eaux avec la queue d'un gigantesque nâga, un serpent, pour en faire sortir un élixir d'immortalité. Le mot donc me mettait l'eau à la bouche. Je n'avais pas été déçue. Angkor est le pays des apsaras. De pierre et pourtant si charnelles. Leurs bras graciles. Leur ventre juvénile. Leurs yeux modestement baissés. Et fières avec ça ! Toutes dotées d'adorables seins bien hauts, bien ronds, faits pour la paume de la main. Toutes semblables, chacune différente. Les caressant sans me lasser, des yeux et de l'objectif, les divines, je fredonnais la chanson de Souchon : "Mais moi quand je tiens tiens, là dans mes deux mains éblouies, les deux petits seins de mon amie, là je dis rien rien rien, rien ne vaut la vie." C'est dans *Angkor, cité khmère* que j'apprends qu'une seule apsara, sur les deux mille recensées à Angkor Vat, laisse voir ses petites dents. Elle m'a échappé l'unique rieuse mais, à en juger sur la photo du livre, elle n'est pas la plus troublante : je préfère ses sœurs énigmatiques et secrètes.

Les Danseuses sacrées d'Angkor, pour reprendre le titre (et pas mal d'informations) du beau livre de Christophe Loviny, furent jusqu'à trois mille à la cour du roi Jayavarman VII au XIIᵉ siècle. Trois mille jeunes filles vouées dès leur plus jeune âge, une huitaine d'années, à la danse royale, cloîtrées dans le palais, vestales tenues de servir exclusivement le roi et leur art. Car leur rôle n'est que secondairement de divertissement : les danses sacrées jettent un pont entre le monde profane et le monde divin. Plus qu'un spectacle, il s'agit d'une messe destinée aux dieux brahmanes qui sont alors ceux du pays khmer, un rituel, une offrande pour s'attirer leurs bonnes grâces. C'est d'abord le temple qui sert d'écrin aux danses sacrées puis, peu à peu, les rois accueillent les danseuses dans leur propre palais pour les protéger et aussi pour légitimer leur position, surtout quand ils avaient fait étrangler le précédent souverain ! A Angkor Vat, il y a des écrits épigraphiques (inscriptions gravées dans la pierre) qui vantent les hauts faits de Vishnu ou de Brahma et parfois, aussi, ce qui est raconté pourrait ressembler à la vie d'un roi qui se mettrait lui-même en scène. Petit à petit se constitue une espèce de panthéon épique qui nourrit les danses, avec, au centre, le *Reamker*, version cambodgienne du *Râmâyana* indien transmise oralement depuis des siècles*.

Le Ballet royal disparut au XVe siècle lorsque l'Empire khmer s'effondra au moment de l'invasion siamoise. On ignore ce qu'il advint des danseuses pendant les quatre siècles suivants. C'est le roi Ang Duong (1769-1859), souverain poète et protecteur des arts, qui redonna au Ballet royal son éclat : il compta jusqu'à cinq cents danseuses. Le peuple n'y avait pas accès mais les paysans s'inspiraient du répertoire classique pour leurs fêtes locales. Au début du XXe siècle, pourtant, la troupe était réduite à une cinquantaine de ballerines.

* Le *Râmâyana*, poème de 48 000 vers datant du Ve siècle, raconte les aventures de Rama, septième avatar du dieu Vishnu, à la recherche de son épouse, la belle Sîtâ enlevée par le roi-démon Râvana.

George Groslier*, qui aima assez le Cambodge pour lui offrir, je l'ai dit, en 1941 le précieux Musée national de Phnom Penh et en faire le sanctuaire de l'art cambodgien, publia en 1913 *Danseuses cambodgiennes*, qui retrace la vie de ces danseuses sous le roi Sisowath (1904-1927). Les jeunes artistes sont toujours les femmes du roi et restent inaccessibles même si, sous le bon roi Sisowath – sous Norodom le régime était plus strict –, elles peuvent parfois s'échapper en ville. Reste que "la pauvre princesse solitaire, la porte de son compartiment close, songe qu'il lui serait bon d'avoir son mari près d'elle ; mais un mari sans blanc rituel, sans bijoux ni coiffe d'or, un de ces beaux enfants du Mékong, conducteurs d'éléphants, pêcheurs ou semeurs de riz."

C'est le même roi Sisowath qui, pour la première fois, sortit le Ballet de la cour, lui fit traverser les mers et permit ainsi aux Français de découvrir les danses khmères. C'était en 1906 à l'Exposition coloniale de Marseille. Notre empire colonial est à son apogée et le Cambodge, depuis 1863, un pays sous son protectorat, un pays lointain et méconnu qui forme, avec le Viêtnam et le Laos, l'Indochine

---

* George Groslier est à l'origine de la renaissance de l'artisanat cambodgien. Il créa l'Ecole des arts devenue faculté. Il organisa les pavillons du Cambodge à l'Exposition des arts décoratifs (1925) et à l'Exposition coloniale (1931) à Paris. Il a créé le merveilleux Musée national de Phnom Penh et publié de nombreux ouvrages sur l'archéologie et l'art khmers. Il fut aussi un romancier sensible s'attachant à décrire la fascination de l'Européen face à l'Asie, même si aujourd'hui son attachement au Cambodge nous paraît entaché d'un paternalisme propre à l'époque colonialiste. Engagé dans la résistance antijaponaise en tant qu'opérateur radio au Cambodge, il mourut sous la torture à cinquante-huit ans, le 18 juin 1945.

française. *Le Battambang* quitte le port de Phnom Penh le 8 mai 1906 avec, à son bord, le monarque, sa suite, princes, ministres, mandarins, dames d'atour, domestiques, cuisiniers, et une cinquantaine de danseuses. La première représentation a lieu à Marseille. Dans *Voyage en France du roi Sisowath*, récit de l'époque fait par le ministre du palais et publié en 2006 au Mercure de France, Olivier de Bernon, qui en a assuré la traduction et rédigé la préface, écrit : en prêtant ses danseuses, "Sisowath n'imaginait pas que la nature même du ballet s'en trouverait irrémédiablement changée et que la curiosité profane du public français ferait rompre le charme qui lui permettait de communiquer avec les dieux". En tout cas le succès est tel que le Ballet suivra le roi à Paris. Les apsaras, très dissipées, tirent la sonnette d'alarme du train qui les emmène dans la capitale : "Chaque arrêt dans une gare était l'occasion pour elles de se disperser et nécessitait de la part de leurs accompagnateurs des trésors de persévérance pour qu'elles voulussent bien remonter en voiture. (...) Au demeurant, ajoute Olivier de Bernon, lorsqu'elles n'étaient pas parées de leurs costumes et des bijoux de scène, leur apparence décevait : on les trouvait petites, noiraudes, garçonnes et plates, effrontées et peu soignées."

Ce n'est pas du tout l'avis de Rodin qui découvre les petites apsaras à Paris au cours d'une représentation donnée le 10 juillet 1906 au théâtre de verdure du Pré-Catelan. Il tombe ni plus ni moins en extase. C'est l'universalité de la beauté qui lui est révélée*. Il confiera plus tard à un ami : "Nous

* Marie-Pierre Delclaux l'explique très bien dans le somptueux catalogue de l'exposition *Rodin et les danseuses cambodgiennes. Sa dernière passion.*

avons vécu trois jours d'il y a trois mille ans. Il est impossible de voir la nature humaine portée à cette perfection (…) quand les bras sont étendus comme en croix, elles donnent un mouvement qui serpente d'une main à l'autre, en passant par les omoplates. Ce mouvement appartient à l'Extrême-Orient, inconnu, jamais vu (…) ces femmes sont toutes admirablement belles. Les figures nous étonnent. Elles rappellent nos modèles italiens. Il y a une simplicité de modelé qui rappelle aussi les granits égyptiens. On pourrait les faire en granit, bien poli, aussi pur qu'un marbre. Le marbre ne prendrait pas aussi bien leurs formes."

Ne pas les laisser disparaître, s'évanouir… A défaut de granit, au moins les saisir sur le papier ! Il partira avec elles à Marseille – "Je les aurais suivies jusqu'au Caire" – et réalisera en six jours près de cent cinquante dessins, dont certains, car il n'a même pas pris le temps d'emporter ses cartons, sur du papier d'emballage acheté chez l'épicier du coin. Coiffé de son feutre, l'œil pétillant derrière son lorgnon, Rodin, soixante-six ans, dit avoir soudain éprouvé une seconde jeunesse. Le résultat est brillantissime, hors norme : modernité des cadrages, raffinement des couleurs – les rehauts de gouache et d'aquarelle furent ajoutés après. L'interprétation très libre de l'artiste, qui élude les visages et fait fi de la précision gestuelle pour donner toute la place au mouvement, laisse rêveurs certains des Cambodgiens qui ont pu voir l'exposition du musée Rodin à Phnom Penh, en 2006, pour le centième anniversaire de la visite du roi Sisowath en France. "Je n'y comprends rien à cette peinture. La danse khmère, c'est une discipline compliquée, difficile à apprendre, on ne peut pas la représenter n'importe comment !" s'offusquera Sengyi, vendeur de statues apsaras, dans un numéro spécial de *Cambodge-Soir*. Mais Sophal s'enthousiasmera : "Ces aquarelles ont quelque chose d'universel, elles expriment la joie, je crois qu'elles parlent à tout le monde."

Rodin fit aussi des portraits du roi. Bon enfant et fantasque, Sisowath séduisit les foules – le bruit courut qu'il laissait une pluie d'or sur son passage et deux jeunes femmes qui avaient forcé le barrage de police pour lui offrir des fleurs reçurent une bague sertie d'un diamant ! On dit aussi qu'il fut l'un des nombreux "admirateurs" de la sulfureuse Marguerite Steinheil – dans les bras de laquelle le président de la République française, Félix Faure, rendit l'âme.

Le 20 juillet 1906, sur le quai de Marseille, Rodin pleure leur départ : "Quand elles partirent, je crus qu'elles emportaient avec elles la beauté du monde."

Cinq ans plus tôt, exactement le 3 décembre 1901, à Phnom Penh, et sachez que c'était un mardi, Pierre Loti tombe pareillement sous le charme des apsaras. C'est le vieux roi Norodom, à qui Sisowath succédera, qui l'a convié au palais pour une représentation du Ballet royal. Il le raconte dans *Angkor* et c'est délectable. Morceaux choisis : "L'une des portes du fond s'ouvre ; une petite créature adorable et quasi chimérique se précipite au milieu de la salle : une apsara du temple d'Angkor ! Impossible d'en donner l'illusion plus parfaite ; elle a les mêmes traits parce qu'elle est de la même race pure, elle a le même sourire d'énigme, les paupières baissées et presque closes, la même gorge de toute jeune vierge, à peine voilée sous un mince réseau de soie (…). Et c'est par groupes qu'elles arrivent, dix, vingt, trente, parées en déesses, comme les premières (…) elles vont exécuter des danses rituelles, qui sont des danses presque sur place et plutôt des frémissements rythmés de tout leur être. Elles ondulent comme des reptiles, ces petites créatures sveltes, adorablement musclées et qui semblent n'avoir pas d'os (…). Nous sommes en plein *Râmâyana*, et les mêmes spectacles évidemment devaient se donner à Angkor Thom (…) rien n'a changé ici, au fond des âmes ni au fond des palais, depuis les âges héroïques. Malgré ses dehors si amoindris, ce peuple cambodgien déchu est resté le peuple khmer, celui qui étonna l'Asie d'autrefois par son mysticisme et son faste (…). Puisse la France protectrice (?) de ce pays, comprendre que le ballet des rois de Phnom Penh est un legs sacré, une merveille archaïque à ne pas détruire."

Puisse la France protectrice ? C'est Pierre Loti qui met le point d'interrogation. Dans une lettre adressée au président Paul Doumer, il écrivait : "Que voulez-vous, je ne crois pas à l'avenir de nos trop lointaines conquêtes coloniales"… En l'occurrence la France ne jouera pas ce rôle protecteur. Le Ballet s'étiolera. C'est la reine Kossamak, mère du roi Sihanouk, grande maîtresse de la danse khmère, qui dans les années 1940-1950 le fera une nouvelle fois se déployer ; elle reprend en main la troupe et l'ouvre aux garçons qui pourront dorénavant interpréter les rôles des singes facétieux. En 1955, montant sur le trône avec le roi Suramarit (Sihanouk a démissionné pour créer son parti, passant la couronne à son père), elle emmène les danseurs avec elle au Palais royal. En 1964, la création de l'université royale des beaux-arts leur permet de mener, parallèlement à leur apprentissage, une vie et une scolarité normales. La base du répertoire reste le *Reamker* mais la reine l'élargit à d'autres inspirations : légendes, épisodes des vies de Bouddha avant son illumination… La gestuelle, les costumes sont toujours conformes aux bas-reliefs d'Angkor mais les codes, le vocabulaire, la grammaire sont ceux fixés par la reine et ce sont eux qui permettent la création de nouvelles danses.

En 1962, la reine-chorégraphe crée la danse *Apsara* pour sa petite-fille, la princesse Buppha Devi. Ce ballet sera donné en 1964 au Palais Garnier à Paris : pour applaudir la princesse à la générale, son père Sihanouk et de Gaulle*. "Ah mademoiselle, vous avez là un bien joli costume** !" c'est tout ce que ce grand ballot trouvera à dire à l'adorable ballerine qui deviendra ministre de la Culture ! Car adorable elle l'est si l'on en croit les photos du livre de Christophe Loviny et les vibrations dans la voix de ses fans quand ils l'évoquent.

"Je fais tout pour ma princesse", m'annonce Sylvain Lim, qui me reçoit dans sa fraîche et belle demeure à Phnom Penh. Et c'est touchant cette ferveur enfantine dans la bouche du grand styliste de Dior et de Balmain, revenu au Cambodge qu'il avait quitté en 1972. Une partie de sa famille fut massacrée. Quand il rencontre le Ballet royal, à Los Angeles en 1990, l'envie de rentrer qui le taraudait déjà ne le lâche plus. Depuis lors il règne sur les costumes de la danse royale. Dans sa première vie ici, Sylvain Lim fut danseur. Il entend encore la musique des répétitions au Palais royal. Il se souvient que parfois la reine ou le roi passait, et qu'alors les danseuses – et lui aussi le faisait – se couchaient par signe de respect…

* Deux ans plus tard, en 1966, de Gaulle viendra à Phnom Penh ; la veille de son fameux discours au stade olympique, la princesse interprétera en son honneur la *Danse des souhaits*. (Voir le chapitre "Phnom Penh".)
** Ce "mademoiselle" était flatteur, la princesse avait déjà plusieurs enfants, ce qu'elle a dit à de Gaulle, croit se rappeler Alain Daniel…

Oui, il fait tout pour sa princesse. Il vient de l'assister dans le tournage d'un film commandé par Sihanouk, *La Rivière aux mille lingas**. Et s'émerveille : "A un moment, la princesse a désigné un endroit qui lui plaisait, avec une grosse racine. En-dessous il y avait une petite sculpture, une apsara enfouie là depuis des années et des années…" A-t-il des photos ? Seulement deux sur son téléphone mobile ; une de la danseuse qui joue le rôle de la princesse Naga, petite sirène d'Andersen cambodgienne ; une autre de la ceinture-bijou qu'il a créée pour le rôle. Bijoux, maquillage et costumes sont éblouissants dans les ballets classiques. Les costumes sont cousus directement sur les artistes, soit deux à trois heures de travail. "Le temps est comme suspendu. Les gestes rapides et précis du pliage des étoffes, les travaux d'aiguille participent à un rituel de mise en condition. Lorsque les danseuses sont habillées, que la tiare, la *mokot*, a été posée, elles demeurent silencieuses et immobiles jusqu'à leur entrée en scène." (*Les Danseuses sacrées d'Angkor*, déjà cité.)

* Le *National Geographic* de juin 2007 consacre un beau reportage au parc national de Phnom Kulen (le mont des Litchis), à trente kilomètres au nord-est d'Angkor, qui regorge de merveilles, notamment les sources de la rivière Siem Reap dont le lit est sculpté de lingas qui datent du XIe siècle. Lieu de retraite et de purification jusqu'au XIIIe siècle, il sombre dans l'oubli avant d'être redécouvert en 1968 et de nouveau en 1973, puis d'être saccagé par des pillards dans les années 1990, et enfin déclaré site protégé en 2007. Phnom Kulen est aussi un lieu très fréquenté par les familles cambodgiennes qui viennent pique-niquer et se baigner sous les cascades après avoir laissé leurs offrandes à un Bouddha couché, directement taillé dans le rocher de grès qui le supporte.

Sylvain Lim se souvient d'une salle au Palais royal où étaient entreposées les somptueuses tiares des danseuses. "Les Khmers rouges ont tout détruit, jusqu'au manteau du couronnement du roi qui a été découpé en morceaux." Tout. Les scènes et les bibliothèques du palais. Et surtout la mémoire vivante, celle qui se transmettait oralement : 90 % des artistes disparurent sous le régime de Pol Pot. Dès 1980, après la "libération" vietnamienne, une poignée de rescapés, maîtresses de ballet, danseuses et musiciens, tentent de faire renaître le Ballet en puisant dans leurs souvenirs ; contrairement aux paroles de récitatifs (ce qui est dit et chanté), ni la musique ni la danse n'ont jamais fait l'objet de notations au Cambodge. Il faudra attendre 1991 pour que la princesse Buppha Devi, rentrée d'exil avec son père, reprenne le flambeau de sa grand-mère la reine Kossamak.

Alain Daniel se souvient lui aussi : "J'ai toujours dans la tête, dans les yeux, dans le cœur, la façon dont la princesse Buppha Devi dansait. J'étais en hypnose… Je me mettais dans un coin et je restais là. Quand elle enseigne aussi c'est magnifique. Elle déplace un bras, une main de quelques centimètres, et on touche à la perfection qu'on croyait déjà acquise…" La princesse avait pratiquement rejoint le niveau de qualité atteint par la reine Kossamak. Et cela se savait dans le monde. La dernière grande manifestation s'est déroulée en 2002 au Maroc : le public a été profondément touché et conquis, me raconte Alain Daniel qui y était. Ce fut une vraie reconnaissance, comme le fut l'inscription du Ballet royal sur la Liste du patrimoine immatériel de l'Unesco. Et puis tout a commencé à se déliter, se désole ce grand amoureux du Cambodge : "C'est une véritable souffrance de voir un metteur en scène de génie comme Proeung Chhieng s'exiler en Corée pour échapper à l'inactivité et de grandes maîtresses de ballet coudre des vêtements de mariage pour gagner leur vie."

Concrètement – et symboliquement –, cette déliquescence s'est traduite par le déménagement de l'université des beaux-arts qui a quitté le centre de Phnom Penh pour une banlieue boueuse et peu sûre, l'homme d'affaires Mong Rithy (pas le pire, avec quelques préoccupations sociales, me dit une journaliste) ayant obtenu en 2005 la concession du terrain. Ce changement brutal concerne l'apprentissage de la danse mais aussi de tout ce qui l'accompagne : poésie, chant, musique, diverses formes théâtrales, arts décoratifs (broderie, orfèvrerie), ainsi que l'école du cirque, autre solide tradition cambodgienne. C'est trop loin, l'essence est trop chère (un dollar le litre, soit trois repas au marché), se plaignent dans les colonnes de *Cambodge-Soir* les professeurs qui gagnent autour de trente dollars par mois et estiment qu'ils sont perdants malgré les sept cents dollars d'indemnité obtenus. C'est trop petit et du coup, argumentent-ils, impossible de regrouper, comme avant, les enseignements artistiques le matin ; l'après-midi consacré à l'enseignement général leur laissait la possibilité d'arrondir leurs fins de mois en travaillant ailleurs. "Nous ne tiendrons pas dix ans", affirme l'un d'eux.

Qui est responsable ? Alain Daniel soupire : "Disons que c'est un peu comme l'assassinat du duc de Guise ; ils ont tous tenu le poignard... Il y a des gens qui ne comprennent pas, qui ne sont pas sensibles à l'art. Le Ballet royal a d'ailleurs toujours été plus apprécié par les milieux khmers de base qui le regardent avec ravissement. Et surtout il y a cet amour immodéré de l'argent qui passe avant tout désormais au Cambodge et fait des ravages." Pourtant l'actuel roi Sihamoni (depuis octobre 2004) n'est sûrement pas insensible à l'avenir du Ballet. Il obtint en 1971 le premier prix de danse classique au conservatoire de Prague et il est l'auteur d'une thèse sur "l'utilisation de la danse classique européenne dans la culture de la danse au Cambodge". C'est un fervent partisan du rayonnement du Cambodge par la culture, champ d'action dans lequel il peut intervenir sans entamer sa neutralité politique.

Reste qu'*a priori* il est impuissant, à part un geste comme celui d'offrir trois bus pour les trajets des danseuses. Comme il le fut aussi pour le théâtre Suramarit, dit Théâtre brûlé puisque celui-ci flamba en 1994 lors d'une rénovation de la toiture. Et, dommage ! l'entreprise chargée du chantier n'avait pas d'assurance. Bâtiment mythique érigé par Vann Molyvann, l'architecte fétiche des années 1960, c'est là que répétaient les artistes, danseurs, musiciens… Le gouvernement à l'époque n'a pas bougé. Quand il accède au trône, Sihamoni propose d'héberger les danseuses au Palais royal. Le Premier ministre Hun Sen n'y est pas favorable. Le roi veut alors réunir des fonds. Trop tard : le théâtre est déjà vendu à Koet Meng, patron de Mobitel, la chaîne de téléphonie, et du prestigieux hôtel *Cambodiana*. Pendant tout ce temps, les artistes continuent de squatter le théâtre tandis qu'un autre bâtiment se construit boulevard Mao Tsé-toung à Phnom Penh, près du fameux Marché russe – ce qui est plutôt bien – et à côté de la boîte de nuit *Spark* – ce qui en chagrine plus d'un. Le Théâtre brûlé a une âme, plaident les artistes – de cette âme Rithy Panh fera un film, *Les Artistes du Théâtre brûlé*. Le vieil architecte, il a quatre-vingt-un ans, se désole lui aussi de voir disparaître son œuvre préférée ; il n'a pas été consulté pour le nouveau bâtiment qui serait trop exigu et mal adapté. Le dédommagement de trois cents dollars prévu ne satisfaisait personne : il passe à quatre cents… Le jour même où j'écris ces lignes, le 6 décembre 2007, j'apprends dans *Cambodge-Soir* que le feuilleton s'achève : les artistes du Théâtre brûlé, certains en pleurs, quittent définitivement le bâtiment. Les professeurs ont organisé une célébration religieuse pour que les divinités les suivent dans leur nouveau lieu…

J'écoute, j'enregistre, je lis. Tableau plutôt gris. Et puis je vois pendant mon séjour cambodgien quelques spectacles : la répétition dans le Building dont j'ai déjà parlé, le théâtre d'ombres de Sovanna Phum* un soir à Phnom Penh, le Festival des arts vivants (Cambodian Living Arts) à Battambang (voir le chapitre "La reconstruction"). Certes ce n'est pas assez, c'est même peu. Je rate des occasions : le dieu de la danse convoqué par les danseuses avant chaque représentation ne m'a pas à la bonne… Comme j'aurais aimé être là pour la huitième édition des Nuits d'Angkor organisées par le Centre culturel français à Angkor Vat en janvier 2008 avec le Ballet royal et une invitée prestigieuse, Carolyn Carlson ! Mais j'en vois

---

* Sovanna Phum (Village d'or), né en 1994, regroupe cent vingt artistes khmers, souvent étudiants ou diplômés de l'université royale des beaux-arts de Phnom Penh. Danse classique et folklorique, musique traditionnelle, théâtre d'ombres, théâtre masqué narrant des épisodes du *Reamker*, théâtre moderne parlé, opéras populaires (théâtre Bassac et Yiké) : l'association entend revivifier et rassembler toutes les formes d'arts vivants khmers. Deux soirs par semaine, à Phnom Penh, un spectacle de belle facture attire autant les Cambodgiens que les touristes. Sovanna Phum monte aussi des spectacles de sensibilisation à la santé, l'éducation, les droits de l'homme…

assez pour être sous le charme : les ors et les brocarts des costumes, les galipettes facétieuses des singes, les masques chamarrés de papier mâché, les opales et les ovales des impassibles visages, les étoiles de mer mouvantes des mains des danseuses, "fleurs humaines", disait Rodin.

Oui, l'âme khmère danse ! Et chante et joue et mime son identité profonde. Oui, l'attachement des Cambodgiens à la danse, et aux arts vivants et scéniques qui gravitent autour d'elle, est organique, atavique. C'est de retour en France que le chorégraphe Santha Leng va m'aider à comprendre un peu mieux cet univers.

Santha Leng, directeur à Paris d'une troupe et d'une école de danse, le Cabaret des oiseaux, est arrivé en France "dans une valise" avec un ami français de ses parents, il avait trois ou quatre ans, c'était en 1955 juste après l'indépendance. Il "s'ennuie un peu" pendant ses études de droit tout en faisant du théâtre où "il découvre la vie", met un pied puis deux dans la danse pour entrer finalement au tout nouveau Centre national de danse contemporaine à Angers qui lui offre une formation de chorégraphe très large, ouverte sur le théâtre – il aime ce mélange des genres et ce n'est sans doute pas un hasard. Il se meut avec bonheur dans la bulle de la danse contemporaine et le Cambodge n'est pas au centre de ses préoccupations malgré quelques incursions du côté des danses khmères. Il est aussi comédien : "Pour la télé je peux être taxi khmer, sans-papiers vietnamien, restaurateur chinois ; prochainement je vais jouer un créateur de parfums japonais dans une série intitulée *Double chance.*"

Hasard ou pas encore une fois, en 1992, on lui propose un rôle dans un téléfilm : *Les Saigneurs*. Un rôle de Khmer rouge… "Je suis allé demander conseil à Sihamoni qui à l'époque n'était pas roi mais danseur, c'est un ami, on a fait des recherches ensemble et partagé un ou deux spectacles, entre autres à la Cartoucherie de Vincennes. Il m'a dit : J'ai un de mes oncles qui a joué un rôle semblable dans *La Déchirure**, vas-y ! C'est ce que j'ai fait. Arrivé au Cambodge, j'avais peur qu'on m'adresse la parole, j'avais complètement oublié la langue... L'équipe locale de tournage m'a pris en main, ils m'ont emmené dans leur théâtre, ils m'ont présenté à Proeung Chhieng, alors doyen de l'université royale des beaux-arts, qui est devenu comme un frère.

"J'ai rencontré les maîtresses de danse, j'ai beaucoup regardé ; l'année suivante j'y suis retourné, j'ai fait un solo en mélangeant mes impressions et quelques mouvements classiques du personnage du singe. Avec un texte de Rilke incitant à vivre le plus intensément possible sans craindre d'oublier pour qu'alors, peut-être, un matin quelque chose émerge... Je suis retourné presque chaque année au Cambodge et, en 1996, avec une bourse de la villa Médicis. Le Centre culturel français et l'ambassade m'ont poussé à faire une création. Cela me semblait fou d'aller aussi vite ! Proeung Chhieng m'a soutenu tout au long d'un travail hors norme, auquel j'ai associé les maîtres et maîtresses de danse." Ce spectacle,

* *La Déchirure (The Killing Fields)*, film-culte de Roland Joffé qui reçut trois oscars en 1984, raconte l'histoire de Dith Pran, photojournaliste cambodgien. Assistant de Sydney Schanberg, journaliste du *New York Times* au moment où les Khmers rouges entrèrent dans Phnom Penh, il sauva d'une mort certaine son ami américain avant de disparaître pendant quatre ans dans les camps de Pol Pot. Quand les deux hommes se retrouvèrent, un film naquit. Dith Pran est décédé d'un cancer le 30 mars 2008.

Arc-en-ciel, a aussi posé la question de l'évolution d'un monde très codé en faisant danser et jouer ensemble des hommes et des femmes.

Codification, vocabulaire, gestuelle ? Une journée organisée à Paris par les Langues O le 24 décembre 2007 m'aide à mieux comprendre. Je suis sortie du métro avec une charmante Cambodgienne d'une cinquantaine d'années et nous sommes maintenant côte à côte pour la projection d'un film, *Au pays des danseuses de pierre* (une production 24 Images-Canal 8 Le Mans, 2006), coréalisé par Philippe Gasnier et Santha Leng. Dès les premières images, ma voisine me confie qu'elle a été danseuse, enfant, au Cambodge et que la musique lui donne instantanément envie de refaire les gestes. "Mais en fait je n'étais pas très douée !" reconnaît-elle. Elle me dit être la sœur de Sam Rainsy, le chef du principal parti d'opposition au Cambodge – et j'ai cette sensation, grandissante depuis que je tisse mon histoire avec ce pays, que tout ou presque s'organise, se met en place, à mon insu…

Mais j'en reviens à la grammaire de la danse classique khmère, complexe donc. Les rôles d'abord : les êtres humains (la princesse, le prince, le géant…), les animaux et les êtres fantastiques du *Reamker*, des contes, des légendes. Tous sont partiellement divins ou détenteurs de pouvoirs surnaturels. La musique ensuite, avec des morceaux qui reflètent soit une ambiance, la joie, la tristesse, la colère, soit des actions comme la marche, l'entrée en scène, le combat, la sortie de scène. Et enfin la gestuelle des danseurs : c'est pratiquement un alphabet, qu'on peut à volonté utiliser pour former une phrase, raconter une histoire, créer de nouvelles danses, alphabet fixé, je l'ai déjà dit, par la reine Kossamak. "Il y aurait quatre mille *kbach*, gestes ou postures. Peu importe le nombre, m'explique Santha Leng : il s'agit de combinaisons à partir de gestes de base symboliques. Le corps de la danseuse est un arbre qui puise la force du sol, tendu comme un arc dans ses courbes, flexion des genoux, cambrure des reins, ouverture du sternum vers le ciel ; ses bras, ce sont les branches, où s'enroule le nâga, symbole du flux éternel. Quatre gestes bouclent le cycle de vie : le bourgeon, la feuille, la fleur, le fruit *(il me fait une démonstration)*. Et il y a un cinquième élément qui est de désigner avec l'index." Pourquoi ce geste de désigner ? Il rit : "On ne saurait tout savoir !" Le danseur va travailler pendant des centaines d'heures les gestes de base et les positions initiales propres à chaque personnage. Voilà pourquoi on ne sort en principe pas du rôle que la *nea kru*, la maîtresse de danse, vous a attribué selon vos dons et votre morphologie.

Ce qu'on peut ressentir comme de la rigidité est aussi, plaide le chorégraphe, ce qui fait la force du Ballet royal. Ceux qui croisent d'autres expériences esthétiques peuvent, cela dit, avoir envie de faire évoluer la tradition. Ainsi de Sophiline Cheam Shapiro, issue de l'université de Phnom Penh, qui, au cours d'une tournée aux Etats-Unis, a rencontré et son mari et un autre univers chorégraphique. Elle a créé des pièces avec le vocabulaire du Ballet royal mais en prenant des libertés, par exemple *Samritechak*, inspiré d'*Othello*, qui n'a pas plu à tout le monde. En 2006, dans sa pièce *Pamina Devi*, une version khmère de *La Flûte enchantée*, conçue pour un festival Mozart à Vienne, elle a voulu faire jouer des hommes en se référant à des sculptures d'Angkor Vat ; au bout du compte elle n'a pas été autorisée à les emmener... elle a tout repris avec uniquement des femmes ! Pas rigide, vraiment, le corset de la danse royale ? Non, soutient Santha Leng, si on veut faire autrement, il faut juste renoncer au label "Ballet royal". C'est peut-être cette extrême codification qui a permis de conserver quelque chose qui n'est jamais écrit. Lui-même navigue entre ces deux exigences : respecter les codes et s'autoriser à créer. Dans son Cabaret des oiseaux où enseignent et dansent des jeunes femmes qui ont suivi le cursus classique à Phnom Penh et d'anciennes du Ballet royal qui ont traversé les Khmers rouges, il fait évoluer l'apprentissage – moins d'imprégnation, plus d'analyse – car les jeunes élèves sont pour la plupart nés en France.

A Paris, à Phnom Penh ou à Siem Reap, pour devenir danseur il faut de la patience, une dizaine d'années. Et beaucoup d'endurance. Dans le film on voit un jeune garçon qui dit : "Ça fait très mal ! Mais je me donne à fond dans le rôle d'Hanuman (le roi des singes). Je veux être le plus fort de l'école…" Santha me précise que le père de ce petit danseur est un des danseurs étoiles du Ballet royal, obligé de faire parfois *moto-dop* pour survivre. Il ne voulait pas que son gamin connaisse les mêmes difficultés, mais la motivation du petit a été la plus forte. Les conditions matérielles si dures n'empêchent pas la passion des artistes cambodgiens. Ils ont été appelés, comme touchés par la grâce, dit Santha. Dans le film, Leng Vanny, la sœur du chorégraphe, confie au bord des larmes : "Tout ce que j'ai appris est noble et m'a aidée à grandir, à m'épanouir, je suis fière de mon métier."

Entre 2002 et 2006, cinquante-six danseuses et danseurs sont sortis diplômés de l'université royale des beaux-arts. Ils travaillent quand ils sont retenus, car l'entité Ballet royal est éphémère : sa composition change à chaque spectacle. Les opportunités d'exercer son métier au Cambodge ? Les grandes cérémonies – fête du Sillon sacré, fête des Eaux, l'anniversaire du roi... – où la présence des danseuses est tout à fait juste puisqu'elles participent à un rituel. La journée de la Culture où les troupes provinciales viennent se produire à Phnom Penh. Ou bien, moins glorieuses, les prestations dans des lieux privés comme les grands hôtels, par exemple.

A l'international, en revanche, les ballets se portaient plutôt bien, affirme le chorégraphe. En 1999 une tournée européenne a donné lieu à soixante représentations. Depuis les élections de 2004, la machine est grippée : les partis politiques ont mis plus d'un an à se mettre d'accord sur la distribution des portefeuilles et l'organigramme gouvernemental est pléthorique. Pour faire avancer les dossiers, c'est la croix et la bannière. On n'arrive pas à bosser, déplorent le directeur général de la Culture et celui de l'Unesco à Phnom Penh. Et passent les années, et les opportunités.

En mai 2007, Buppha Devi a intégré le Conseil international de la danse de l'Unesco en qualité de membre d'honneur. Une façon, espère-t-elle, d'être le porte-parole de son art sur la scène internationale. Mais "c'est sur le plan national qu'il faudrait songer à y regarder de plus près, et vite. Si on perd un an ce sera fini", a commenté son mari Khek Vandy (*Cambodge-Soir*, 1er mai 2007). Une bonne nouvelle pourtant. Notre Ariane Mnouchkine nationale se prépare à braquer ses lumières sur les arts khmers. Le Théâtre du Soleil, la troupe Kok Thlok de Phnom Penh, l'école des arts Phare Ponleu Selpak de Battambang se rassemblent, je l'ai déjà dit, pour monter *L'Histoire terrible mais inachevée de Norodom Sihanouk, roi du Cambodge*, d'Hélène Cixous. En khmer...

5

BATTAMBANG

Un vieux chanteur de chapey* *aveugle tente de faire entendre sa voix fluette et lancinante et le son aigrelet de sa drôle de guitare. C'est le blues des campagnes qui s'exprime là avec toute la philosophie du quotidien de la rizière, mélange jamais amer de bon sens, d'humour truculent et d'esprit de dérision des paysans cambodgiens (…).*

GUILLAUMIN SOR

Battambang. La sonorité m'enchantait. J'avais dans la tête la façon dont Marie faisait chanter le nom de cette ville – le rebond d'une balle de ping-pong – où elle habitait avec son mari et ses cinq enfants avant l'arrivée des Khmers rouges. Mon car était plutôt poussif, cinq dollars le trajet depuis Phnom Penh. J'étais la seule étrangère, mon jeune voisin allait à Banteay Meanchey, dix heures de route, je n'en avais que cinq, pour voir son père. Dans un anglais très khmer, il me faisait

---

* Luth à long manche à deux ou trois cordes. "Traditionnellement, les joueurs de *chapey*, aussi doués en musique qu'en poésie, sillonnent les campagnes en chantant des chroniques douces-amères de la vie cambodgienne. Ils ne sont plus aujourd'hui qu'une vingtaine" (extrait de *L'Ecrit d'Angkor*).

la conversation, anxieux de savoir si c'était une *good idea* d'aller étudier la technologie à Londres – je n'en avais pas la moindre idée, digressais sur les avantages et les inconvénients de la capitale britannique, tentais d'aborder dans mon anglais très *frenchy* d'autres sujets ; il n'en démordait pas, revenait gentiment à la charge. Je ne comprenais pas la moitié de ce qu'il disait et réciproquement. Par la vitre défilaient les maisons sur pilotis nichées dans les palmes des bananiers. Après l'arrêt casse-croûte, il s'est endormi dans sa jolie chemise saumon. Car il y avait arrêts pipi et casse-croûte dans cette compagnie, dont j'ai oublié le nom, contrairement à Mekong Express plébiscitée par les touristes pour ses hôtesses, sa clim performante, ses petites lingettes, ses toilettes et sa dînette d'oiseau.

Avec mon car, c'est une autre histoire ! Il y a une pseudo-panne et l'on tourne longuement autour d'un pneu avant de jeter dessus, sans conviction, un seau d'eau, le chauffeur se trompe de route et on fait demi-tour, on mange pour un dollar une soupe au poulet-citronnelle avec un Cambodgien du Texas, on met les pieds dans la boue en allant faire pipi et on les rince à la citerne avec un broc – c'est grand délice. Au moment de repartir un type mendie à la porte du car, il a une jambe amputée, je lui donne cinq cents riels, ce qui fait dix ou quinze centimes d'euro. En regagnant ma place, je me cogne au plafond, mes voisins rient. Cela m'énerve même si je sais, oui, les mille et une significations du sourire khmer. Une femme âgée me tend une patate douce : sans doute pour me consoler. Je somnole, on reparle un peu de Londres, on arrive.

Battambang. Sise dans la province du même nom, l'Alsace-Lorraine du Cambodge, son grenier à riz, annexée à deux reprises par la Thaïlande, récupérée en 1907 puis en 1947 avec l'aide française. J'avais imaginé que tu serais présente dans mes pensées, Marie, que le récit que tu m'avais fait à Palaiseau, dans le petit HLM que tu habites depuis plus de vingt-cinq ans, revivrait ici, où il avait démarré, dans cette tranquille ville de province, aux belles maisons coloniales le long de la rivière Stung Sangker. Tu m'avais dit que j'aimerais sûrement. J'ai tout de suite aimé Battambang, Marie, et je t'ai tout de suite oubliée, mise dans un coin de ma mémoire. Fatiguée de la séduisante mais si bruyante Phnom Penh, fatiguée de cette mauvaise bronchite soignée, je l'ai dit, à la très chic Naga Clinic, j'ai simplement, avec la jouissance aiguë que vous offre parfois un voyage après un moment d'épreuve, goûté, dégusté Battambang.

Fatiguée donc, j'ai dit sans trop réfléchir au chauffeur de *tuk-tuk*, qui m'avait chargée, moi et mon sac, sans que j'aie le temps de dire ouf : Hôtel *Le Royal*. C'est le toit-terrasse mentionné par le *Lonely Planet* qui m'avait décidée. Le patron d'origine chinoise, et fort avenant, m'a montré la chambre : grande, affublée d'une parure de lit et de rideaux très jaunes, très kitsch, elle ne m'emballait pas plus que ça. Tant pis, soyons raisonnable et posons-nous. Je pose donc le sac, ressors de la chambre et prends l'escalier. Deux ou trois étages et je débouche sur un vaste espace couvert et ouvert : des palmiers en pots, des fauteuils en rotin, les corolles rouges de lampes qui se balancent, un serveur qui rêve dans un hamac. Je m'avance. Les toits au premier plan, des antennes télé, du linge qui sèche, des tapis suspendus, un panneau publicitaire, entre ciel et terre, pour une moto. Au loin des collines moutonnantes. En bas la rue déserte, quelques carrioles garées en ligne, une banque, le marché. Le vent est délicat, le souffle d'une mariée ; le ciel de layette, à peine pommelé. Le silence est presque parfait, coupé seulement par une pétarade lointaine et les voix de deux ouvriers qui se hèlent sur une charpente. Une porte puis deux s'ouvrent. Deux minettes en sortent. Diable ! il y a des chambres dans ce lieu divin. J'apprendrai qu'elles sont à trois dollars sans salle de bains ; la mienne est à huit, avec. Je m'assois. Je commande un café *sweet milk*, un long café servi dans un genre de *mug* avec, au fond, une généreuse rasade de lait concentré. Je me promets déjà de revenir ici, un jour, bientôt, écrire un roman en écoutant la pluie marteler le toit la nuit, en buvant de longs cafés *sweet milk* le jour.

En attendant, promenons-nous ! Un tour au marché. Je me fais vernir les ongles de main pour un ou deux dollars : sur le rouge pétant qu'elle vient de fort adroitement poser, la jeune Cambodgienne me propose une deuxième couche "paillettes d'argent". Vivons dangereusement. D'accord ! L'emplacement de ce salon de plein air "coiffure-manucure" est minuscule. Sur une étagère de fortune, une tête de mannequin à la bouche saignante me fixe de son regard bleu, effrayé, effrayant. On se quitte après moult sourires, mercis, *okoun tchraeun…* Je passe dans l'allée des couturières penchées sur leur Singer. J'hésite à faire l'emplette d'un pyjama rayé à quatre dollars avec un nounours brodé – beaucoup de nounours, de lapinous, de chatons sur les vêtements bon marché – et, tout en soufflant sur mes ongles argentés, je me dirige vers les fruits. Abondance et couleurs des pyramides, envie de tout goûter. J'achète des fruits du dragon, ces fruits de BD, rose flashy et blanc fluo pointillé de noir quand on les ouvre ; des mangoustans, ma dernière découverte, coque brun foncé, dotée parfois de légers coups de pinceau jaune, où se lovent de petites cosses de nacre délicieusement acidulées, fruit des dieux, dit-on. Plus loin, un jeune garçon et sa corbeille de pains pose gentiment pour la photo. J'accélère en traversant le secteur de la viande qui ne m'inspire guère. Une très grosse marchande – une exception, elles sont toutes menues quoique robustes – me propose, hilare sous son chapeau de paille, un morceau de sa tripaille, entassée, grise et gluante, sur un plateau lui-même posé sur un seau retourné. *Okoun tchraeun*, sans façon ! Un gâteau à la noix de coco acheté à la pâtisserie, où j'ai envie absolument de tout, et je rentre. Ce soir je veux me coucher sans traîner. A vingt heures, deux heures environ après la disparition quasi instantanée du soleil. Les ciels couchants à en perdre la tête, à ne jamais lâcher la détente de son appareil, à se convertir sur-le-champ, je les ai connus en janvier 2006 ; en ce mois d'août, ils sont moins flamboyants. Mais, dans tous les cas, que c'est délectable, pour le couche-tard invétéré, de changer de régime horaire et de découvrir – on est levé sans difficulté dès potron-minet, encore qu'ici ce serait plutôt les chiens qui hument le jour naissant –, de découvrir, disais-je, des aubes qui enfin tiennent toutes leurs promesses. Je m'endors comme une reine dans ma chambre jaune. Demain j'ai rendez-vous tôt avec un très bon *moto-driver* qui, de plus, s'appelle Soon…

Ce que je veux voir, Soon ? Les grottes ? Les temples ? Non, je veux voir la campagne khmère. Et je sais pourquoi. Parce que le Cambodge est d'abord rural. Les paysans représentent encore 80 % de la population. Les Cambodgiens ont laissé aux Vietnamiens le commerce, aux Chinois et aux Européens l'industrie, une seule activité est vraiment nationale, l'agriculture, écrivait en substance Jean Delvert en 1961 dans *Le Paysan cambodgien* (le livre-bible). Sans doute n'est-ce plus aussi tranché aujourd'hui mais c'est toujours, j'en suis convaincue, sur les terres et sur l'eau, dans les champs et sur les rizières, qu'il faut aussi chercher l'âme khmère. Casquette et cape pour la pluie, "c'est parti mon kiki", lance mon chauffeur. Il alternera avec "Roule ma poule !" et ce sera tout pour le français, le reste du temps nous communiquerons en anglais. *Show me the country, Soon !* On sort rapidement de Battambang et on bifurque sur une petite vicinale tropicale. L'air est frais – "l'adorable fraîcheur des matinées", écrivait Pierre Loti. La lumière est cristalline. Soon roule tranquillement. Je me sens soûle pourtant. De silence, de beauté. Une intense impression de paix. Là je pense furtivement à toi, Marie. A cette paix fracassée par les Khmers rouges vidant la ville de ses habitants, comme ils l'ont fait à Phnom Penh le 17 avril 1975 puis dans toutes les villes de province : Kompong Som, Siem Reap, Pailin, Kompong Cham… A Battambang le 24 avril.

On s'arrête. Soon me montre le manguier, le tamarinier, le jacquier avec son énorme fruit de légende, l'arbre à goyaves, à papayes, les oranges vertes et qui le resteront. Il me raconte les avatars du lotus, emblème du pays khmer, ses fleurs si bellement tressées pour les offrandes religieuses, ses racines savoureuses en légumes, ses graines tendres au goût très fin semblable à celui de jeunes fèves, ses feuilles pour envelopper... La moto à nouveau ronronne. Le vert des rizières me rafraîchit jusqu'à l'âme. Arrêtons-nous. Trois ou quatre femmes vêtues d'une chemise à manches longues et d'un pantalon, avec sur la tête un *krama* traditionnel à carreaux ou un chapeau, une famille sans doute, sont, pieds dans l'eau, en train de repiquer le riz. Soon est fils de paysan. Il a travaillé à la rizière et peut m'expliquer la culture du "riz repiqué", mode encore le plus répandu. Le cycle s'ouvre aux premières pluies de mai. La date symbolique du début des travaux est celle de la fête du Sillon sacré, dite aussi cérémonie royale de l'Auguste Charrue... Roseline Carbonnel, qui a vécu dans les années 1960 au Cambodge (elle a fait une thèse sur les "contes judiciaires" khmers*), me dira à Paris se souvenir de cette cérémonie toujours vivante : à l'époque c'était un membre de la famille royale, et encore avant le roi en personne, qui traçait les sillons dans le terrain sacré du *Men*, devant le Palais royal à Phnom Penh.

Première étape donc, le labour de la pépinière : charrue traînée par deux bœufs ou deux buffles attelés, avec le joug posé sur le garrot (alors qu'en France l'attelage se faisait au "joug de tête", plus efficace paraît-il). Pendant ce temps les grains mis à tremper ont germé. Deuxième étape : les semailles. Tandis que Soon m'explique du mieux qu'il peut – je comblerai mes incompréhensions avec *Le Paysan cambodgien* déjà cité –, je revois des images des *Gens de la rizière*, le

* *Le Sastra kin kantrai*, Paris-Sorbonne, 1979.

meilleur film à mon sens du réalisateur cambodgien Rithy Panh (connu pour *S21, la machine de
mort khmère rouge*). Ainsi ce moment où la mère
sème à la volée tandis que son mari l'encourage à
écarter plus ses mains. Un mois plus tard ce sera
le labour de la rizière elle-même qui se dit *das
sré*, "réveiller la rizière". Le repiquage aura lieu un
ou deux mois après les semailles. Jean Delvert raconte qu'il était précédé de rites – est-ce encore
le cas ? Par exemple on jetait dans la rizière des
boules d'un gâteau de riz gluant, pour "donner
du riz au paddy" (le paddy est le riz avant que la
graine ne soit séparée de son enveloppe). Le repiquage est un dur travail souvent réservé aux
femmes : arrachage des pousses de la pépinière
qui sont liées par gerbes de deux ou trois poi-
gnées (j'ai vu de ces bouquets en attente au bord
de la route qui m'ont fait penser à nos herbes à
chat). Chaque pousse est repiquée, c'est-à-dire
enfoncée dans la terre molle et vigoureusement
fixée avec le pouce. Oui c'est dur, insiste Soon :
les pieds dans l'humidité, les mains sans protection, le dos cassé en deux, l'impitoyable réverbé-
ration du soleil. "J'ai replanté les pousses selon ta
volonté", dit la mère des *Gens de la rizière* à son
mari décédé : "Deux parcelles de Fleurs de gingembre, deux de Chat rouge."

La Jeune fille blanche, le Sourcil de sarcelle,
l'Ongle de porc, le Paddy gluant du roi… les va-
riétés de riz abondent, bel inventaire qui témoi-
gne de la relation poétique du paysan à sa terre.
Poésie qui lui fait dire que "le riz est enceint", qui
lui fait rencontrer un génie dans chaque arbre,
sur chaque butte de terre. Ou plaisanter leste-
ment : "Il faut labourer la rizière quand la terre est

chaude et prendre une femme quand son cœur est chaud." Le réalisateur Rithy Pahn dit aussi que les Khmers rouges ont détruit tout cela. Certes les dirigeants de l'Angkar (l'Organisation, entité toute-puissante et invisible) avaient la passion de la terre, l'obsession du riz, l'ambition folle de reproduire les temps glorieux d'Angkor et de ses, dit-on, fantastiques récoltes. Mais la mise en branle chaotique de gigantesques travaux d'irrigation – digues, barrages, canaux –, où se sont épuisés et sont morts souvent les citadins reconvertis de force, s'est soldée par une terrible famine, fléau jusqu'alors inconnu au Cambodge (même si des disettes touchaient certaines provinces), tous les spécialistes s'accordent sur ce point.

Nous traversons un village. Il n'est pas loin de onze heures : devant les maisons sur pilotis, se préparent des frichtis. Plus loin des enfants sautent dans un trou d'eau, *hello hello !* leurs bouilles rieuses et un bras émergent. Petite faim et arrêt à la sortie du village. Une jeune fille fait frire des beignets de patates douces et de bananes : c'est bon, ça croustille sous la dent. Soon s'étonne justement que je puisse manger ça : ses parents à lui n'ont plus les dents pour. Il ne me l'avait pas encore demandé mais voilà qui est fait : *How old are you ?* C'est avec lui que je comprends la raison de cette persistante curiosité des Cambodgiens pour ma date de naissance. J'ai, peu ou prou, dépassé l'espérance de vie de ce pays, à savoir cinquante-quatre ans, et pourtant je baroude et j'ai toutes mes dents !

Rentrée sur mon toit-terrasse adoré, je plane. J'essaie de retrouver les sensations : le bouquet d'odeurs ; délicat, subtil – il faudrait un Nez pour y décerner les herbes, l'eau, le foin, les fleurs, le feu, odeurs boisées, âcres, suaves. Il faudrait une Grande Oreille pour recomposer le brouet de bruits – cognement assourdi d'une hache, chant isolé d'un oiseau, gazouillis d'un cours d'eau. Les effluves du poulet-ananas servi sur la terrasse emportent le tout. Cette nuit, dans mon rêve, les murs de ma chambre sont d'un vert étincelant et ils bruissent sous le vent.

Il fait moins frais qu'hier pour ma seconde journée champêtre. Plaisir intact pourtant de rouler sur les chemins. Première halte dans une micro-entreprise familiale de *noodles-rice*. En plein air, quelques femmes pour pilonner le riz, en faire une pâte passée dans un tamis d'où sortent de fins tortillons, les *noodles* si bonnes dans la soupe du matin. Elles seront vendues mille cinq cents riels le kilo, pas tout à fait un demi-dollar, Soon me dit que la famille s'en sort à peu près bien. Une vieille dame – beau visage au couteau sous la traditionnelle et très moderne coiffure en brosse – m'offre deux oranges vertes. Deuxième halte pour se régaler d'une friandise : du *crispy rice*. Le petit "maquis", comme on dit en Afrique, est installé à la lisière de la route et de la forêt. Le *crispy rice* ? Du riz cuit à l'intérieur d'un morceau de bambou, avec du lait de coco, du sucre et des haricots noirs ; des feuilles de bananier ferment les deux extrémités du bambou, le tout est rôti sur la braise. *So good, Soon !* J'apprends que le bambou est lui aussi multi-usages : matériau de construction, canne à pêche… et j'ai oublié le reste car mes papilles ravies ont pris le dessus.

Troisième halte près d'une pagode. Il commence à faire bien chaud. A l'ombre d'un parasol, je bois un jus de canne à sucre extrait sous mes yeux à l'aide d'une broyeuse à main. A l'unique table voisine, un Cambodgien avale un plat avec la concentration qui caractérise dans ce pays la prise de nourriture – les repas c'est sérieux et manger se suffit à soi-même. Je suis, comme hier à la rizière, dans une écoute flottante. Soon me désigne le *boddhi tree*, le banian, l'arbre, en face de nous, sous lequel Bouddha médita. Le jus de canne m'a requinquée. Je peux lui poser la question que je pose à tout Cambodgien quand la langue ne nous sépare pas : que pense-t-il du procès des Khmers rouges si longtemps remis et désormais officiellement ouvert ?

Soon est né en 1981, soit deux ans après que les Vietnamiens eurent mis fin à la dictature de Pol Pot en libérant-occupant le pays. Le noyau familial a échappé au massacre mais son oncle, sa tante infirmière, ses cousins sont morts. Quand il était à l'école primaire, on en parlait, me dit-il. Depuis une dizaine d'années le sujet est évacué. Pourtant, poursuit-il, chaque Khmer doit connaître cette période : c'est une des façons pour que cela ne recommence jamais. C'est aussi l'avis de ses parents qui ne lui ont rien caché. Il s'insurge avec ce calme qui le caractérise : "Pol Pot est mort ? Oui. Peut-être. Pas sûr. Ta Mok, le Boucher, oui, lui, c'est sûr. Mais dans son fief, à moins de cent kilomètres d'ici, à Pailin, le chef de province est un ancien Khmer rouge. Et il y en a d'autres là-bas qui ont de belles maisons, de belles voitures. Je ne pense pas que le procès aura vraiment lieu. Ils nous l'avaient promis pour mai 2007. Et puis non !" "Nous avons un mauvais gouvernement", ajoute-t-il. La politique l'intéresse mais il n'en fait pas. *Too bad*, résume-t-il, laconique. Non ! ce qu'il veut faire c'est devenir guide pour touristes. Pour ça il a besoin d'apprendre. Sans doute, bien que je trouve sa façon de me guider très au point, efficace et intelligente. Si, insiste-t-il, j'ai besoin d'un enseignement "business". Il a trouvé l'école : elle est à Siem Reap (près d'Angkor) et coûte deux mille dollars. Il gagne entre cent et deux cents dollars les bons mois – ce qui est ici un relativement bon revenu. Il ne peut pas, pourtant, mettre de l'argent de côté.

Allez ! roule ma poule… Il fait décidément plus chaud qu'hier. Je descends de la moto pour franchir la Stung Sangker sur un charmant pont brinquebalant. Pour le déjeuner Soon me réserve une surprise. Elle se nomme *Monirom* ou "Jardin des délices" ! Une végétation exubérante, le miroir d'étain d'un étang, des salles à manger de bois, de bambou, de roseau, certaines sur pilotis. On mange sur un tapis de corde : du porc-riz vapeur. Avec seau de glace pour rafraîchir mon *lychee juice*. Sieste dans le hamac. Il fait maintenant très chaud. Montée d'une torpeur que j'accueille avec bonheur. Flop d'un poisson dans l'eau. Léger bruit de sarclage. Je sombre. L'envie de faire pipi me fait émerger. Soon dort. Je pars dans le grand jardin d'Eden à la recherche de toilettes. L'eau de l'étang est parfaitement immobile. Elle semble si épaisse. Epluchage des légumes en petits dés devant une porte – je n'ai jamais vu autant de légumes être épluchés qu'au Cambodge –, copieux arrosage d'un bébé dans une bassine : la main de l'arroseuse passe et repasse sur le visage du petit qu'elle recouvre complètement et tendrement. Béatitude, attitude béate du bébé. Etre à sa place…

Il fait extrêmement chaud. Le ciel vire au plomb. Grand temps d'y aller si je veux voir le touristique mais très rigolo, paraît-il, *bamboo train*. Rizières phosphorescentes sur ciel anthracite. Coups de tonnerre. Premières lourdes et larges gouttes. Je m'engloutis dans mon immense cape jaune qui déclenche le rire des jeunes Khmers : j'ai l'air d'un bonze ! Il pleut vraiment très fort. Arrêt catastrophe en pleine campagne sous l'abri d'une famille de paysans. On se regarde, on se salue à la khmère – plaisir de ce geste si gracieux, mains jointes devant le visage, légère inclinaison du buste. Les trois fillettes ont de grands yeux timides sous la frange de soie noire. Je leur chante *Dans la forêt lointaine on entend le hibou…* Soon reprend *coucou hibou coucou*. Elles rient gentiment, pour me faire plaisir sûrement. Accalmie relative. C'est reparti. Pas pour longtemps. Cette fois c'est une cataracte pas si tiède que ça à mes sens de grande frileuse. Rien à l'horizon. Si ! un toit tout de guingois au bord d'un champ. On s'ébroue. La moto de Soon est au premier plan de la photo que je prends. Dans la petite cabane ouverte aux quatre vents, un couchage sommaire avec un chapeau de cow-boy posé sur ce qui sert de matelas. Pendu à un clou, un vieil anorak beige. Je veux glisser un dollar dans la poche pour remercier le propriétaire du havre providentiel. Il ne doit pas s'en servir souvent, dit Soon qui me suggère de mettre plutôt le billet sous le chapeau. La pluie tambourine comme on attend qu'elle le fasse, avec des accélérations mutines, des ralentissements menaçants. Je suis au bout du monde. Quelqu'un dort là tous les soirs dans ce dénuement absolu.

Nouveau répit. L'eau gicle sur les roues de la moto. On croise des enfants qui rient sous la pluie. Je commence à être trempée malgré la cape. Nouveau déluge et dernier refuge dans une petite fabrique de meubles. Dehors, sous un grand auvent, des chaises sont en train d'être vernies. L'ambiance est détendue. Les femmes discutent, contentes de la pause peut-être. J'aurais tant de choses à leur demander : où ont-elles acheté leur si joli bibi ? Supportent-elles bien cette odeur de vernis ? Comment va leur vie ? Passer par Soon est trop compliqué. Maudite tour de Babel. Et en même temps quel charme ces sourires, ces gestes, ces tentatives. Au revoir et *okoun tom tom* – merci énormément ! Je l'ai appris hier soir, c'est la première fois que je l'essaie, gros succès*. Le déluge à nouveau. Tant pis on fonce. Le *bamboo train*, ce sera pour l'an prochain. Soon me dépose ruisselante à mon hôtel. Je lui donne vingt dollars – il s'attendait au mieux à la moitié – parce qu'il ne les a pas volés, parce qu'il est mon ami. Ses yeux sont éloquents et sa façon de me serrer longtemps la main aussi. Il viendra me chercher demain à cinq heures quarante-cinq pour me conduire au bateau qui m'emmènera à Siem Reap, aux temples d'Angkor.

Pas de Soon le lendemain à l'heure dite. Le patron de l'hôtel, toujours aussi avenant, m'offre un *krama* rose et un régime de petites bananes : pour

---

* Michel Rethy Antelme, maître de conférences aux Langues O, coauteur d'un dictionnaire français-khmer (L'Asiathèque, 2002), à qui je ferai part de cette trouvaille m'expliquera que l'expression fait le désespoir des seniors et des puristes… Elle aurait été inventée par un animateur radio pour dire "grands mercis" ou *"big thanks"* et aurait un gros succès chez les jeunes.

le bateau, précise-t-il. Je monte dans le mini-car qu'il met à la disposition de ses clients. Je suis très déçue pour Soon. O douce surprise, il m'attend à l'embarcadère : il est arrivé, m'explique-t-il, au moment où démarrait le car. Il attrape mon sac et disparaît à nouveau. On me presse de monter dans le bateau. Je m'exécute, un peu puis beau-coup inquiète. Mon sac ! Où est-il ? O femme de peu de foi, le voilà ton sac avec un Soon souriant qui me met dans les mains un sachet plastique. *Your breakfast !* me dit-il.

C'est seulement là, Marie, sur ce bateau, entre une paysanne, son sac de légumes et un couple hollandais très amoureux, dans les méandres et les rétrécissements de la rivière, la nuque chauf-fée par le soleil et l'estomac calé par les gâteaux de Soon, c'est seulement là, Marie, dans cette merveilleuse parenthèse du voyage sur l'eau, que je pense à toi.

6

MARIE

*Le 24 avril 1975, vers six heures, des voi-
tures radio donnèrent l'ordre à la population civile de quitter la ville dans les trois
heures. Tous ceux qui resteraient en ville
seraient tués.*

FRANÇOIS PONCHAUD,
Cambodge, année zéro.

*Des soldats khmers rouges hurlent dans
des haut-parleurs en sillonnant la ville.
"Des avions américains sont en route
pour nous bombarder. Quittez tous Battambang pour vous mettre à l'abri. Éva-
cuez vos maisons. Ne fermez pas à clé !
N'emportez que le strict nécessaire, vous
serez de retour dans quelques jours." (...)
La ville entière se vide dans un fantastique
nuage de poussière au son de millions de
pas sur la chaussée. On dirait un fleuve
qui se retire progressivement de Battambang.*

"J'ai vécu la guerre du Cambodge",
Benoît Fidelin. Témoignage de Vu Thy.

Toi Marie, ce jour-là, le 24 avril 1975, tu disposas
d'une heure pour partir. Ils ont tiré en l'air en bas
de chez toi et, frondeuse comme tu l'étais déjà, in-
consciente aussi de la gravité de ce qui se passait,

tu leur as lancé : "Vous savez que c'est dangereux ce que vous faites !" Tu es alors une très jolie jeune femme de trente et un ans – comme l'attestent les deux photos qui te restent. Ton mari est militaire de carrière dans l'armée de Lon Nol (qui a pris le pouvoir en 1970 après la destitution de Sihanouk). Vous vous êtes connus à Phnom Penh, lui mécanicien, toi jeune fille plutôt de bonne famille. Vous avez cinq enfants, trois filles et deux garçons, le plus petit a huit mois. Vous venez de faire construire votre maison à Battambang, au village des Français, le quartier catholique – tu as été élevée comme moi par les sœurs de la Providence ! Tu es seule avec les enfants. Ton mari est en mission.

Une heure pour partir. Que prend-on, qu'emporte-t-on avec soi ? Quelles erreurs fatales ? Quels renoncements ? Quels choix ? Les médicaments ! De l'eau ! Du lait ! De la nourriture ! Oui, bien sûr. Mais les photos ? Les bijoux ? Du dentifrice ? De la crème pour le visage ? Peut-on vivre sans crème pour le visage ? Je me souvenais de ce voyage où je dus rester neuf jours sans mon sac à dos égaré entre Bombay et Madras : le vide, le début de perte d'identité… Ridicule ! Certes.

Toi, Marie, tu as mis plusieurs couches de vêtements à tes petits, "ils étaient comme des patapoufs", tu as décroché un grand rideau léger "pour faire des habits", tu avais le bébé dans les bras et Jannick portait la petite Sophie. "On suivait les autres, comme un exode, chacun ses gamelles, la moustiquaire, les trésors qu'on a emportés avec soi. On est resté deux jours dans le terrain de ma voisine. Je suis retournée plusieurs fois à la maison pour rapporter une bassine, du riz. Pour dormir j'ai essayé de planter une espèce de cape militaire que j'avais prise : impossible, la terre était trop dure. Le matin les enfants me demandaient des nouilles sautées et des bananes aux noix de coco. Le troisième jour les Khmers rouges sont passés et ils ont installé une table pour nous enregistrer : nom, études, mari… J'ai senti qu'il ne fallait pas dire la vérité. Tu sais lire ? Non. Tu parles une autre langue ? Non. On savait que les Khmers rouges emmenaient les gens dans la forêt mais c'est tout. Ils nous ont donné l'ordre de partir. J'étais en larmes : comment repartir avec tout le barda et les enfants ! Un monsieur m'a aidée avec son chariot à bœufs – je ne me souviens pas de son nom, sa mère était très jolie."

"On est parti. Dix kilomètres peut-être. Là on a vécu comme on a pu. On allait chercher l'eau, le bois. Mon oncle a tué un cochon. Les enfants tiraient sur mon sarong* : pourquoi on est parti ? Trois semaines après environ, mon mari est arrivé ; d'abord je ne l'ai pas reconnu, il était tout en noir, pour montrer qu'il avait «renoncé aux couleurs». Il avait marché des nuits depuis Pursat pour nous retrouver. Avec lui, nous sommes redevenus grands : il a creusé la terre avec une pioche pour planter les piquets et surélever la moustiquaire – la cape, les Khmers rouges me l'avaient prise très vite, ils avaient pris aussi ma radio, une Philips. Ils nous ont donné l'ordre de couper des feuilles de palmier pour construire un cabanon ;

* Sarong ou *sampot* khmer : pièce de tissu qui se porte comme une jupe.

on était content d'avoir à nouveau une maison. Mais quand elle a été bien montée, hop ! il a fallu partir. Et ça n'a plus arrêté ensuite. Ils faisaient ça exprès pour que tu abandonnes tes affaires au fur et à mesure, que tu n'aies plus rien. Sur la route, on a dormi par terre, n'importe où. Mon fils, celui de huit mois, a beaucoup pleuré, il a réveillé tout le monde, il avait mal au ventre. Il y avait un seau rempli d'eau ; je l'ai filtrée dans le noir avec un *krama* plié en quatre épaisseurs : les enfants suçaient le tissu. Le matin j'ai vu que c'était de la boue, cette eau. Heureusement que j'avais filtré. Mon bébé pleurait toujours ; on m'a donné du baume du tigre pour lui mettre sur le ventre. Mais le mal, il était à l'intérieur. Depuis qu'on avait quitté la maison, il avait toujours la diarrhée."

"L'endroit où ils nous ont emmenés s'appelait «les Puces de chien». C'était pas qu'un nom. On est dévoré, on se gratte partout, on devient comme un singe… On est resté longtemps là, je ne sais pas combien. On n'a plus de montre, on n'a plus de nouvelles, on n'a plus la notion des jours, de l'heure. De toute façon ça sert à rien. Mon mari a été envoyé vers Siem Reap pour chercher du poisson du Tonle Sap. J'habitais un cabanon avec ma tante. L'Angkar, l'Organisation des Khmers rouges, nous donnait une boîte de riz à chacun midi et soir. On pêchait du poisson dans l'eau retenue par la digue qui entourait la rizière. Moi j'ai horreur des vers de terre mais pour pêcher il en faut. La première fois j'ai dit : «Tata, tu peux m'aider ?» La fois suivante, j'ai fermé les yeux, j'ai arrêté de respirer, pas le choix. Il y avait les sangsues aussi. Au fur et à mesure, j'ai appris."

Tu n'es pas une fille de la campagne, Marie. Un de tes oncles était ministre des Travaux publics, un autre ambassadeur du Cambodge en France. En 1975, celui-là a été rappelé pour "soutenir sa patrie" et aussitôt massacré. Tu n'es pas une fille de la campagne. Tu es née à Phnom Penh, tu n'as jamais repiqué le riz, les gestes de l'eau et de la terre, tu ne les connais pas. Le réalisateur Rithy Panh, dans l'interview qui accompagne le DVD des *Gens de la rizière**, dit combien il est bouleversé par les gestes des paysans : "des gestes de tendresse qui font naître la vie". "Mais, ajoute-t-il tout de suite, ce sont des gestes qui, sous les Khmers rouges, pouvaient nous coûter la vie si on ne savait pas les faire." Quelle meilleure façon en effet de distinguer le "peuple nouveau", l'homme des villes, l'intellectuel, le religieux, dont la vie n'a pas d'importance ("ce qui est pourri doit être tranché") du "peuple ancien", les paysans, seul avenir du Kampuchea démocratique – puisque tel est désormais le nom du Cambodge. Et, au Kampuchea démocratique, "le stylo c'est la houe".

"On a dû repartir, soi-disant pour rejoindre les pêcheurs au Tonle Sap. On s'est arrêté en pleine forêt vierge. Il y avait un grand trou d'eau. On travaillait très dur sous un soleil de plomb pour défricher et planter du maïs. Les singes guettaient et déterraient les graines. Si on se mettait en *sampot*, on était bouffé par les moustiques. Moi, j'ai mis mon seul pantalon, un blanc, c'est la femme du commandant à Battambang qui me l'avait offert. Les Khmers rouges m'appelaient le Héron *(elle rit)*. Il y avait des serpents, je cognais sur tout

* Interview de Rithy Panh réalisée par James Burnet.

ce qui bougeait avec un bâton. J'ai fait des vêtements avec le rideau et du fil de nylon récupéré
en déchirant des sacs de riz. On est resté pas tout
à fait un an. Ils nous ont évacués à l'automne
quand il y a eu l'inondation. On est parti dans
une sorte de ville."

Tous les six avec le bébé, Marie ?
"Non, il est décédé avant. Je ne sais pas quand.
Le temps n'a plus de sens, il fait jour, il fait nuit.
Point. J'avais de l'ovomycine mais ça n'a servi à
rien."

Tu n'as rien dit de plus. Moi non plus. Tu m'as
peut-être resservi une part de gâteau et puis tu
m'as raconté ceci qui se passait dans ce quatrième lieu où vous vous étiez installés tant bien
que mal. Ton mari était revenu à ce moment-là.
C'était vers la fin de l'année 1976. Sans doute.

"Un jour je ne me suis pas sentie bien du tout.
J'avais l'impression d'avoir porté une marmite
d'eau bouillante sur la tête. J'ai dit à mon mari :
Tu sais, papa, je vais demander la permission de
ne pas aller travailler. Je suis sortie pour faire pipi
et au lieu de ça je me suis mise à faire des câlins
aux citrouilles que j'avais plantées. Je suis remontée et là j'ai commencé à dire toutes sortes de
choses. Je parlais de plus en plus fort, j'ai fini par
hurler. Tout le monde est arrivé. Un des chefs
khmers rouges qui avait mangé de la chair humaine était là. Alors tout ce que je savais sur lui et
que je n'avais jamais dit, c'est sorti. La chair qu'il
avait mangée, c'était celle du papa de Sophany.

Je l'ai dit à haute voix, je criais, et lui aussi : «C'est pas vrai !!» «Si c'est vrai, la chair du papa de Sophany ! Et il l'a donnée à manger à sa fille et il lui a dit que c'était du bœuf.» Il était fou de rage. Il est allé chercher une chaîne énorme. Je reviens de loin, de très loin, tu sais.

"Entre-temps je m'étais mise à délirer. J'ai perdu la boule, voilà. J'ai chanté, j'ai dansé. Je suis envoyée par le roi Sihanouk, je disais. Je m'appelle Nicole, mon mari s'appelle Patrick. Je suis envoyée par le roi pour voir le peuple. Je disais tout ça en français. Mais d'où ça me venait ? Je disais : J'ai pris l'avion, je n'ai même pas eu le temps de m'habiller – j'étais torse nu, tellement maigre. Mais d'où ça me venait ? Je ne pouvais pas m'arrêter. Et pourquoi Nicole et Patrick ? Je n'en connaissais pas ! Et pourquoi l'avion ? Mon mari pleurait. Il me suppliait d'arrêter. Il savait qu'ils allaient me massacrer. L'autre était là avec sa chaîne et moi je lui montrais mon cul et je lui disais : Tiens ! tiens ! tu veux me tuer, tiens ! Et mon mari criait : Arrête ! Et moi je hurlais : Avec toutes les études que tu as faites, tu obéis à ces imbéciles !"

"J'ai eu de la chance : il y avait ce jour-là une Khmère rouge, plus gradée que le chef que j'accusais, qui assistait à la scène. Elle a dit au chef que j'étais folle mais que lui n'était pas fou. Elle a dit – je me souviens parfaitement : «C'est une brave femme et elle travaille très bien. Range ta chaîne.» Il a renoncé à me tuer. Un guérisseur est venu. Je n'ai pas voulu de ses remèdes. Après, j'ai dormi comme une bienheureuse *(elle rit)*. Le lendemain je me rappelais tout mais j'ai fait semblant que non. En allant à l'hôpital des Khmers rouges – il n'y avait pas grand-chose mais j'espérais récupérer un fortifiant ou du miel pour me remplir un peu –, j'ai croisé celle qui m'avait sauvée et je lui ai juste dit : Ça va, maman ? C'est ce qu'on disait à quelqu'un de plus haut placé à l'époque."

"Je reviens de loin, tu sais…" Tu me l'as souvent dit, Marie, pendant ces longues heures où je t'écoutais. Et moi je te regardais, ce sourire et ce rire quasi permanents, tes jolies dents blanches, tes soyeux cheveux noirs, la malice dans tes yeux. A soixante-deux ans, pétrie de vitalité. Oui, pétrie. Quand je pense à toi c'est ce mot qui me vient. La pâte, le feu, l'air, l'eau, la vie. Je te revois lors de mon premier séjour en 2006, celui où je t'ai rencontrée. Je revois ce moment, que j'ai pris en photo, dans un bus où tu chantes avec de jeunes Cambodgiens, un micro à la main, je ne sais quel tube français ; et puis une autre photo, une halte sur la route de Kampot, toujours entourée de jeunes, toujours ce rire sur tes lèvres, ces exclamations, cette gaieté. Je ne te connaissais pas alors, je savais juste que tu avais perdu deux enfants et un mari sous Pol Pot. Je crois que j'étais perturbée, choquée par cette vitalité. Aujourd'hui, elle me bouleverse.

Jusque dans la détresse la plus absolue, tu ne renonças pas, tu ne te soumis pas, même si naturellement, tu me l'as dit maintes fois, "il y a tout ce qu'on doit faire pour survivre". Mais toi tu étais toujours, il me semble, à la frange extrême, tu allais aussi loin que c'était possible. Ainsi, le 24 août 1977, quand ton mari a été emmené et massacré.

"Ce jour-là, ils étaient quatre à devoir partir au champ de citrouilles. Mon mari a pris une hache et puis il a fait demi-tour et il m'a dit : «Oh maman, garde la hache pour couper le bois et donne-moi le couteau.» Peut-être qu'il savait ? Peut-être pas. Mon mari c'est quelqu'un de très calme, il ne montre pas ses problèmes. Le soir, j'étais couchée, j'ai vu qu'il était vingt-deux heures sur le cadran lumineux de la montre de mon mari. J'ai commencé à attendre. Vers cinq heures du matin, j'ai aperçu une silhouette, j'ai cru que c'était lui, j'ai imaginé ce que j'allais lui dire, tu fais la vadrouille et moi je t'attends toute la nuit, juste pour le chiner un peu. Mais c'était le voisin. Je ne pouvais pas dormir. Normalement je ne fumais pas le tabac que distribuaient les Khmers rouges mais là j'ai roulé une cigarette avec une feuille de bananier. Oh mon Dieu *(elle rit)*, ma tête tournait de tous les côtés. Vers six heures, je suis partie voir le chef. Il a fait l'étonné : «Ah il n'est pas rentré, c'est qu'il a dû voler quelque chose.» Je l'ai attrapé par le col : «Mon mari n'est pas un voleur. Dis-moi où est mon mari, dis-moi la vérité !» Il a avoué qu'il l'avait «confié» à l'Angkar. Voilà, on savait ce que ça voulait dire. Je ne suis pas allée travailler et j'ai exigé d'avoir ma ration quand même. Il me l'a donnée. Le lendemain, j'ai retrouvé d'autres femmes dont les maris avaient disparu la même nuit. Elles étaient allées travailler, elles. Tout ça c'est du passé. Il faut vivre, quoi."

Après la disparition de ton mari tu as changé. On t'en avait trop fait. Tu dis : "Je n'étais plus la même. C'était le jour et la nuit. Une autre Marie. Je suis devenue très méchante." Elle n'est plus qu'un souvenir sur la photo passée, la jeune femme citadine qui aimait les bijoux, qui papotait avec ses copines – "et parfois quand je rentrais j'entendais : «Maman c'est prêt», mon mari avait fait le repas !" Une autre Marie a pris la place de la première, une femme qui n'a plus de larmes, qui n'a plus le temps d'avoir peur, une mère qui défendra sa peau et celle de ses quatre enfants jusqu'au bout.

7

DIDI

Il vaut mieux arrêter dix personnes par er-
reur que de laisser libre un coupable.

Adage du Kampuchea démocratique.

C'était en janvier 2006 à Phnom Penh. J'étais venue visiter Mith Samlanh (Amis proches), l'ONG d'assistance aux enfants des rues, plus connue sous le nom de Friends. Sébastien Marot, le jeune fondateur français, m'a fait entrer dans le bureau de la directrice, Map Somaya, que tout le monde ici appelle Didi. J'étais encore sous le choc de ma visite le matin même à Tuol Sleng, le lycée transformé en prison qui s'appelait alors Tuol Svay Prey*, "la colline du manguier sauvage", nom du district où il est situé, à l'ouest de Phnom Penh. Là furent torturées et exécutées 17 000 personnes. Je le lui avais dit presque tout de suite. Son regard avait changé. C'était mon lycée, m'avait-elle dit. Elle y avait été élève de la troisième à la terminale, jusqu'en 1973. En 1979, après que Phnom Penh avait été libéré, elle était revenue à Tuol

---

* "L'école primaire attenante fut appelée Tuol Sleng (la colline de l'arbre *sleng*). Ce nom fut utilisé pour désigner le complexe entier probablement parce que cet arbre porte des fruits empoisonnés." (Extrait de David Chandler, *S21 ou le Crime impuni des Khmers rouges*, éditions Autrement.)

Sleng, espérant apprendre quelque chose sur son mari disparu. Son oncle, sa tante, revenus de France car les Khmers rouges leur avaient fait miroiter un avenir radieux, étaient morts ici ainsi que son grand-père. Mais de son mari aucune trace. "Dans ma classe, avait-elle ajouté, il y avait une odeur de sang."

J'avais dû bredouiller quelque chose ou me taire, je ne me souviens plus. Elle avait poursuivi.

"Est-ce qu'il est mort ? Pourquoi l'ont-ils enlevé ? Quelle faute a-t-il commise ? Comment ? Où est-il mort ? Cela fait trente ans que je ne le sais pas, trente ans que je ne peux rien répondre aux questions de mon fils. Je ne peux rien lui répondre quand il me dit : «Mon père n'est pas mort, un jour il reviendra.» Je ne sais rien et c'est terrible. C'était le 24 décembre 1976. J'avais vingt et un ans. J'étais enceinte de quatre mois. A midi, tout le monde est rentré sauf mon mari. Il est arrivé une heure après. Il avait l'air triste. J'ai été vers lui pour l'embrasser alors qu'on ne devait pas faire ça en public sous les Khmers rouges. Il m'a caressée et il m'a dit : «Sois calme, tu dois avoir beaucoup de courage. Depuis que je te connais, tu as toujours été une jeune fille courageuse. Si je ne suis pas là, il y aura tes frères, tes sœurs, ta maman, mes parents, s'il y a quelque chose, tu peux aller vers ma famille qui t'aime beaucoup.» Je lui ai répondu : «Oui, mais c'est toi qui es le plus important dans ma vie. J'ai accepté d'avoir un bébé parce que tu m'as dit que nous resterions toujours ensemble.» Il a juste dit : «Changeons de conversation.» On s'est assis par terre pour manger et trois hommes, deux petits et un grand, sont arrivés. Ils ont dit : «On vient vous chercher, vous êtes invité à une réunion.» J'ai demandé : «Est-ce que je dois venir ? – C'est comme vous voulez.» Mon mari a dit : «Non, tu restes, j'y vais tout seul." Avant de partir, il a passé de son cou à mon cou une serviette éponge, c'était un cadeau de mariage de ma tante, et il m'a dit : «Si je ne suis pas revenu à quatre heures, il faut que tu ailles t'occuper des bœufs à ma place.» Et voilà c'était fini, jusqu'à maintenant je ne l'ai plus rencontré que dans mes rêves. J'ai perdu mon mari, mon père, deux frères, j'ai réussi à survivre avec mon bébé. J'ai mangé des algues, des serpents, des rats."

Ce jour-là elle avait pleuré, brièvement, son beau visage lunaire dévasté soudain. Et puis elle avait enchaîné sans transition sur Friends. Avant qu'on ne se quitte, je lui avais demandé si, une autre fois, si je revenais, elle voudrait me raconter son histoire. Elle m'avait dit qu'avant elle ne le pouvait pas mais que maintenant, oui, cela l'aiderait à vivre pour elle, à ne plus attendre, à ne plus l'attendre. Je suis revenue l'année suivante. On a passé deux heures ensemble, elle avait beaucoup de travail, elle devait se battre entre autres pour garder le terrain sur lequel est installé Friends au cœur de Phnom Penh et qui faisait apparemment des envieux. Deux heures, c'est très peu, me dira-t-elle, pour "trois ans, huit mois et vingt jours qui ont duré trois siècles". Elle a déroulé le fil de ces années noires, dans un bon français, mais avec un phrasé lent, en cherchant ses mots – je me souviens de ses *tia tia* pour m'approuver quand je reformulais ce qu'elle venait de dire. Et c'est un autre temps, effaçant les cris et les rires des enfants qui montaient jusqu'à nous, un temps de folie et de souffrances qui a envahi la paisible salle de réunion de Friends, avec son grand ventilateur, son poste de télévision et sa longue table en bois.

"Nous sommes partis de Phnom Penh le 18 avril 1975, avec mes frères et sœurs, mon père qui était malade et ma mère, les frères et sœurs de mon mari et les voisins du quartier du Marché olympique où nous habitions. Nous avons mis treize jours pour arriver jusqu'au village d'Ang Kley, district de Chhuk, dans la région de Kampot : les nuits dehors, les cadavres sur la route, tellement d'horreurs. Avant que les Khmers rouges n'arrivent, je travaillais dans l'humanitaire avec les réfugiés qui fuyaient les bombes américaines et la guerre civile. Mon mari venait de finir sa licence de droit. Dans les jours qui ont suivi son arrestation, ma mère a essayé en vain de savoir quelque chose en donnant des bijoux au chef du village. Et puis il y a eu une réunion organisée par le grand chef de commune (groupement de villages) avec les chefs de district pour nous informer qu'ils venaient d'arrêter des traîtres de la CIA et du KGB. Ils ont expliqué ça et puis ils ont demandé qui voulait dire quelque chose. Tout le monde me regardait méchamment, attendant que je me lève et que je m'excuse auprès de l'Angkar, l'Organisation, que je fasse une confession publique reconnaissant que mon mari était coupable. Et moi je ne bouge pas, je ne fais rien, rien. Je suis têtue. Les trois autres femmes dont les maris avaient été enlevés le même soir ont avoué ! Ma mère et la famille de mon mari m'ont reproché mon silence : Si tu avais parlé, ils l'auraient peut-être libéré ! Moi je savais bien que non.

"Je me souviens, un jour, j'étais enceinte de six ou sept mois, le chef de village qui était un ami de classe de mon mari m'a demandé : «Qu'est-ce que tu ressens à dormir sans ton mari ? Tu ne rêves à rien ?» C'était dans la forêt, j'ai eu peur qu'il n'abuse de moi, je suis partie en courant jusqu'au village et j'ai dit à ma mère : «Peut-être que bientôt je ne serai plus là, qu'ils vont m'enlever moi aussi…» Mon père était mort deux mois avant que mon mari disparaisse. Il n'y avait que ma mère qui me soutenait, me consolait, mais c'est une femme, elle ne pouvait pas me défendre, ma belle-famille ne me parlait plus, elle me rejetait. Je ne me sentais pas protégée. Mes frères et sœurs plus jeunes étaient dans des groupes mobiles, des unités de travail qui se déplaçaient. Un jour, les Khmers rouges ont rassemblé toutes les veuves et ils ont fait deux groupes mobiles : avec et sans enfants. Mon beau-père avait obtenu du chef que je puisse rester au village mais j'ai préféré partir avec les autres veuves. Je lui ai dit : «Si je ne reviens pas, c'est que je suis morte et comme ça je retrouverai mon mari.»

"On a travaillé aux champs, plus tard on a fait un grand barrage qui existe toujours et qui va bientôt être rénové. C'était très dur. On portait la terre, le barrage était très haut, au moins cent cinquante mètres, il y avait trois cent vingt marches à monter. On n'avait presque rien à manger. Je suis tombée deux ou trois fois. Mon bébé avait deux mois à ce moment-là. Une personne âgée ou une malade gardait les bébés. J'avais une copine, on essayait de tout faire ensemble, par exemple aller aux toilettes ou allaiter, pour avoir moins peur. Nous n'avions pas assez de lait : nos bébés à nous étaient maigres – plus tard, nos deux enfants ont eu des difficultés à l'école. Nous ne savions pas, contrairement aux paysannes, trouver dans la nature de quoi se nourrir un peu plus. Nous n'avions que ce que nous donnait l'Angkar : très très peu. Parfois, quand on allait sur un chantier, je retrouvais ma petite sœur et mon petit frère ; ils avaient un peu plus à manger et ils gardaient pour moi une portion de sucre, du riz. Moi j'étais considérée comme coupable, à cause de mon mari, on ne me disait pas bonjour.

"Une fois, j'étais à l'hôpital et la chef de notre groupe est passée. Elle s'est arrêtée devant moi et elle a dit : «Vous êtes toujours hospitalisée ! Peut-être qu'il faudrait vous envoyer ailleurs…» J'ai eu très peur et je suis sortie de l'hôpital pour retravailler. Une semaine après, je suis tombée, elle a vu que j'étais vraiment malade, que je ne faisais pas semblant pour prendre un peu de repos. J'étais de nouveau à l'hôpital quand elle m'a prévenue que le groupe partait dans un autre village. Je n'avais pas le choix si je ne voulais pas être tuée. On est parti, j'étais très faible, très maigre, mon amie m'aidait à porter le bébé…"

Didi s'est interrompue, comme découragée soudain. "Il y a tellement de choses à raconter, tellement."

Si tu devais ne raconter qu'une seule chose, par exemple au procès des Khmers rouges, ce serait laquelle ?

"Si je devais témoigner, je dirais le jour où ils ont enlevé mon mari. Sans rien, sans aucune explication, même pas une lettre de convocation. Pas d'information, pas de nouvelles. Jamais. C'est ça qui m'a le plus choquée. Non, mon mari n'avait pas d'activité politique. Bien sûr il s'informait, il écoutait la radio. Avant l'entrée des troupes dans Phnom Penh, il m'avait dit : «On va avoir un régime communiste à la Mao Tsé-toung.» J'avais peur déjà, parce qu'à l'école on avait appris ça : le communisme chinois et soviétique. Et lui ensuite, dans le village, il savait, il me l'avait fait comprendre, qu'il était menacé."

Sa colère est-elle entière trente ans après ?

"J'ai ressenti beaucoup de colère le week-end dernier. Il y avait la fête pour amener les bougies à la pagode, c'est le début de la retraite des bonzes. Ma mère est morte il y a quatre mois et j'ai voulu faire une cérémonie pour la famille. Dans cette pagode, il y a un moine. Il est l'un des hommes qui ont participé à l'arrestation de mon mari, c'est lui qui a pris tous les renseignements avant son enlèvement, lui qui l'avait surveillé, épié. C'était la troisième fois que je le revoyais. Ce samedi 28 juillet 2007, la semaine dernière, je ne l'ai pas salué – mes frères ne le connaissaient pas, ils étaient surpris de mon attitude. Mais ma sœur, elle, elle sait. Elle a demandé aux bonzes qu'il y ait un changement de moine. Mais lui, il a fait semblant. Il a dit : «Ah ! vous êtes la femme d'Ann. Vous me connaissez ?» J'ai répondu : «Toute ma vie jusqu'à ma mort, je ne vous oublierai pas. Et même après ma mort !» Il m'a dit : «Ah ! j'ai de la chance alors…» J'étais tellement choquée. Je savais qu'il faisait semblant. Je lui ai dit : «Tu as fait beaucoup de mauvaises choses, maintenant tu en fais des bonnes pour rattraper.» Et là, il a dit : «Oui, oui…» Je n'ai pas continué, je ne le pouvais pas, je ne pouvais pas troubler plus la cérémonie, je ne pouvais pas, il fallait que je «garde ma bonne mine*». Plus tard, j'ai dit à ma famille que je ne viendrais plus dans cette pagode.

"En 1979, après Pol Pot, la femme de celui qui m'avait demandé comment je me sentais seule dans mon lit sans mon mari est venue me voir, j'étais encore à la campagne. Elle m'a dit qu'elle était triste, que son mari était en prison,

* "Garder sa bonne mine" est l'équivalent de "ne pas perdre la face", c'est-à-dire protéger l'être social que l'individu veut montrer aux autres.

qu'elle n'avait rien à manger. Je lui ai dit : «Je suis sûre que tu te souviens très bien de moi. Tu connais maintenant le goût amer de ne plus avoir ton mari mais mon goût à moi était bien plus amer que le tien. Moi, je ne pouvais pas voir mon mari, je n'avais même pas le droit de parler de lui.» J'ai pensé demander à la police d'arrêter cette femme mais ma sœur m'a dit : «Non, tu ne dois pas agir ainsi, te venger, continuer le mal…» Je lui ai donné un bol de riz et elle est partie. Je ne veux pas me venger, non, je ne veux pas tuer, mais je veux que les choses soient dites et que les responsables reconnaissent leurs crimes. Je veux que nos petits-enfants sachent, pour que cela ne recommence jamais."

Didi m'a raconté ensuite le long chemin qui l'a menée jusqu'ici, à la tête de Mith Samlanh. Elle a d'abord été secrétaire dans le district d'Angkor Chey à la campagne, puis responsable d'une troupe itinérante de danseurs. Un soir de représentation, les Khmers rouges ont débarqué, ils ont tout brûlé, jusqu'à l'estrade. "Et là, affirme-t-elle, soudain je n'ai plus eu peur, je me suis dit : Je continue quoi qu'il arrive !" Elle a envie de partir à Phnom Penh : elle dépose une candidature au ministère de l'Education. "Mais c'est ma cousine, Ly Sophat, qu'ils ont convoquée. Elle avait déjà trouvé un travail, j'ai pris sa place pour l'entretien et ils ont voulu m'enregistrer sous ce nom. Voilà pourquoi j'ai deux noms : Ly Sophat et Map Somaya." Au ministère, elle rencontre d'autres femmes qui ont vécu la même chose qu'elle : "C'est là que j'ai commencé à équilibrer ma douleur."

Elle suit des études pour être professeur d'histoire-géo. Puis renonce : pas encore assez de confiance en elle. Elle est nommée en 1988 adjointe-chef au département de la distribution des livres scolaires. Entre 1990 et 1992, elle apprend le français et commence à travailler pour l'ONU*. Elle fait du baby-sitting le soir et rencontre un couple belge qui l'invite en Belgique. Elle y reste de 1994 à 1996. "C'est là que j'ai réalisé que je pouvais pousser ma vie plus loin." Grâce à son amie belge, elle entre chez Friends en 1997 comme interprète, puis comme chef de l'équipe du travail dans la rue. En 1999, Friends devient, pour ses activités basées au Cambodge, Mith Samlanh. Didi y fait merveille, me dira Sébastien Marot, le créateur. Quoi d'étonnant ! Il y a chez cette femme de cinquante-deux ans une énergie rayonnante, une solidité, qu'on sent instantanément. Il faut voir, dans la grande cour de récréation de l'ONG, les jeunes, des bouts de chou dépenaillés aux adolescents dégingandés, voler vers elle, pour la photo, comme une ramée d'oiseaux ; la tendresse qu'ils ont pour elle, flagrante, qui éclabousse l'objectif.

Nous avons continué à parler à bâtons rompus. Surtout des femmes cambodgiennes. "Elles sont dynamiques, courageuses, patientes. Elles progressent vite. Elles savent gérer la famille, les enfants, le travail… Elles sont les plus grandes forces du pays. Il faut les soutenir, les considérer. Les hommes de l'ancienne génération ont encore du mal. Je me bats pour que les femmes aient le pouvoir. Hier, j'étais à l'anniversaire du ministre des Affaires sociales : il y avait quatre femmes et seize hommes. Ils ont commencé à faire les fiers ! Je leur ai dit : Pourquoi n'êtes-vous pas venus

* Les accords de Paris du 21 octobre 1991 ont placé le Cambodge sous l'autorité provisoire des Nations unies : un budget de 3 milliards de dollars, 17 000 militaires, 8 000 civils venus de 22 pays, pour préparer la tenue d'élections et assurer le retour de 350 000 réfugiés.

avec votre femme ? A Mith Samlanh il y a 96 femmes sur 250 personnes. Je suis fière d'être la directrice. D'être l'interlocutrice du gouvernement. En ce moment, je négocie pour que nous ne soyons pas expulsés du terrain par le propriétaire franco-chinois : je veux que nous restions au cœur de Phnom Penh. Je suis fière d'aider tous ces enfants, d'être restée fidèle à mon mari, d'être une bonne maman."

Et puis Didi m'a redit combien c'était important pour elle maintenant de parler, de nous laisser une partie, même si c'est une infime partie, de ses douleurs, de ses tristesses. Elle m'a redit ce presque impossible deuil. "Il y a deux ans, mon fils a rencontré dans l'hôtel où il travaillait quelqu'un qui, croyait-il, avait vu son père. Cette fois je lui ai dit : «Non, c'est fini, tu ne dois plus rêver.» Mais moi, parfois, je me surprends à penser qu'il y a encore un tout petit pourcentage de chances pour qu'il revienne."

8

PETITS PRINCES DES RUES

> *Il était une fois un petit prince qui habi-*
> *tait une planète à peine plus grande que*
> *lui, et qui avait besoin d'un ami...*

SAINT-EXUPÉRY,
Le Petit Prince.

TÉNACITÉ

Sur un mur de ma chambre à Paris, il y a une petite toile, un autoportrait d'un enfant. Il a de
grands yeux noirs qui vous regardent droit et une
bouche très rouge, il porte une chemise col Mao
couleur kaki, il a un côté petit soldat. Derrière la
toile sont inscrites ces mentions : *Name Sompors,*
boy, 11 years, Sihanoukville, Cambodia, 13 dé-
cember 2006. Je l'ai achetée quatre dollars une fin
d'après-midi tout au bout de la plage d'Ochheuteal à Sihanoukville. Depuis deux petites heures
que je me baladais, j'avais déjà souvent ouvert
mon porte-monnaie et j'étais bien décidée, en je-
tant un œil à la petite expo de dessins d'enfants
dans un restau de la plage, à le laisser fermé. Je
me souviens de l'énergie du jeune garçon, de sa
ténacité – je le voyais lutter pour ne pas céder au
découragement –, je me souviens de sa fierté
quand j'ai cédé, qu'il a décroché sa peinture, l'a
emballée dans un papier journal et a été mettre
sur la carte du monde un signet à l'emplacement

de la France. Il me semble que l'autoportrait rend ça : la détermination farouche qui se mêle à la peur de ne pas y arriver.

ÉCLAIR

C'était pendant mon premier voyage. Il était devant le portail de la prison-musée de Tuol Sleng à Phnom Penh. Il s'est avancé vers moi avec ses journaux, des suppléments week-end du *Cambodia Daily*. Je fais signe que non. Il n'insiste pas. Il a un regard d'une extrême douceur. Je fais quelques pas puis demi-tour. Je lui donne un dollar. Il me remercie, me prend la main, me dit "à demain". L'éclair joyeux dans ses yeux.

GRÂCE

C'est pendant mon second voyage. Presque tous les matins, à Phnom Penh, je vais prendre mon petit-déjeuner quai Sisowath au *River Front*. Je prends soin d'acheter le *Cambodia Daily* toujours au même jeune garçon. Il vend les journaux le matin et va à l'école l'après-midi. Il a une classe et une grâce qui m'intimident presque… Quand nous nous dirons au revoir le dernier jour, lui aussi me serrera longuement la main en me souhaitant bonne chance.

MOINEAUX

A Battambang une fin d'après-midi, écroulée au fond d'une chauffeuse moelleuse, je commande un énorme et très appétissant gâteau. Arrivent trois enfants des rues, deux frères, une sœur, certainement. Tétanisés à la vue du gâteau. Je le coupe en quatre sans dire un mot. Ils se servent avec une prestesse délicate. Ils ne touchent pas au quatrième morceau mais prennent les petits sachets de sucre de mon café et s'envolent comme des moineaux. L'un pourtant se retourne et me dit *"okoun tchraeun !"* avec un sourire de diamant.

Ce n'est pas Ladi, mon *driver* chouchou à Phnom Penh, qui me dépose aujourd'hui 215, rue 13, chez Mith Samlanh, Friends, l'ONG qui se consacre aux enfants des rues. Pour un aussi court trajet, j'ai hélé l'un des chauffeurs de *tuk-tuk* qui stationnent en permanence devant mon hôtel et j'ai hérité du moins rapide, un homme corpulent assez âgé qui attend simplement le client, trop fatigué je crois pour l'assaillir dès qu'il met le pied dans la rue. Son *tuk-tuk* est aussi lent que lui et de toute façon nous voilà pris dans l'effervescence du marché Phsar Cha. Il a une bonne tête et j'essaie de ne pas montrer mon agacement.

Je sors vite mon dollar, je suis en retard. Je traverse la grande cour – aussi bruyante et vivante que n'importe laquelle de nos cours de récréation avant que la cloche ne sonne – et je rejoins les équipes de rues dirigées par Keo Sophorn avec qui Didi la directrice m'a ménagé un rendez-vous. Il est en train de former les binômes, femmes et hommes, tous cambodgiens, tous vêtus de tee-shirts blancs Friends, qui vont ce matin comme tous les matins sillonner les rues de Phnom Penh à la rencontre des enfants des rues en détresse ; avec des arrêts déjà prévus dans des lieux de la capitale où vivent sur le trottoir des familles entières. Le tout à moto. Le casque est trop petit pour moi, tant pis je m'en passerai, je me sens parfaitement en sécurité avec cet homme si calme, au beau visage ouvert, qui organise le départ avec une calme efficacité.

Les motos se suivent à petite allure sur les grandes artères de la capitale. Soudain Sophorn freine et s'arrête : il a repéré un adolescent couché sur un banc. Il s'approche, échange quelques mots avec lui, sort son portable pour prévenir l'équipe médicale : quelqu'un va passer le prendre. Je ne saurai pas de quoi souffrait l'adolescent. Tout va très vite cette matinée-là et j'ai du mal à comprendre l'anglais du boss qui par ailleurs n'a pas que ça à faire…

Deuxième arrêt à une grande station d'essence Caltex. Deux femmes, avec chacune un bébé, sont assises par terre. Elles font de larges sourires en reconnaissant Sophorn. Les bébés aussi lui adressent risette sur risette. Elles viennent de la campagne*, sont en bonne santé, leur bébé aussi, elles ont un endroit pour dormir à mille riels la nuit. Ce qu'il leur faut, c'est un boulot. Le bureau de placement de Mith Samlanh essaie de les aider.

Troisième arrêt dans une petite rue où vivent une dizaine de familles. Des membres de Friends sont déjà sur place. Ils ont installé un tapis, des jeux, un puzzle, des livres, et les enfants ont l'air d'être contents. Sophorn engage tout de suite une longue conversation avec deux jeunes garçons de seize ans. Je ne comprends pas un mot mais je vois leur visage s'ouvrir peu à peu. Sophorn réussira ce matin-là à convaincre les deux frères orphelins de venir se former et de vivre chez Friends. Réparation de motos pour l'un, confection pour l'autre. Je prends ces notes assise avec eux sur le tapis. J'ai un geste machinal pour chasser les mouches obsédantes. Deux enfants finissent un

* Des provinces arrivent chaque jour dans la capitale plus de 5 000 personnes.

110

puzzle représentant les provinces pour me montrer où ils sont nés. Une jeune femme de l'équipe cherche les poux dans les cheveux d'une jolie fillette et les lui donne ensuite à écraser...

La famille voisine, une jeune femme et son mari avec un très jeune enfant, est installée sur un caillebotis. Ils ont déployé une sorte de toile de tente en se servant des branches d'un arbre. Dans un hamac rasant le sol, ils ont mis quelques affaires. Dans un coin, une marmite sur trois pierres. Le bébé a le visage constellé de fines pustules. Sophorn n'en a cure et l'amuse de chiquenaudes sur les joues. Je crois n'avoir jamais rencontré quelqu'un d'aussi bien dans ses baskets. Tous les enfants m'appellent papa ! me dira-t-il. Nous repartons. Beaucoup de sourires et de saluts. Et le regard si pensif du jeune couple qui fait agiter la main à son bébé. Quand nous démarrons, je vois l'amoncellement d'ordures sur le trottoir d'en face en train de brûler. Pour voir vraiment, dépasser l'état d'anesthésie, peut-être faut-il dessiner ? Je pense au très bel album *Dans les rues de Phnom Penh* de Geneviève Marot, la sœur de Sébastien Marot, le fondateur de Friends/Mith Samlanh. Certains croquis montrent des enfants sniffant de la colle dans des sacs plastique. Aucun voyeurisme, contrairement à une photo.

Dernier arrêt dans une rue qui longe la Bibliothèque nationale. Dans un coin du grand jardin vivent là, depuis des années, quelques familles. Une jeune femme enceinte arrive vers nous. Elle nous parle à travers la grille du parc. Elle doit accoucher ce soir à l'hôpital municipal, c'est Mith Samlanh qui prend les frais en charge. Elle est tout bonnement ravissante. Je lui donne vingt-cinq ans, elle en a quarante et un, elle a déjà six enfants, cela fait sept ans qu'elle est ici. Une petite fille et un petit garçon se sont glissés entre les barreaux et jouent sur le trottoir. Au fond d'un hamac, entre deux arbustes, dort un nourrisson. La future accouchée du soir soulève la serviette de bain rouge pour nous montrer ce bébé qui dort à poings fermés dans sa nacelle de fortune, visage délicat de petit prince ; tout près de lui, sur une branche, un singe maigrichon avec un œil voilé d'une taie.

A Phnom Penh on estime que 1 500 enfants vivent seuls dans la rue et entre quelques centaines et quelques milliers (le chiffre est très fluctuant) y sont avec leurs familles ; entre 10 000 et 20 000 y travaillent (vendeurs, cireurs, récupérateurs de canettes, de sacs en plastique, sans oublier ceux qui se prostituent) et rentrent régulièrement ou de temps en temps chez eux.

Mith Samlanh est dirigée par Map Somaya dite Didi (voir le chapitre "Didi"). Le centre éducatif de l'ONG prend en charge 350 enfants de 0 à 14 ans : l'objectif est de les aider à rejoindre l'école publique. Je me suis promenée dans les classes : elles sont joyeuses et ferventes. Le centre de formation reçoit de son côté 400 adolescents de 15 à 21 ans : mécanique, couture, coiffure, teinturerie, commerce, restauration, électronique, électricité. Une jeune femme assure depuis peu une formation au "business" qui intéresse ceux qui espèrent créer le leur. Là aussi, dans les ateliers, l'atmosphère est à la fois sérieuse et chaleureuse. Les apprentis en mécanique s'entraînent sur les cent motos de Friends, ceux de la teinturerie assurent le blanchissage maison. Et, le jour de ma venue, des jeunes m'ont offert sur un grand plateau de délectables petites choses pimentées qu'ils venaient de cuisiner et faisaient goûter à leurs copains d'autres sections. Certains des jeunes gens travailleront ensuite dans l'un des deux restaurants de Friends : cuisine du monde ou cuisine khmère ; celui de la rue 13, à côté du centre de formation, est très fréquenté, et pour cause. On vous y sert avec la plus grande des gentillesses de délectables tapas façon khmère ou des plats traditionnels, ou encore d'irrésistibles *club sandwiches*. Friends est aussi aux commandes du café du Centre culturel français : *lok lak* (bœuf au poivre) et crêpes succulentes. Juste à côté, une boutique vend d'adorables sacs, vêtements, colifichets réalisés par les jeunes, qu'on paye sans regret quelques centaines de riels de plus qu'ailleurs. Un diplôme reconnu par l'Etat clôt la formation et le bureau de placement cherche les jobs. Un jeune électronicien qui travaille maintenant en province, où il gagne bien sa vie, passait ce jour-là pour saluer ses anciens formateurs.

La réintégration sociale des enfants et des jeunes est l'objectif poursuivi : retrouver sa famille, rejoindre l'école publique, trouver un emploi, se relier à sa culture. Un objectif qui passe aussi par des activités sportives et artistiques, des programmes de lutte contre le sida et la drogue. Le centre héberge 280 enfants ou jeunes. Une équipe médicale est présente vingt-quatre heures sur vingt-quatre. Dans ce pays, qui compterait le plus d'ONG au mètre carré et des remises en question fréquentes de l'une ou de l'autre, je n'ai rencontré personne pour contester l'action de Friends. Son créateur, Sébastien Marot, diplômé de Sciences-po, qui avait entamé une brillante carrière chez L'Oréal, découvre le Cambodge en 1994. Treize ans plus tard, il est toujours là.

Une autre ONG s'occupant d'enfants fait, me semble-t-il, l'unanimité : le Sipar (Soutien à l'initiative privée pour l'aide à la reconstruction). C'est le hasard qui m'a menée vers eux : un stand à l'entrée des Galeries Lafayettes à Paris avant mon premier départ. Leur stratégie de développement de la lecture m'intéresse. Je les rate lors de mon séjour initial. En rentrant, à l'escale de Kuala Lumpur, je trouve dans une librairie de l'aéroport *Le Petit Prince* en khmer ; cela me touche, le livre de Saint-Exupéry fut un des premiers livres qu'on m'offrit enfant. La facture en est fine et sur la couverture la délicate silhouette du Petit Prince se marie avec les volutes raffinées des lettres khmères. L'éditeur, le Sipar. Ce sera mon premier rendez-vous à mon second séjour.

Un rendez-vous matinal, sept heures trente, pour qui vient de débarquer au pays du palmier *thnöt* – de longs troncs coiffés d'un toupet de palmes – très spécifique au Cambodge, première image avant que l'avion se pose. Je n'ai pas encore jeté mon dévolu sur Ladi et le chauffeur de *moto-dop* qui m'accompagne se perd avec une constance remarquable, un large sourire aux lèvres. Nous y sommes enfin : 21, rue 9. Oui ! sauf que la bonne adresse c'est 9, rue 21, pas très loin du monument de l'Indépendance. Je suis quasiment à l'heure, mais pas le directeur du Sipar, Sothik Hok, qui finit une réunion. Je suis un peu tendue quand il me fait entrer dans son bureau. Pas pour longtemps. La simplicité, la modestie même de Sothik et son évident professionnalisme me calment. Il est le premier d'une série de rencontres fortes et lumineuses.

Il m'explique rapidement les fondamentaux du Sipar. Une étude réalisée en 2000 montre que 63 % des adultes sont totalement illettrés ou dans l'incapacité de lire et que, si aujourd'hui 82 % des enfants sont scolarisés en cycle primaire, seuls 27 % accèdent au niveau 9, la troisième en France. Le postulat du Sipar, né dans les camps de réfugiés thaïlandais de la volonté d'une femme*, est que la promotion de la lecture peut améliorer le niveau éducatif, lui-même essentiel pour sortir du cycle de la pauvreté. Vingt-cinq ans plus tard, l'association est à l'origine de 155 bibliothèques dans les écoles primaires de 20 provinces, 28 centres d'éducation pour tous (CET) destinés aux populations rurales exclues du système scolaire et 7 bibliobus qui circulent dans 93 villages de la périphérie de Phnom Penh, touchant chaque semaine plus de 3 000 personnes. Dernier volet plus récent, l'édition. Un secteur pratiquement inexistant au Cambodge où sont débitées à tire-larigot des photocopies (d'excellente qualité) de livres importés de l'étranger, vendues à un ou deux dollars souvent. Au catalogue Sipar on trouve une collection "Je voudrais savoir" (nature, histoire) ; une autre, "Je voudrais lire", sur le modèle de "J'aime lire" de Bayard qui vient transférer ici son savoir-faire. Et enfin la collection littéraire où s'insère *Le Petit Prince*. Y figurent aussi *Les Aventures de Pinocchio* (édition financée par des Italiens) dont j'apprends au détour d'une phrase que Sothik en est le traducteur en khmer. Et aussi depuis peu *Cambodge, année zéro* de François Ponchaud ; trente ans après sa sortie en France…

* Magali Petitmengin, une des fondatrices, raconte l'aventure du Sipar et la sienne dans le passionnant *Graines de bois* (itoo.com).

La littérature, Sothik lui voue une passion. "Les Khmers ont depuis toujours une culture plutôt orale, m'explique-t-il, exception faite pour les écritures sacrées, mais réservées à une élite. Dans les années 1960 pourtant, l'écrit a été développé. Les Khmers rouges ont tout balayé : bibliothèques et auteurs. Après, je m'en souviens, j'avais une huitaine d'années, il y avait des gens qui écrivaient des histoires à la main, les prêtaient et même les louaient !" Sous le régime de Pol Pot, la famille de Sothik a été décimée : tous les frères et sœurs de ses parents, pratiquement tous ses cousins, il en avait une cinquantaine. Le premier rêve de Sothik, dans ce Cambodge où régnait la misère, fut de devenir pilote. Mais c'est la littérature qui va lui permettre de déployer ses ailes. Lorsqu'il fait sa demande de bourse pour des études supérieures, il dit aimer la littérature française. Ce choix le propulse en Russie. Les débuts sont rudes, la scolarité au Cambodge fut de bric et de broc, et pour cause. "Vous êtes nul, la plupart de vos compatriotes sont nuls" : c'est ce qu'on lui dit, en tout cas c'est ce dont il se souvient. "Ils voulaient sans doute me provoquer pour que je réagisse. J'avais les larmes aux yeux mais j'ai décidé de travailler deux ou trois fois plus pour rattraper ce retard. A la fin j'étais premier de ma promotion et j'ai obtenu mon diplôme avec mention. Je ne voudrais pas que mes enfants – qu'aucun enfant – vivent ça : ce retard, ce mépris. Et en même temps je suis très exigeant avec mes enfants. Avec les enfants. Je sais ce que le travail peut apporter…" Comme je feuillette *Le Petit Prince*, Sothik me parle des (délicieux) problèmes de traduction. "Ainsi, m'explique-t-il, fallait-il modifier la phrase : «Quand je suis dans le champ de blé, je pense à tes cheveux !» Nous avons préféré la garder telle quelle."

Dans l'heure qui suit, je suis embarquée dans un bibliobus, direction l'école maternelle au village de Boeung Kya, province de Kandal, à une trentaine de kilomètres de Phnom Penh. Il y a peu de maternelles au Cambodge, celle-ci est financée par une ONG japonaise. Seila Phen, chargé de la communication du Sipar, servira de guide et de traducteur – il parle très bien le français ; il a vingt-cinq ans, un joli bagage universitaire et deux expériences dans des ONG. Le chauffeur s'appelle Kim Nay. Il est aussi conteur : c'est le Sipar qui assure la formation. Petite route ravinée, on arrive. Des grappes d'enfants de trois à six ans nous entourent. Les trois maîtresses nous saluent, mains jointes sous les yeux, *chum reab sour*, bonjour. Dessins au mur, coin dînette, coussins au sol, pas de quoi être dépaysés. Nous aidons Kim Nay à décharger les bacs en plastique pleins de livres et les enfants s'installent en tailleur sur une natte. C'est l'heure du conte. Sur une petite estrade, Kim Nay, agitant une marionnette-autruche, raconte avec un vrai talent une histoire pleine de péripéties. Il y a deux familles, deux amis, l'un est aveugle, l'autre ne peut pas marcher, il y a une fille de roi, des géants. A la fin, l'un épouse la princesse et l'autre devient ministre. Je ne me souviens plus quel est le degré d'attention des écoliers français dans ces moments-là, mais ici on est dedans de la tête aux pieds. Je me régale à photographier les frémissements des frimousses en extase. Une gamine natte et dénatte inlassablement les cheveux de sa copine devant elle sans pour autant lâcher des yeux le chauffeur et son autruche. Comme c'est réconfortant que la solide tradition khmère des contes ait résisté aux années noires.

Après le conte, lecture silencieuse. Tout seul mais le plus souvent à plusieurs sur un même livre. Deux jeunes filles et une femme entrent et repartent avec des livres ou des magazines. Dans le coin des poupées, une fillette couche son baigneur et le balance énergiquement dans un hamac miniature. Dans la cour, où une princesse de cinq ou six ans en corsaire vert fait tourner un *Hula-Hoop* autour de ses hanches, les bras joliment relevés et un sourire de canaille aux lèvres, je discute avec Ouch Bora, trente-huit ans, la maîtresse en chef. Elle gagne quarante-cinq dollars par mois, son mari est paysan, elle assure des travaux de couture le week-end pour améliorer l'ordinaire. Elle me dit être très motivée malgré le maigre salaire car "les enfants qui passent ici sont ensuite les meilleurs à l'école primaire du village".

Au retour j'essaie de faire parler Seila de lui. Il s'y prête avec gentillesse mais beaucoup de réserve. J'apprends que son père, qui était fonctionnaire au ministère de l'Agriculture, a perdu treize sur dix-sept frères et sœurs sous les Khmers rouges. Il est pour le procès surtout "à cause des jeunes générations". Quand, sur la route de mon hôtel, nous passons devant l'horrible bâtiment du casino, il s'exclame : "Juste derrière l'Institut bouddhique, c'est scandaleux !" Est-il croyant ? "Pas comme les vieux adeptes, de façon plus libre, mais ça m'aide d'être bouddhiste, des principes comme le respect des ancêtres, des parents, c'est important pour moi."

Le lendemain nous partons visiter un centre d'éducation pour tous, celui de Vihea Sour. Dehors la température frôle les quarante degrés. Dans la voiture, quinze ou vingt degrés de moins. C'est là que je chope ma bronchite. Dommage, la journée commence pourtant bien au bord du Mékong où nous attendons un bac pour traverser ; prix du passage cinq mille riels, un peu plus de un dollar. Longue et belle attente pour moi au bord du fleuve, dans la chaleur sans concession aucune – les habitants de Phnom Penh, eux, apprécieront quand le pont, dans deux ans, sera construit. Une dizaine de camions patientent aussi. Une jeune fille se baigne et remplit trois bouteilles en plastique de cette eau boueuse. Sur le bac, le souffle bouillant du vent, l'haleine d'un géant… De jeunes, ravissantes et délurées Cambodgiennes vendent des boissons, des *banana chips made in Thailand*, d'horribles escargots, des œufs de canard couvés, et se font arroser en riant de plaisir à l'avant du bateau. Tu en manges, toi, Seila, des œufs couvés, avec l'embryon à l'intérieur ? Oui, ça lui arrive ! C'est très bon avec du sel et du poivre, même si parfois il ferme les yeux en le portant à sa bouche… Quand nous arrivons sur l'autre rive, les petites, à qui je n'ai rien acheté malgré leur insistance jamais découragée, me font de grands saluts de la main, toujours en riant aux éclats. Leur gaieté est contagieuse. Je me sens heureuse.

A la pagode qui abrite le CET, l'ambiance est nettement plus sérieuse. Un peu trop même. Je suis impressionnée par l'accueil officiel qui m'est réservé, j'apprendrai plus tard qu'il s'agit, en gros, d'une erreur… M'attendent, autour d'une table, le directeur de l'école primaire des huit villages alentour, deux animateurs, un bonze et je ne sais qui encore. Les regards sont passionnément tournés vers moi. Je me penche vers Seila : oui, je suis censée conduire la réunion ! Je conduis donc, me présente, remercie, félicite, pose des questions convenues traduites par mon interprète et qui entraînent des réponses encore plus convenues, le tout ponctué de moult sourires et opinements du bonnet. J'apprends que la bibliothèque compte 2 068 livres, pas un de moins, que la lecture sur place et le prêt sont gratuits, que des animations sont proposées aux enfants. Le bonze ne pipe pas. Je me souviens soudain que c'est la pagode qui a mis gracieusement ce lieu à disposition et qu'il y a un projet de construction d'une autre salle. Je me tourne vers lui : "Vous êtes content d'avoir donné cette salle au CET ?" Il l'est. Quelques minutes plus tard il se lève et sort. Je vois par la fenêtre sa replète silhouette appuyée sur une rambarde, le portable à l'oreille. On me tend le livre d'or. Suée. J'écris quelque chose du style : "Je souhaite de belles heures de lecture à tous dans ce lieu de sérénité." Je m'épate…

Je n'ai pas volé ma balade avec le directeur d'école dans les jardins de la pagode. Nous dépassons une dizaine de jeunes qui travaillent leur anglais à l'ombre d'un bouquet d'arbres sur une table directement taillée dans un tronc. Nous échangeons quelques mots en anglais, je les prends en photo avec leur gros dico *english*-khmer. Renouant avec la tradition, la pagode joue vraiment ici son rôle ancestral d'accueil et d'accès à l'étude. Dans son français plus que convenable, le directeur me demande une faveur : lui faire parvenir un livre de conjugaison française, il voudrait tant retrouver le niveau qu'il avait au début de sa carrière. En repartant, je vois par la porte ouverte de la bibliothèque quatre ados en train de choisir un livre.

Sur la route du retour, j'ai froid et chaud et chaud et froid. Je me régale quand même des bananes flambées achetées au bord de la route – la femme d'âge mûr qui les vend arbore un *krama* noué à la diable et un sourire à se damner. Les Cambodgiennes sont presque toujours belles, souvent de façon discrète, parfois avec un éblouissant éclat ; c'est le cas. Mes deux dernières photos du jour seront celles d'une moto rouge pétant sur fond de rizière et d'un jeune garçon dans l'eau jusqu'à la taille derrière son buffle. Le lendemain c'est la visite de Naga Clinic !

9

"SOUVENIRS DOUX ET AMERS"

> *Le Cambodge était un pays pourri et gai,*
> *extraordinairement nonchalant avec de*
> *brutales flambées de cruauté rageuse, où*
> *il était impossible de mourir de faim, sauf*
> *à le faire vraiment exprès, cas rare en Asie.*
>
> LOU DURAND,
> *Jarai.*

J'emprunte le titre* de ce chapitre au roi-père, car c'est un bon titre ! Comment en effet mieux qualifier ce qui reste dans les mémoires des années heureuses, entre l'indépendance en 1953 et le coup d'Etat de 1970, marquant l'entrée du Cambodge dans la guerre du Viêtnam et le début de la course vers le cataclysme que l'on sait ? Et puis, aussi, rendons à Sihanouk ce qui lui appartient, ces dix-sept années sont celles du Sangkum**, du "socialisme bouddhique", celles de son règne, "un règne sans partage", écrit François Ponchaud, dans son remarquable condensé sur l'histoire du Cambodge***.

* *Souvenirs doux et amers*, Norodom Sihanouk.
** Sihanouk crée en mars 1955 le Sangkum Reastr Niyum, littéralement "la Communauté pro-peuple", un rassemblement pour l'unité des Khmers et l'instauration d'une "démocratie socialiste".
*** *Brève histoire du Cambodge*, publié par son association Espace Cambodge.

C'est au Sud-Ouest du pays dans la région de Kampot, à mon premier séjour, dans le parc national du Bokor, puis au second, au bord de la mer à Kep, que j'ai le mieux compris ce qu'ont pu être ces années heureuses, oasis de paix, période faste – on peut sûrement le dire ainsi, en tout cas les Cambodgiens que j'ai croisés et qui s'en souviennent le disent ainsi. Je devais finir l'année 2006 à Kampot sous les auspices plus que favorables de l'association Accueil cambodgien créée par le prêtre Bernard Berger, un homme d'exception, lié corps et âme depuis 1973 au pays khmer*. Accueil cambodgien prend sous son aile, depuis plus de trente ans, les Cambodgiens de France. Et Bernard Berger a accompagné le retour au Cambodge de maints d'entre eux des années après leur expatriation. En ce mois de décembre 2006, Hélène et Raymonde, deux sœurs, redécouvrent leur pays qu'elles ont quitté, enfants, le 30 juin 1974.

Ce 31 décembre 2006, le groupe d'Accueil cambodgien s'est divisé en deux : il faut choisir, ce sont les joies de l'eau à Kep ou celles de la montagne à la station climatique du Bokor. Je choisis le Bokor. Raymonde aussi. Les quatre-quatre démarrent tôt le matin. Paisible spectacle vu par les vitres : une poule traverse la route, un jeune garçon répare son vélo, deux types dans un hamac fument une clope, une famille prend sa soupe matinale, un homme travaille à son jardin. La petite route devient piste : soulevé par les roues de nos véhicules, un nuage de poussière ocre d'où émergent un cochon poussif, le tumulus d'une

* Il le raconte dans un livre d'entretiens, *Bernard Berger, prêtre des sans-papiers*, Desclée de Brouwer. Voir le chapitre "Le cauchemar khmer rouge".

tombe chinoise, des joueurs de billard sous un abri – peu d'endroits au Cambodge sans billard –, un emplacement clôturé, marque d'une maison à venir. La végétation tropicale se densifie, nous cahotons, encadrés par des cathédrales vertes ; cette route fut tracée à partir de 1917 par les autorités françaises et le chantier coûta la vie à de nombreux ouvriers. La revue d'Accueil cambodgien a publié dans son numéro de décembre 2007 un texte magnifique écrit en 1931 et signé d'un inconnu (de moi en tout cas), Luc Durtain. Extrait : "Tantôt s'ouvrent des grottes fugitives, encadrées par des guirlandes de laines, tantôt se soulèvent des épaulements qui se tordent pour s'évanouir, ou jaillissent des fusées qui s'évaporent. Mais une heure et tout change : des pins, des chênes, des fougères : Fontainebleau. (…) mais ce n'est qu'une oasis avant la farouche nudité de la crête, au-dessus de laquelle voyagent les lourdes vapeurs, par blocs, par tourbillons et par fumées avec la hâte incessante des choses supérieures."

Nous ne sommes précisément plus très loin du sommet du Bokor, station d'altitude très fréquentée dans les années 1950 et 1960 par des Français et des Cambodgiens huppés, lorsque nous prenons un chemin qui nous mène à l'ancienne résidence de Sihanouk. Pas grand-chose à en dire si ce n'est que nous y croisons un Français, Stéphane, organisateur de la rave-party de la nuit du réveillon au Bokor ! Une rave-party, oui, dont c'est la septième édition. Le Français a ouvert un restaurant à Phnom Penh, *Nature and Sea*. Un jeune Cambodgien, Tita, l'accompagne. Joyeuse surprise : il reconnaît Bernard Berger qu'il a rencontré en France. Tita a été interprète sur le tournage de *L'Empire du tigre*. Le Français est enthousiaste : "Au Cambodge il est possible de vivre ses rêves, dit-il, c'est l'un des rares pays où on est encore très libre." Brume pour notre arrivée au sommet, 1 080 mètres. La vision des vestiges du *Bokor Palace*, hôtel colonial inauguré en 1925, est sidérante. Bâtiment fantôme traversé par le vent, où la rouille se fait passer pour de l'or, où les pierres rongées par le lichen jouent les toiles abstraites, où ne subsiste du luxe passé que les sols de marbre. Depuis l'immense terrasse, le *Lonely Planet* promet "une vue plongeante sur la jungle épaisse qui s'étend presque jusqu'à la mer". Nous n'en aurons que des échappées, des écharpes – trouées dans la brume, trouées tout de suite refermées, rendant sans doute le lieu encore plus onirique. Je rêve à la scène de film qu'on pourrait y tourner.

C'est sur cette terrasse, et pour une fois il fait presque frisquet et l'on comprend que le Bokor soit renommé pour sa fraîcheur, que nous pique-niquons. Non ! pas de pain-fromage-jambon-chips, pas du tout. Le pique-nique khmer, c'est tout pareil et aussi bon qu'un repas khmer sauf que les petits sacs en plastique, dont les Cambodgiens sont par ailleurs très entichés (ils y mettent tout y compris de la barbe à papa), remplacent les casseroles. Et naturellement, comme toujours, il y a beaucoup, beaucoup à manger. Je m'installe sur un muret à côté de Raymonde et de son mari français, Joël. Trente et un ans après son départ avec sa mère et ses six frères et sœurs, Raymonde n'a pas voulu revoir sa maison à Phnom Penh. L'arrivée à l'aéroport et la messe de minuit ont déjà été, ajoute-t-elle, deux très grosses émotions. Surtout avec la présence de Joël et celle de Sophie et Benoît, leurs deux ados. Ils ont le coup de foudre pour le Cambodge, ces deux-là ! dit-elle en riant. Sophie, qui s'est vu attribuer un visa permanent sans rien avoir demandé, y voit un signe. Raymonde a l'impression paradoxale de tout reconnaître et d'être sans cesse surprise. Entendre parler anglais si souvent est perturbant par exemple. Mais les odeurs, les goûts sont intacts : elle se souvient de petits gâteaux qui fondaient dans la bouche. Elle se souvient aussi de son arrivée à Roissy le 1er juillet 1974 : il faisait si froid. "Ensuite on a été dans un foyer du 13e arrondissement. On avait réussi à partir de Phnom Penh parce qu'on avait la nationalité française acquise par mon grand-père hindou, le consul a pu négocier nos visas." Pourquoi n'est-elle pas revenue avant ? Elle n'était pas prête, mais aujourd'hui elle est contente de l'avoir fait. "Tiens, il va peut-être pleuvoir. Mon Dieu, comme on s'amusait, enfants, sous la pluie de la mousson." Elle sourit dans son ensemble rose fuchsia, sur la terrasse du *Bokor Palace*.

Les quarante kilomètres pour revenir à Kampot nous prendront presque six heures, bloqués que nous sommes dans un embouteillage monstre. Des dizaines et des dizaines de motos, voitures, pick-up montent au Bokor pour la rave-party du 31 : jeunes gens hilares, bidons et glacières, matelas et paniers de fruits, entassement ahurissant, chahut et bonne humeur. C'est encore plus surréaliste que le palace et bien loin de ce à quoi ressemble d'habitude – je n'en doute pas – ce site : un lieu sauvage et grandiose, longtemps inaccessible, qui pourrait devenir un paradis pour les trekkers et les amoureux d'une "nature primordiale*". Pour

* L'aménagement du parc du Bokor a démarré début 2008. Un milliard de dollars, quinze ans de travaux. La route est pour l'instant fermée, cf. *Le Courrier du Cambodge* de février 2008 édité par l'ambassade du Cambodge en France.

l'instant, il n'est pas question de s'y aventurer sans les rangers qui y résident : les Khmers rouges mirent la main dessus en 1972 et le déminage du terrain n'est pas fini.

Nous serons en retard pour le réveillon le soir même. Banquet et spectacle de musique et de danse en plein air donné par la maison des jeunes de Kampot créée par Bernard Berger, qui reçoit les adolescents quand il n'y a pas école pour leur permettre de rencontrer des copains, bénéficier d'un soutien scolaire, faire de la musique, de la danse ou de l'informatique. La nuit sera longue et joyeuse. Le hip-hop succédera aux danses traditionnelles et nous danserons tous le madison. Allez savoir pourquoi cette danse fait un tabac au Cambodge ! Je continuerai personnellement à le danser jusqu'au lendemain matin au son du générateur de mon hôtel. Dans un de mes rares moments de sommeil, je ferai un cauchemar où il sera tout bonnement implanté dans mes tympans... (Dorénavant je serai parfaitement obsessionnelle sur la présence et la place de cette machine dans les hôtels – utile au demeurant puisqu'elle relaie les coupures de courant assez nombreuses.) Le lendemain matin je serai si désolée d'apprendre qu'il y a eu, sur la route du Bokor, deux morts par arme au cours d'une altercation.

C'est seulement à mon second voyage que je verrai la petite station balnéaire de Kep, à vingt et un kilomètres de Kampot sur la route des marais salants. Sa mélancolie, son charme nostalgique, une impression de temps suspendu, j'ai lu tout ça. A peine descendue du car, je le ressens. Mon nouveau jeune *driver* s'appelle Roath. Il veut devenir chanteur. Il a un look d'enfer et il m'affirme qu'il a exactement la même voix qu'une vedette du moment. Je le perturbe un peu en lui répondant qu'il doit trouver la sienne, de voix. Il parle un très bon anglais, bien meilleur que le mien. Il me convainc d'une première petite balade avant que le soleil ne se couche, me montre la plage déserte, la statue de la Sirène, très années 1960, sur la jetée, le palais de Sihanouk qui préférait recevoir sur une île au large, surnommée l'île aux Ambassadeurs, la route qui longe la mer. De la station Kep-sur-Mer créée en 1908 pour l'élite de la colonie française et qui fut prisée par la haute société cambodgienne dans les années du Sangkum, il ne reste pas grand-chose. Les Khmers rouges, et à leur suite les "libérateurs" vietnamiens, ont opéré une razzia sur les matériaux de construction et littéralement désossé les villas coloniales – les habitants aussi se sont servis pour survivre à la famine de 1979-1980. Sans compter les bombardements.

La nuit est tombée à la façon si théâtrale des tropiques : d'un coup. Le vent de mer souffle fort. Il ne fait pas chaud. Rentrons. Mon hôtel, *La Véranda*, n'est pas en bord de mer mais sur la colline. On y a la plus belle vue du monde sur la rade de Kep avec au loin la grande île vietnamienne de Phu Quoc. Après avoir dormi dans un silence absolu sous mon élégante moustiquaire dans ma paillote nichée sous les bananiers, je me délecte du spectacle à la lumière du matin en même temps que d'une "ficelle" servie chaude avec de la confiture divinement confite. Quinze dollars la nuit que je négocierai à douze car j'y reste quelques jours. Je veux louer un vélo. Roath me dit qu'il s'en charge. J'apprends qu'il a créé avec des copains une petite agence : en réalité une minuscule baraque et des cartes de visite. Il s'affaire depuis son portable. *A priori* ce n'est pas simple. Nous descendons attendre au marché aux

crabes, devant la baraque de son agence. La bécane qu'il m'a dégottée a certainement fait la
guerre. Il l'admet volontiers et du coup me con-
sent un rabais. Je pars en grinçant des roues et en
pestant un peu. Je m'accorde très vite une halte
sur un bout de plage désert, attirée par deux ou
trois lits de plage sur pilotis, et j'achète un Coca
chaud à deux mille riels à une jeune femme. Il va
pleuvoir. Elle me propose de m'abriter sur le lit
sous l'abri où elle mangeait. Un enfant est avec
elle qui tousse violemment. Il va vraiment pleuvoir, je reprends le vélo et rebrousse chemin, plus
loin des gamins s'accrochent et se balancent à un
arbre immense, je leur offre des prunes achetées
tout à l'heure, à moins que ce ne soit de grosses
groseilles à maquereau. L'un d'eux me demande
un dollar, faisant mine de me barrer la route, un
autre n'est pas d'accord et le tape !

Finalement il ne pleut pas. Je décide de rendre
le vélo préhistorique et d'aller manger les très ré-
putés crabes de Kep dans une des cahutes de
bord de mer. Elles sont très modestes, de bric et
de broc, très sombres avant de s'ouvrir sur la minuscule terrasse ventée qui donne directement
sur la mer. C'est là que je m'installe. D'où je suis,
je peux voir les pêcheuses qui vendent le produit
de leur pêche. Les tractations sont animées. Ces
femmes sont de sacrées actrices. Dieu, quelle superbe pour brandir les crustacés décapodes ! Ces
crabes ressemblent à nos étrilles mais ils sont
bleus. Des crabes bleus : c'est pour la fillette pêcheuse que je fus une preuve de plus de la magie
du lieu. Des crabes, il y en a dans tous les récits
que j'ai recueillis au Cambodge, ceux que j'ai lus
aussi, des crabes qu'on pêche quand on est enfant, des crabes qui deviennent, sous les Khmers
rouges, une des façons de ne pas mourir de faim.

Je ne parviens pas à me souvenir dans quel livre de témoignage j'ai lu l'histoire d'un enfant courant sur des kilomètres pour apporter à son frère malade des crabes qu'il a mis dans sa poche. A l'arrivée, ils ne sont plus là, la poche était trouée, et je crois que le petit frère non plus n'est plus là.

Ce jour-là, tandis que je me régale du spectacle des pêcheuses, c'est d'Hélène que je me souviens. L'année dernière, le 1er janvier, le lendemain de mon excursion au Bokor avec sa sœur Raymonde, je lui avais demandé ce qu'elle avait ressenti en retrouvant plus de trente ans après le Kep de son enfance. Les crabes de Kep furent sa petite madeleine : "On était en vacances. Les crabes, ils étaient cuits devant toi, pour toi et on les mangeait en regardant la mer." Elle a retrouvé aussi les intonations de la langue khmère "comme un voile qui se déchire". "Maintenant, m'avait-elle dit, je comprends la voix doucereuse de ma mère. En France, quand je l'entends parler ainsi, j'ai envie de la secouer. Mais c'est la voix du peuple qui est comme ça ! Une langue de douceur, sans agressivité." Elle a retrouvé la mer de Kep. "En se baignant, on a l'impression de rejoindre le ventre où l'on est né, le ventre du pays qui vous a donné naissance. C'est comme une renaissance, une réconciliation avec mon enfance, comme si je pouvais, malgré les soldats qui défilèrent dans Phnom Penh, recouvrer ma sérénité. Notre mère est morte l'an dernier. A la messe de minuit, à Phnom Penh, c'était comme si elle était avec nous. On a jeté une mèche de ses cheveux dans le fleuve ; elle est revenue chez elle."

Cette démarche avait aussi été celle de Thérèse Littaye-Tabaglio et de son fils Jean-Marc pour les cendres de son mari qu'ils avaient apportées de France. Nous venions d'arriver à Phnom Penh, c'était l'un de mes premiers repas khmers et c'était le premier retour au Cambodge de la mère et du fils qui l'avaient quitté en 1975. Il y avait un petit paquet sur la table, bien emballé. Jean-Marc l'avait posé par terre. Au cours du repas il m'avait dit : "Ce sont les cendres de mon père. Il était français mais il a épousé une Cambodgienne, ma mère, il adorait le Cambodge, il nous avait demandé que ses cendres soient dispersées ici." Il avait ajouté : "Il aurait adoré être ici avec nous, il aurait été comme un poisson dans l'eau…" Quelques jours plus tard, dans le car, je m'étais installée à côté de Thérèse, une femme de soixante-dix ans environ, de l'allure, de l'aisance. Nous traversions la jolie ville de Kampot pour retourner à la capitale. Thérèse avait les yeux rivés dehors et elle égrenait, on aurait dit une psalmodie, les noms de ses souvenirs. J'avais voulu lui poser des questions, elle ne m'entendait pas, ne s'adressait qu'à elle-même. "Là c'était le marché aux tortues, le curry de tortues c'est extra et les œufs sont très prisés ; on achetait de petites prunes qui faisaient la langue violette, et on se faisait engueuler par les parents. Les tiges de nénuphar c'est si bon, j'en cherche le goût depuis trente ans, on avait une bonne, j'ai appris à faire la cuisine par réminiscence, la cuisine cambodgienne est compliquée, on y met beaucoup de coco, hier à Kep on a mangé du coco frais, cela m'a beaucoup remuée, on boit d'abord le lait, avec une cuillère découpée dans l'écorce on déguste la pulpe transparente, sucrée. J'ai retrouvé *Le Bungalow*, l'hôtel français, et la plage où on allait avec mon mari et mes enfants ; il ne reste rien de la maison de mon frère où nous passions les vacances, rien sauf les arbres qu'il avait plantés, des cocotiers et des manguiers ; il n'avait pas mis de clôture, sa clôture c'étaient des fleurs, des hibiscus, aujourd'hui il y a une grille en fer forgé ; on a retrouvé la maison de mon autre frère, il n'y a plus rien qu'une façade aux trous béants."

Le père de Thérèse, un Khmer *krom* (les Khmers du Sud dits Khmers d'en bas), né en Cochinchine (le Viêtnam du Sud qui fit partie du Cambodge), était mort dans les années 1940, Thérèse avait douze ans. Elle se souvient des soirs où les jeunes se réunissaient et chantaient dans la nuit, sous la maison. Une fois elle était descendue de sa chambre en catimini : il y avait un rideau entre les filles et les garçons qui se voyaient par transparence. Dans les villes de la province où son père était gouverneur, d'abord à Tonle Bati puis à Kratie et ailleurs, il y avait toujours une jarre d'eau pour que le passant puisse boire, et un petit abri rond avec un toit en chaume pour se reposer. "Ma mère, je m'en souviens, faisait le dispensaire, elle apportait de la teinture d'iode pour les bobos, de la quinine Dagenan, elle était accueillie à bras ouverts. Nous habitions Phnom Penh quand j'ai rencontré mon futur mari, un fonctionnaire français arrivé en 1947 ; il s'occupait des vieux Français et des orphelins métis. Dans Phnom Penh on ne parlait que de lui. Plus tard, à un bal de jeunes filles, j'ai trouvé qu'il avait une tête à claques. Ma copine l'avait répété à ses parents qui se sont empressés de le rapporter à l'intéressé... Un jour il m'a dit : «Alors c'est vous qui trouvez que j'ai une tête à claques ?» Il est parti et revenu, j'ai été séduite par sa constance..." C'est ainsi qu'elle parle, Thérèse, avec une élégance un peu surannée et beaucoup de naturel pourtant. Et on l'imagine épouse du trésorier-payeur de Phnom Penh, donnant des réceptions où elle réunissait parfois aussi bien les lon-nolistes que les sihanoukistes en les priant gentiment de laisser leurs polémiques sur le seuil… "C'étaient tous des camarades de lycée qui occupaient des postes-clés. Il n'y a jamais eu d'incident et ils ne m'ont jamais fait défaut quand j'ai frappé à leur porte ; c'était une amitié solide qui dure toujours avec ceux qui ont échappé au massacre."

Comme je la questionne encore, Thérèse se souvient d'avoir été en classe en troisième ou en seconde au lycée Sisowath de Phnom Penh avec Khieu Samphan et Ieng Sary, aujourd'hui sur les bancs du Tribunal spécial Khmers rouges… Mais ce dont elle est fière, c'est de sa participation à la fondation d'un mouvement d'aide aux premiers réfugiés qui affluaient dans la capitale pour fuir la guerre civile*. "Je m'adapte partout, chez les riches et chez les pauvres", me dit-elle. Des facultés d'adaptation, il lui en fallut. Elle était dans la capitale en avril 1975. Elle habitait la maison à côté de celle de François Bizot, membre de l'Ecole française d'Extrême-Orient et futur auteur du *Portail*, elle est montée sur un frangipanier pour l'appeler et lui demander ce qu'il fallait faire : il lui a dit de filer à l'ambassade de France… Elle a été du premier convoi des six cents réfugiés de l'ambassade qui furent rapatriés. Ses deux frères, Aimé et Paul Littaye-Suon, généraux de Lon Nol**, ont refusé d'aller chercher asile à l'ambassade de France malgré l'insistance de son mari qui les appréciait beaucoup. Ils se sont rendus à l'invitation lancée par la radio à rejoindre les forces khmères

* Avec Gaetana Enders et Mme Fourest.
** Aimé Littaye-Suon fut chef du cabinet du maréchal Lon Nol et gouverneur de la province de Kompong Cham, son frère Paul fut recteur de l'université des sciences et lettres de Phnom Penh, et directeur du secrétariat général de la présidence du Conseil des ministres.

rouges. Ils ne voulaient pas fuir, "surtout pas nous qui sommes métis", disaient-ils. Et sans doute, également, croyaient-ils à la réconciliation. Ils ont été fusillés avec cinquante-cinq autres personnalités qui avaient cru comme eux à la main tendue.

Quand notre car est entré dans Phnom Penh, c'est Jean-Marc qui a repris la litanie des lieux : "Je me souviens du lycée Descartes, je me souviens du cinéma Lux, je me souviens de la Banque nationale – je me souviens que les billets s'envolaient par les fenêtres*, ils n'avaient plus de valeur, j'en ai tapissé mon studio en France…"

Thérèse m'avait dit aussi ce jour-là, je crois juste après que des femmes avaient essayé à un arrêt du car de nous vendre des bracelets : "Cela me fait mal au cœur, les gens pauvres le sont toujours autant." Quand je viendrai à Kep l'année suivante, je rencontrerai un soir dans le petit paradis de *La Véranda* un type qui vient de se fouler ou casser le pied – il attend le verdict du médecin – en tombant du hamac devant sa paillote ! Un Cambodgien de retour pour voir sa maison à Kampot, encore une fois trente ans après. Il me dit lui aussi combien il est triste de voir des enfants "sur une route pourrie au lieu d'être à l'école". Il trouve que dans cette région rien n'a progressé. Il était déjà revenu à Angkor mais n'arrivait pas à sauter le pas pour Kampot, la ville de son enfance. Il l'a sauté et cela fait peine de le voir.

Le lendemain, il fait si beau, je m'embarquerai pour l'île aux Lapins, Koh Tonsay. Traversée agitée sur une pirogue qui joue les coquilles de noix. Grand plaisir et petites frayeurs. Dans l'île : vaches, cochons, poules, lit de repos, et cette mer douce,

---

* Les Khmers rouges ont supprimé la monnaie.

lourde, épaisse. La mer de Kep. Le même charme
décalé qu'en 1969, avant la tempête, sous la
plume de Lou Durand dans *Jarai*. "Dans le rec-
tangle du pare-brise apparurent les palmiers in-
clinés par le vent et la plage de Kep, les senteurs
marines s'engouffrèrent par les vitres baissées et
un âpre et presque douloureux bonheur s'em-
para de Roger. Il aimait Kep, l'aimait surtout tel
qu'il le voyait maintenant, c'est-à-dire désert, balayé par le vent tiède de la mousson du sud-
ouest."

10

JE N'AI RIEN VU A PREY NOP

O plaines de mon pays
Si glorieuses d'enfants
Morts de faim
O soleil de sel
O mon pays, ma seule destinée

MARGUERITE DURAS

"Je me souviens : cette odeur de feu dans toute la plaine. Partout cette odeur. Sous le ciel la piste, blanche, droite, de la poussière. Sur les flancs de la montagne, les carrés verts des poivrières chinoises. Au-dessus le brouillard des feux. La jungle. Et puis ce ciel." *(L'Eden Cinéma.)* Un soir à Paris par hasard, alors que je commençais à apprivoiser l'idée d'un livre sur le Cambodge, j'entendis l'étrange et belle voix de Michael Lonsdale, si intimement liée à la petite musique de Marguerite Duras. C'était sur France-Culture, une émission consacrée à l'auteur de *L'Amant*. Dionys Mascolo et Jean Mascolo, le fils qu'il a eu avec Duras, s'étaient rendus dans la région de Kampot, avec l'écrivain Dominique Noguez, là où se déroule le récit d'*Un barrage contre le Pacifique* et de son double théâtral, *L'Eden Cinéma*. Je réalisais seulement alors que le plus beau livre de Marguerite Duras se passe au Cambodge, entre Kampot et Ream, transformés dans le roman en Kam et Ram (les vrais noms sont gardés dans la pièce). C'est là à Prey Nop, en 1928, que l'administration française accorde une concession à la mère de Marguerite, Marie Donnadieu, directrice de l'école des filles de Sadec, en Cochinchine, le Sud du Viêtnam. "Mon père est mort j'avais quatre ans. Nous étions ce qu'il y avait de plus bas dans le fonctionnariat colonialiste. C'était une très mauvaise concession. Mes souvenirs sont liés à cette injustice effroyable qui avait été faite à ma mère… Cette concession elle l'avait achetée avec vingt ans d'économies." Une concession incultivable parce qu'envahie régulièrement par la mer de Chine que la mère, est-il précisé dans *Barrage*, "s'obstinait à nommer Pacifique, «mer de Chine» ayant à ses yeux quelque chose de provincial, et parce que, jeune, c'était à l'océan Pacifique qu'elle avait rapporté ses rêves…".

Mais la mère ne renonce pas. Laure Adler dans sa biographie *(Marguerite Duras)* écrit : "Elle disparaît chaque fin de semaine avec ses enfants pour inspecter la concession. Mille six cents kilomètres aller-retour en deux jours. Car la mère a trouvé la solution miracle : les barrages. Donc elle part les surveiller."

"On fit venir plusieurs centaines d'ouvriers et les barrages furent construits en saison sèche sous la surveillance de ma mère et de mon frère", explique Marguerite Duras dans un texte inédit. Ils furent des dizaines à hériter de terres insalubres et à se battre avec l'énergie du désespoir, précise Laure Adler, pour construire, avec l'aide des paysans, des murs de boue et de rondins contre le Pacifique. Dans *Barrage*, Duras raconte : "Puis en juillet la mer était montée comme d'habitude à l'assaut de la plaine. Les barrages n'étaient pas assez puissants. Ils avaient été rongés par les crabes nains des rizières. En une nuit ils s'effondrèrent." Il y a dans le livre une scène géniale d'autodérision où la mère et les enfants hurlent de rire en racontant la montée de la mer, de la merde et des crabes, à M. Jo, le riche amoureux transi de Suzanne (*alias* Marguerite), qui les écoute en totale sidération.

Duras publie *Barrage* en 1950, soit dix-sept ans après être rentrée en France. Mais les souvenirs sont d'une précision absolue. "A soixante-dix ans, dit Jean Mascolo, elle parlait encore du Viêtnam, du Cambodge : son imaginaire, c'était toujours là." C'est en Cochinchine, à Saigon, à Sadec, et à Prey Nop, dans le golfe de Siam en pays khmer, qu'est née l'écrivain. Sa prise de position politique, elle la faisait naître là aussi. Car à la violence faite à sa mère – et comme sont forts les passages sur "l'espérance infatigable, incurable" de cette femme – s'ajoute celle que subissent les indigènes. Les pages sur les enfants sont d'un bouleversant lyrisme et porteuses d'une dénonciation féroce de la colonisation : "Il en meurt trop disaient les Blancs oui. Mais il en mourra toujours. Il y en a trop. Trop de bouches ouvertes sur leur faim, criantes, réclamantes, avides de tout." Laure Adler écrit : "*Barrage contre le Pacifique* demeure un grand livre, son plus grand livre d'amour et de désespoir, un maître livre sur le dégoût (…). C'était l'époque où elle disait qu'elle n'avait pas fait grand-chose de bien. Le *Barrage* c'est sacré, me disait-elle."

La langue, le style de l'écrivain sont façonnés par ces années d'enfance et d'adolescence asiatiques, ainsi sa façon inimitable d'écrire l'excessive chaleur, cet *envahissement de l'être* ; ou l'intensité des lumières, "le ciel pour moi était une traînée de pure brillance qui traverse le bleu" ; ou encore "la mer (…) l'odeur des îles qui arrive, celle de la saumure de poisson, âcre, mêlée à celle des marécages". C'est à Prey Nop qu'elle aura ses plus vives sensations. "Les rassemblements des fauves, les poissons vivant dans des vasques au-dessus des arbres, la jungle tropicale bruissante et effrayante : tout est vrai. Marguerite n'a rien inventé. La concession était située dans un pays d'une majestueuse beauté (…). L'empreinte sur le corps et dans l'imaginaire deviendra définitive" (Laure Adler). Plus encore – et je crois que c'est Dominique Noguez qui le disait dans l'émission –, il y aurait même des traces de la langue vietnamienne (et peut-être aussi de la langue khmère) dans la substance même de son écriture, comme si parfois elle était un peu embarrassée par sa propre langue. "Et, ajoute-t-il, c'est le propre des grands écrivains, elle est dans sa langue comme une étrangère." Quelqu'un d'autre dans l'émission, je ne sais pas qui, conclura : "Ce grand écrivain français est aussi un écrivain cambodgien." Pourquoi pas ! Kor Borin, responsable des activités du Centre culturel à Phnom Penh, me dira être très à l'aise avec l'écriture de Duras, contrairement à la difficulté ressentie avec d'autres écrivains français. Il me racontera aussi que Jean Mascolo était venu à l'Alliance française faire une lecture de *Barrage* et que c'est lui, Borin, qui avait assuré la traduction en khmer*…

Quand je suis passée dans la province de Kampot, à mon second séjour, j'ai naturellement voulu voir Prey Nop. Je suis partie, mon *Barrage* à la main, avec un chauffeur qui situait ce lieu entre Kep et Sihanoukville – il se faisait appeler Mondayman

---

* Alain Daniel me racontera qu'il avait effectué cette lecture en khmer avec une étonnante maîtrise et un respect stupéfiant du rythme de la phrase durassienne.

et il était très content de son anglais appris pendant trois ans à raison de quinze dollars par mois, anglais que je comprenais très mal. C'était un grand moment : j'allais rencontrer le fantôme de mon écrivain fétiche, nouer une conversation posthume à l'ombre d'un manguier ou mieux encore sous le pont, au bord du rac, de la rivière, avec dans le ciel un vol de "sarcelles et de corbeaux affamés", là où la jeune Suzanne recevait l'infortuné M. Jo, propriétaire d'une limousine et fou de désir, qui "transpirait beaucoup mais peut-être n'était-ce pas tant à cause de la chaleur qu'à force de regarder la nuque de Suzanne qui lentement naissait sous ses cheveux".

Eh bien non ! Je n'ai rien vu à Prey Nop. Au lieu dit, une bourgade avec des maisons et des commerces de chaque côté de l'unique route, je n'ai rencontré personne à qui le nom de Duras évoque quelque chose. Attablée avec Mondayman, légèrement excédé, dans une sommaire gargote, je ne lâchais pas l'affaire, brandissant mon livre comme si c'était le *Râmâyana* lui-même. Les Cambodgiens s'en foutaient, à commencer par mon chauffeur. Bref, j'ai commandé un café *sweet milk*, j'ai imaginé Duras, moqueuse comme elle était, pouffant à me voir, et, tout en touillant avec obstination mon divin breuvage, j'ai renoncé. Sur la route mon chauffeur a fait la gueule – contrarié de ne pas m'avoir donné satisfaction ? juste agacé que je lui fasse répéter chacune de ses phrases ? Au bout d'un moment il a jeté l'éponge, mis un CD et chanté à tue-tête… en anglais. On a dû freiner parce qu'un buffle pissait au milieu de la route. Plus loin, je lui ai demandé de s'arrêter pour photographier les roses, les pourpres, les violines du ciel derrière la montagne. Un jeune garçon rentrait son buffle. "Le soir tombait vraiment

140

très vite dans ce pays. Dès que le soleil disparaissait derrière la montagne, les paysans allumaient des feux de bois vert pour se protéger des fauves et les enfants rentraient dans les cases en piaillant." *(Un barrage contre le Pacifique.)* En prenant les photos, j'ai mis le pied jusqu'à la cheville dans ce que j'ai supposé être une bouse de vache...

Quelque temps plus tard, de retour à Phnom Penh, je me suis rendue à Bophana, le centre de ressources audiovisuelles créé en décembre 2006 par le réalisateur cambodgien Rithy Panh. Je n'avais pas de rendez-vous avec lui : il était, m'avait-on dit, très occupé par le tournage... du *Barrage contre le Pacifique*. Bonne nouvelle pour lui et pour nous. Je ne connais pas la version de René Clément tournée en 1957 (avec les droits d'adaptation Marguerite s'était acheté sa maison de Neauphle), mais j'ai grande confiance dans ce que peut faire Rithy Panh de cette histoire pleine de fureur, d'amour et de larmes. Je l'avais vu en octobre 2006 lors d'une journée qui lui était consacrée au cinéma des Cinéastes, place de Clichy à Paris, où étaient projetés quelques-uns de ses films, *S21, la machine de mort khmère rouge* (sur le centre de tortures de Tuol Sleng, 2002, prix Albert Londres audiovisuel), *La Terre des âmes errantes* (la pose d'un câble de fibres optiques fait surgir les fantômes des victimes sans sépulture, 1999), *Les Artistes du Théâtre brûlé* (disparition d'un théâtre mythique à Phnom Penh, 2004). Le réalisateur khmer, qui a quitté le Cambodge en 1979 après que sa famille a été brisée, n'est pas un auteur de documentaires ordinaire*. Sa manière de procéder d'abord, patiente, exigeante, à la façon d'un

---

* Il a reçu en 2007 le prix France-Culture cinéma pour l'ensemble de son œuvre.

anthropologue : ainsi, dans *S21*, la reconstitution des gestes des bourreaux, travail obsessionnellement mené au cours de trois années de travail, tant il est persuadé qu'il y a plusieurs sortes de mémoire, que celle du corps n'est pas la moindre et qu'il est essentiel de la reconstituer, de la restituer. Ensuite son attachement à un personnage, une vie, une histoire, comme celle de Bophana, une jeune prisonnière du même centre d'extermination, un film et le centre audiovisuel qu'il a créé portent son nom. Car, disait-il à cette journée place de Clichy, là où il y a déshumanisation, le travail c'est de rendre l'humanité, et la force du cinéma c'est précisément de le faire en donnant une image. Dans les films de Rithy Panh, on n'est donc pas dans la fiction mais on flirte avec : la mise en scène d'une vie, *de facto*, théâtralise, fictionnalise peu ou prou le destin d'une personne – un processus similaire dans certaines biographies où les auteurs s'autorisent à combler les blancs. Au cours de cette intervention il avait dit : "La fiction n'est pas adaptée pour moi pour le moment." Et moi je m'étais dit : Mais cela ne saurait tarder ! Un peu plus tard d'ailleurs le réalisateur avait ajouté : "Si j'arrive à créer comme n'importe quel artiste, alors je pourrai dire que les Khmers rouges ont raté leur entreprise…" Et il avait rattaché cet espoir qu'on sentait très fort au fait qu'il était en train de former au centre une équipe de documentalistes, disant : "S'il y a vingt cinéastes qui me remplacent, alors je peux peut-être faire autre chose…" Et voilà qu'il s'attaquait au monstre sacré Duras !

Donc j'étais au centre Bophana à Phnom Penh, dans ce bâtiment des années 1960 rénové (à deux pas du Centre culturel), surnommé la Maison Blanche par les gens du quartier et mis à disposition par le ministère de la Culture. Un centre qui épouse les obsessions de Rithy Panh puisqu'il s'agit de redonner aux Cambodgiens leur mémoire en leur permettant d'accéder à leur patrimoine audiovisuel, photographique et vidéo*. Il était grand temps : après des décennies de guerre et de folie meurtrière, les quelques archives encore épargnées étaient menacées par la chaleur et la poussière. Les numériser et aussi réunir les documents dispersés au Cambodge et à l'étranger (dans les ONG par exemple) est la première tâche que s'est donnée le centre. La formation de documentalistes en est une seconde déjà effective. Celle aux métiers de l'audiovisuel démarre. Enfin Bophana monte une régie de production pour ses propres réalisations et pour accueillir des tournages étrangers, source de financement. Premières réalisations : un documentaire de vingt-six minutes sur la cuisine khmère, un CD sur la musique de rue, la participation à un festival de documentaires avec Arte (les loutres protégées mangent les poissons, le Tonle Sap menacé d'assèchement par les barrages chinois…). Projets : filmer une troupe de théâtre d'enfants s'emparant des contes khmers, un site Internet également pour les enfants, une soirée karaoké à partir de vieilles chansons khmères oubliées. Notamment. Bophana, c'est une ruche ! Chantier actuel : le procès des Khmers rouges dont les images seront diffusées pour la population, dans les pagodes, les écoles.

Installée devant l'un des postes de consultation ouvert à tout public, je découvrais Hanuman, la base de données trilingue (khmer, anglais, français), du nom du puissant dieu-singe, montée

---

* Bophana fait appel à tous ceux qui détiennent ou ont connaissance de tels documents (arpaa@bophana.org).

avec l'aide de l'INA, l'Institut national audiovisuel français, et de la fondation Thomson. Nous étions quatre ou cinq dans la salle, pieds nus, confortablement assis sous les ventilos qui ronronnaient. J'avais tapé "danses" et je voyais sur l'écran des danseuses khmères filmées en 1899 par les frères Lumière ! J'avais ensuite tapé "de Gaulle" et j'assistais au discours du général dans le stade olympique de Phnom Penh en 1966. C'était assez excitant. A un moment, je cherchais des images de la propagande khmère rouge, je me suis un peu embrouillée et j'ai fait signe au jeune documentaliste qui m'avait accueillie. Je lui ai parlé de *Barrage*. Il ignorait le projet. Je lui ai dit mon regret de ne pas rencontrer Rithy Panh. Il a eu l'air surpris : Mais il est là dans son bureau ! C'est comme ça que je me suis retrouvée discutant avec le réalisateur. Je lui ai raconté ma déception à Prey Nop. Il m'a donné le lieu exact au kilomètre 184 en allant vers Kampot (Duras le précise, je l'ai vu plus tard en relisant *L'Eden Cinéma*) et m'a dit de ne rien regretter : il n'y avait pas grand-chose à voir. A mes questions très durassiennes, il a juste répondu qu'il faisait des repérages dans les environs de Sihanoukville. Isabelle Huppert serait la mère. C'était mieux que rien… J'ai jeté un œil à la jolie salle de projection baptisée *L'Eden Cinéma*, j'ai fait le tour de l'exposition de Vann Nath, un des derniers survivants de S21 qui a témoigné par ses peintures de sa détention à Tuol Sleng. J'avais la possibilité de le rencontrer. J'hésitais.

11

LE CAUCHEMAR KHMER ROUGE

> *A partir du "glorieux 17 avril" une ère
> nouvelle a commencé au Cambodge : plus
> de quatre millions de Khmers vivant jusque-
> là en zone gouvernementale ont pris le
> chemin de la forêt ancestrale, berceau du
> peuple khmer.*
>
> FRANÇOIS PONCHAUD,
> *Cambodge, année zéro.*

> *Les impérialistes, les capitalistes, les féodaux
> avaient totalement détruit notre âme na-
> tionale depuis des centaines d'années.
> Maintenant notre âme est ressuscitée grâce
> à notre Angkar révolutionnaire.*
>
> Radio Phnom Penh, 17 avril 1976.

Notes janvier 2006. "Il y a des oiseaux doucement bavards dans les branches des frangipaniers. Les étoiles blanches des fleurs jonchent le sol. Je suis assise sur un banc dans ce qui fut la cour de ré-création du lycée Tuol Svay Prey, la colline du manguier sauvage, du nom du district où il était situé, à Phnom Penh. Je suis dans la cour de ce qui devint Tuol Sleng, la colline de l'arbre *sleng* qui porte des fruits empoisonnés, le centre de tortures et de destruction qui, entre 1975 et 1979, fit 14 000 victimes ; seuls 7 ressortirent vivants. Tuol Sleng est devenu musée du Génocide en 1980.

Notes décembre 2007. "Salles de torture, barres de fer, par les fenêtres grillagées on voit des bananiers, lit avec un sommier de fer, au mur la photo d'un homme couché sur ce lit de torture. Des salles avec des dizaines de portraits pris à l'arrivée des prisonniers : jeunes, vieux, quelques femmes, une avec un bébé, regards confiants, regards terrorisés, beaux visages khmers, fiers, résignés. Photos de tortures : corps écartelés, regards absents, ailleurs, déjà dans la mort, des peintures, l'une montre une femme à qui on arrache un téton, photo de charnier, vitrine de crânes." Je suis à Paris et je relis une fois encore ce début, cet *incipit* : "Il y a des oiseaux doucement bavards dans les branches des frangipaniers. Les étoiles blanches des fleurs jonchent le sol." Et je ne parviens pas à écrire d'autres mots. Comme à mon retour d'une visite d'Auschwitz où j'avais consacré une chronique à ce voyage en commençant ainsi : "Mardi 27 mai 2003. Il y a du soleil, de l'herbe tendre, une lumière tremblée sur les arbres. Nous sommes à Auschwitz-Birkenau." Ce que j'avais ressenti plus fort que tout, là-bas, plus fort que la chambre à gaz, plus fort que les cheveux et les vêtements et les chaussures dans les vitrines, c'était ça : ce soleil qui tendrement chauffait nos épaules, nos dos, nos corps vivants et fragiles. Cette douceur de la lumière, cette tiédeur soudain de la peau m'avaient fait, l'espace d'un très court instant, comprendre un peu – autrement que dans l'énonciation "six millions de morts" –, comprendre avec mon corps, un tout petit peu, de quoi il s'agissait.

Pour la énième fois, j'ouvre *S21 ou le Crime impuni des Khmers rouges*, mon exemplaire hérissé de Post-it du livre de David Chandler. Pour cette étude, David Chandler a pris le risque de plonger pendant des années dans l'enfer de Tuol Sleng : il a lu plus d'un millier de "confessions" de détenus, de comptes rendus d'interrogatoires, de carnets de bourreaux, de notes de la hiérarchie y compris celles de Douch, de son vrai nom Kang Kech Ieu, qui dirigeait S21 sous la férule de Son Sen, le vice-Premier ministre, responsable de la Défense et de la Sécurité nationales du Kampuchea démocratique. Le risque, oui : "Je devais trouver les mots justes alors que l'abjection de S21 submergeait sans arrêt les mots (…). Immergé dans les archives de S21, la terreur qui s'y tapissait m'a déstabilisé : elle a émoussé mes compétences et a érodé ma confiance en moi. J'avais parfois l'impression de me noyer." A mon tour, à mon échelle, je me sens submergée par tout ce que j'ai lu, vu, écouté, recueilli, tapé. Et, figée devant mon ordinateur, je tourne mentalement dans cette cour ensoleillée, semée de pétales de frangipanier.

Pudeur. "Des écrits délicats sur la douleur ont quelque chose de perturbant", dit Chandler. Peur. De côtoyer de tels abîmes ? D'en être touchée, contaminée ? Des abîmes aussi vertigineux ou peut-être plus encore que d'autres, Shoah, Rwanda…, creusés dans la chair de ce XXe siècle ? Peut-être. Le travail dantesque, le cliché est juste, de l'historien australien met à plat la structure de S21 qui reproduit et cristallise en un lieu l'extrême folie méticuleusement programmée, la psychose d'Etat de tout le régime khmer rouge. Il nous fait entrer dans la vie quotidienne d'une entité où la violence absolue s'est inscrite, déclinée, distillée, jusqu'à en faire intrinsèquement partie. A l'image de tout le pays.

Chandler nous montre les acteurs : la soixantaine d'interrogateurs (répartis en trois équipes, les "politiques", les "méchants", les "mordants" : la bonhomie des termes dans une usine à mort), les employés de la documentation chargés de la transcription des cassettes des aveux, ceux de la photographie (on a retrouvé plus de 600 images), les gardiens presque tous jeunes et pauvres (près de 170 à une période), l'équipe "médicale" essentiellement chargée de remettre les torturés en condition de l'être à nouveau, et enfin les prisonniers (jusqu'à 1 500). Un monde qui vit en circuit fermé, dans le plus grand secret. C'est, explique l'historien, une "institution totale", un "environnement scellé", un lieu de "forceries pour changer les gens".

Il nous montre les salles de classe où les prisonniers ordinaires étaient "alignés en rang et enchaînés au sol par des chevilles (…). Une longue tige était insérée dans les pignons de chaque fer encerclant une cheville et fixée à une extrémité de la pièce." Il nous montre les box en parpaings de 2 mètres sur 80 centimètres où d'autres détenus, jugés plus importants, étaient enchaînés. Il nous montre les fouilles chaque matin à cinq heures, la gymnastique avec les chaînes, les deux repas, quelques cuillerées de gruau de riz garni de liserons d'eau ou de feuilles de bananier.

Il nous montre le fonctionnement de S21 (S pour *Santebal*, la police chargée de la sécurité, 2 pour 2e bureau, 1 pour Frère n° 1, Pol Pot) dont la mission est de "repérer, d'interroger et d'écraser les ennemis du parti". Les ennemis de l'extérieur, c'est-à-dire la CIA américaine, le KGB soviétique, les "mangeurs de terre" vietnamiens, facilement repérables ; et surtout, selon la terminologie du parti communiste du Kampuchea, "les ennemis cachés se terrant à l'intérieur", ceux qui se sont ralliés à la révolution puis l'ont trahie. Ou s'apprêtaient à le faire, car, écrit Chandler, "on considérait que les idées et les attitudes insidieuses des «bourgeois» étaient enfouies dans la conscience de chacun". Une fois arrêtés, les suspects se transformaient immédiatement en coupables. Comme dans les grands procès staliniens. "Et comme Joseph K. dans le roman de Kafka, dit Chandler, ils n'avaient pas été accusés parce qu'ils étaient coupables : ils étaient coupables parce qu'ils avaient été accusés." Il fallait obtenir leurs aveux avant de les éliminer. Mais, aveux ou pas, personne n'en sortait vivant.

Deux méthodes pour faire avouer : la "pression politique", intimider, insulter, poser des questions, et la torture. La plupart des détenus, en désespoir de cause, inventaient des histoires grotesques : des sabotages pitoyables – une jeune fille qui travaillait dans un hôpital avoua qu'elle avait "chié dans le bloc opératoire" –, les employés dans l'agriculture avouaient des machines agricoles détruites, du bétail tué ou perdu, beaucoup reconnaissaient être agents de la CIA sans même parfois savoir le sens du mot – un détenu déclara que cela signifiait "avoir assez à manger" ou être à la tête d'un parti subversif ; il y avait des récits de poison, de cailloux dans des cuves de soupe, de réseau électrique court-circuité, de casse, de conversations critiques, de Vietnamiens cachés… La plupart des aveux faisaient entre dix et trente pages, certains cadres en écrivirent plusieurs centaines… Les leaders khmers rouges, les "frères suprêmes", à qui ces confessions étaient remises, croyaient d'une certaine façon à ces macabres farces ; ces récits (la vérité narrative en termes psy) confortaient et en même temps rassuraient – puisque finalement leurs ennemis étaient exécutés – leurs angoisses paranoïaques.

Paranoïa qui s'exprimait dans l'obsession, propre à tous les totalitarismes, des réseaux à démanteler. Les détenus devaient clore leur confession en dénonçant le "réseau de traîtres" : famille, amis, collègues. Certaines dénonciations comprenaient plusieurs centaines de noms. Les soupçons n'épargnaient personne, les vagues de purges se succédaient, balayant les individus et toute forme de certitude. Si les Vietnamiens n'étaient pas entrés au Cambodge en janvier 1979, cette spirale infernale aurait-elle fini par détruire tout le pays ? Sans doute.

Lire ces pages sur l'intensité de la violence qui régnait à S21 est difficile. Le film de Rithy Panh, *S21, la machine de mort khmère rouge*, qui nous donne à entendre et à voir cette violence, est peut-être encore plus perturbant. Le réalisateur travailla trois ans pour obtenir des "bourreaux" qu'ils reproduisent les gestes qu'ils effectuaient quotidiennement, qu'ils répètent les paroles qu'ils prononçaient régulièrement. Le résultat – ce simulacre authentique – est hallucinant. Hallucinants, la déambulation d'un gardien le long des cellules vides, son coup d'œil à travers les barreaux, ses commentaires : "Pourquoi tu cries ?" "Ne me fais pas remonter !" "Oui, j'amène la caisse pour tes besoins" ; ou bien entrant dans la cellule, se penchant sur le détenu qui doit être interrogé, passant les menottes, déverrouillant la barre qui le tient entravé, le faisant sortir… Le spectateur (voyeur ?) a l'impression que le gardien est possédé, que sa mémoire corporelle s'emballe, qu'il reproduira sans fin, à jamais, ses gestes à vide dans les locaux déserts de S21 où vole la poussière. (Un Cambodgien dont la famille a été décimée m'a dit ne pas être à l'aise avec cette théâtralisation de la réalité.)

Hallucinant, le récit des "prises de sang". Les prisonniers sont allongés, pieds et mains entravés, on leur retire quatre pochettes de sang : "Après, avant de mourir, ils respiraient comme des grillons", dit l'ex-gardien, ou quelque chose d'approchant – la phrase m'a poursuivie longtemps. Hallucinant, le récit des familles emmenées de S21 au champ de la mort de Choeung Ek (devenu aussi lieu de commémoration*) pour être abattues : femmes, maris, enfants dans des camions différents. L'ancien gardien lit devant la caméra une note de Douch : "Frappe jusqu'à ce qu'il n'en reste que poussière." Le gardien se souvient précisément de l'endroit où les camions se garaient et de ce qu'il disait, lui : "N'ayez pas peur, vous allez dans votre nouvelle maison." Il se souvient de l'odeur : "Après, la puanteur devenait normale, on s'était habitué." Il dit l'homme ou la femme ou l'enfant frappé à la nuque avec une barre de fer, puis égorgé au couteau, poussé dans la fosse. A côté, assis par terre sur une natte, silencieux, Douch fumait.

Comment tout cela fut-il possible ? C'est la question qui hante le livre de Chandler comme le

* Choeung Ek se situe à quinze kilomètres de Phnom Penh. Plus de 8 000 crânes sont exposés derrière des vitres. Quand on marche, on voit des lambeaux de vêtements qui sortent du sol et c'est pire que tout le reste. Dans la série d'émissions de Laure de Vulpian et Mehdi El Hadj (*Cambodge, le pays des tigres disparus*, France-Culture, 2007), François Ponchaud s'interroge sur le bien-fondé de cette initiative et rappelle que Sihanouk demande régulièrement que ces ossements soient incinérés pour permettre aux âmes de reposer en paix. Sur la question "génocide et business", le missionnaire précise que le site a été loué pour quatre-vingt-dix-neuf ans à une société japonaise qui verse 17 000 dollars par an à la mairie de Phnom Penh.

film de Rithy Panh, comme elle hante tous ceux qui se sont trop longuement penchés sur les grands crimes contre l'humanité. Vann Nath*, qui survécut à S21 (parce que Douch se servit de ses talents de peintre) et qui porte le film de toute sa nécessité de comprendre, demande à ses anciens tortionnaires : "Comment vous êtes-vous habitués à voir cette souffrance ?" Et l'une des réponses est : "Je regardais le prisonnier comme une bête." La déshumanisation et l'asservissement total des victimes sont une constante des totalitarismes. "Mao, Pol Pot, Staline (…) leur administration, alors que rien ne l'obligeait à le faire sinon le triomphe de leur idéologie, a conçu des camps dans lesquels les humains étaient déchus de leur humanité", écrit Philippe Val dans un papier sur les FARC (*Charlie hebdo* du 5 décembre 2007). Et il ajoute plus loin : "Créer des individus nus, voilà le but."

Tout est conçu en effet pour que les détenus soient considérés comme des animaux – ce sont des propos qui revenaient souvent dans la bouche de Marie quand je l'interviewais : "On était comme des bêtes !" Chandler nous dit que Douch assimilait les "traîtres" à des vers ou à des microbes. Il nous dit qu'on faisait avaler des excréments au détenu : "On lui a donné deux trois cuillerées d'excréments à manger et, après cela, il a pu répondre aux questions sur…" (J'ai lu aussi, je ne sais plus où, que cette humiliation était la plus efficace pour faire céder le supplicié.) Des animaux ! Même pas. Vann Nath raconte : "Une fois tous les quatre ou

---

* Vann Nath que je ne rencontrerai finalement pas, empêchée par ma peur d'exploiter un "filon de la souffrance". J'ai sans doute eu tort : j'ai su depuis qu'il a une volonté déterminée de témoigner encore et encore. Il vient de publier *Dans l'enfer de Tuol Sleng*, Calmann-Lévy.

cinq jours, on nous aspergeait à travers les fenêtres avec l'eau pompée en bas par un moteur. On nous aspergeait comme si nous étions des légumes. Ceux qui étaient loin du tuyau ne se faisaient mouiller que les mains ou les doigts."

Le racisme, en tout cas l'exclusion, contribue à la déshumanisation. Dans le même article, Philippe Val écrit : "(…) on ne connaît pas d'exemple de système totalitaire qui ne rejette hors de toute légitimité – légitimité à vivre notamment – certaines catégories de l'humanité. C'est même la marque de fabrique du totalitarisme : l'exclusion de certains. Les critères d'exclusion sont divers. Chez les nazis, la judéité, le communisme, la non-appartenance à la race aryenne, l'homosexualité, etc. étaient les critères suffisants pour exclure du droit de vivre – et de tout droit – les attributaires de ces catégories. Dans le totalitarisme communiste chinois ou khmer, il suffisait d'être un intellectuel et de porter des lunettes pour aller grossir la foule des morts-vivants croupissant dans les camps."

Racisme au bout du compte, oui, quand les prisonniers étaient accusés d'avoir des esprits vietnamiens dans des corps khmers ; l'hommage qu'ils devaient rendre à un dessin représentant un chien avec la tête de Hô Chi Minh suggérait qu'ils ne faisaient pas partie du peuple cambodgien. Si l'animosité entre Khmers et Vietnamiens est une longue histoire (animosité, il faut le reconnaître, entretenue par l'appétit du Viêtnam pour le pays khmer), elle prit entre 1970 et 1979 des proportions délirantes. D'abord à partir de 1970 avec le régime pro-américain de Lon Nol qui déclencha des pogroms antivietnamiens pour canaliser le mécontentement de la population (il y a des pages saisissantes dans le roman de Lou Durand *Jarai*, déjà cité, sur ces journées sanglantes) ; ensuite sous Pol Pot où l'obsession de la souveraineté nationale constituait l'un des ingrédients essentiels de l'idéologie khmère rouge.

Enfin, pour tenter de comprendre l'incompréhensible, Chandler s'attarde sur la propension à l'obéissance qui peut, naturellement, être initiée par la peur. Mais pas seulement. Propension à l'obéissance spécifiquement khmère ? Sans doute. "J'aurais tendance, écrit David Chandler, à être d'accord avec le fait que la destruction des «ennemis» de S21 était rendue plus facile par la déférence et le respect traditionnellement dus, au Cambodge, aux dirigeants de la part de leurs «sujets»." Propension à l'obéissance propre une fois de plus aux institutions totales ? Oui, bien sûr. Les historiens travaillant sur les camps nazis l'ont abondamment prouvé. Propension à l'obéissance humaine trop humaine ? C'est là que le bât nous blesse, nous, tranquilles observateurs. Chandler à la fin de son livre écrit : "En lui faisant face [à la terreur], nous sommes confrontés à quelque chose qui n'est pas seulement «quelque part là-bas» mais qui se trouve aussi en nous-mêmes. S21 est ainsi plus proche de nous que nous n'aimerions le penser." Auparavant, il a rappelé cette expérience menée par Stanley Milgram aux Etats-Unis au début des années 1960, expérience qui m'a toujours fortement interrogée. Rapidement résumée : des "psychologues scolaires" demandèrent à des volontaires de s'asseoir derrière un pupitre et d'agir comme des enseignants. Pour les réponses incorrectes à une série de questions qu'on leur demande de poser, ils doivent envoyer des décharges électriques à des "étudiants", dans une pièce à côté, "étudiants" qu'ils ne peuvent pas voir mais qu'ils entendent. Tout est simulé et les étudiants sont des acteurs mais les cobayes l'ignorent. Et le fait est qu'ils ont balancé des décharges dont on leur disait qu'elles étaient douloureuses et dangereuses – ils entendaient des cris, des bruits sourds qui le leur confirmaient. Un sur trois mit fin à l'expérience. D'autres variantes furent introduites plus tard avec pour conclusion finale : "Deux tiers d'un échantillon d'Américains moyens étaient prêts à électrocuter une victime innocente jusqu'à ce que le pauvre homme crie grâce et continuaient à le faire longtemps après qu'il fut devenu silencieux." Oui, je sais, c'est impossible à croire. Et pourtant.

François Bizot est, pour sa part, convaincu que les germes du mal sont en chacun de nous. Dans la préface du livre de Chandler, il résume ce qui fit l'objet d'une partie de son livre *Le Portail*. En octobre 1971, jeune ethnologue, il est fait prisonnier des Khmers rouges alors dans le maquis. Son geôlier est Douch : "A cette époque, il ressemblait à un jeune homme inquiet, en quête d'absolu, épris de justice, profondément soucieux de vérité." Douch obtiendra la libération de François Bizot au bout de trois mois quand il sera convaincu de son innocence – il était accusé d'être un agent de la CIA. Bizot fait promettre la vie sauve pour ses deux assistants ; ils seront exécutés un an plus tard. Cette expérience le marque profondément. *Le Portail* paru en 2000 sera "le dénouement d'un travail enfoui en moi depuis trente ans", dira-t-il. Ce livre, exceptionnel, qu'on soit d'accord ou non avec la thèse qui le sous-tend, nous livre sans fard la relation ambiguë qui se noua entre le jeune chercheur et le futur tortionnaire "dont le nom, à jamais lié à celui de Tuol Sleng, est devenu à l'échelle de tout un pays une malédiction". Mais l'histoire ne s'arrête pas là. En 1999 Bizot reçoit un coup de fil de Nate Thayer, un journaliste qui vient de rencontrer Douch – disparu depuis des années – dans le district de Samlaut, à la frontière thaïlandaise, Douch converti au protestantisme évangélique et impliqué dans la construction d'écoles… Que dit le journaliste ? Que Douch envoie ses salutations "à son ami Bizot"… Bizot verra Douch quelques minutes en prison cette même année 1999, un "homme vieilli, souriant, timide, toujours aussi désarmant, qui lui parle comme à un vieux copain retrouvé", écrit Jean-Paul Marri (*Le Nouvel Observateur*, 2007). Mais entre-temps l'écrivain a visité Tuol Sleng. "Mes yeux se dessillent", écrit-il dans *Le Portail*. Mais il dit aussi dans plusieurs interviews : "Quand on prend conscience de cette terrible capacité qui nous habite tous… alors on prend peur. Et c'est de soi-même qu'on a peur."

Olivier de Bernon, qui connaît bien François Bizot, a vu naître *Le Portail*. "Juillet 1990, je viens pour la première fois au Cambodge avec lui. On descend le boulevard Monivong, à l'époque de bout en bout plongé dans le noir, sauf les petites loupiotes des marchés. On arrive devant l'ambassade de France, alors transformée en orphelinat, devant le portail, il n'en restait qu'une grille déglinguée. Bizot très ému me dit : «Si les objets parlaient, je peux te dire que ce portail en dirait beaucoup.» Et il me raconte, la voix parfois étranglée par l'émotion, le moment où, le 19 avril 1975, la femme de Long Boret, le Premier ministre de Lon Nol, descend d'une Mercedes et arrive devant les jardins de l'ambassade où étaient réfugiés les étrangers de Phnom Penh. Bizot était à la porte, il servait d'interprète. Elle a un bébé dans les bras. Elle lui dit : «Je veux entrer» et en même temps elle comprend que c'est impossible. Elle fait le geste de balancer le bébé par-dessus le portail et Bizot la supplie : «Ne faites pas ça, madame ne faites pas ça !» Et elle ne le fait pas et le chauffeur, elle et son bébé se font massacrer un peu plus loin. Pour François Bizot c'est une vision indélébile, il ne s'en guérira jamais, même s'il sait que de toute façon le bébé serait mort car l'ambassade et ses deux mille réfugiés n'avait rien d'une pouponnière. Bizot m'a dit : «Ce portail devrait être dans un musée.» Quelques jours après, je suis venu avec un ciseau à froid et une masse et je l'ai embarqué. Il est resté dans mon jardin jusqu'à ce que, en 1995, j'aille voir le nouvel ambassadeur, Gildas Le Gildec, et que je lui suggère d'ériger dans le parc quelque chose pour marquer les événements de 1975, quelque chose qui soit aussi comme un hommage à l'immunité diplomatique. Je lui ai remis le portail, il l'a installé au fond du parc. *Le Portail*, Bizot a commencé à l'écrire chez moi en face de l'hôpital Calmette : il venait d'avoir un fils et je lui avais dit : «Ecris tout ça pour lui.» Il a fait un bouquin magnifique."

Cette scène de la femme de Long Boret, François Bizot la raconte dans son livre : "Je n'oublierai jamais qu'elle portait un pantalon fuseau noir et un chemisier sombre à manches courtes, que son visage était blanc, que ses yeux cernés, aux paupières obliques légèrement fardées, étaient frappés de terreur. Elle passa un instant ses longs doigts manucurés dans la grille du portail." Deux jours avant, le 17 avril 1975, les Khmers rouges étaient entrés dans Phnom Penh. Ceux qui ont vu cette arrivée dans la ville la racontent tous de la même manière et les rares images montrent des gamins tout en noir, chaussés de sandales taillées dans des pneus de jeep, les habitants qui parlaient avec eux ; il y eut même quelques scènes de liesse avant dix heures du matin avec les soldats de Lon Nol qui se rendaient. La paix arrivait !

Et puis les voitures radio sont passées et l'ordre est tombé : "Quittez la ville avant les bombardements américains !" Prétexte à une évacuation totale de la capitale. A midi l'exode a commencé. Les hôpitaux ont été vidés les premiers, des milliers de blessés, de malades, certains sur leur lit avec leurs perfusions, poussés par la famille, les femmes qui venaient d'accoucher, les handicapés, les vieillards, puis toute la population, balluchons sur la tête, valises, bébés dans les bras, vélos surchargés…

L'ambassade de France a ouvert ses portes. François Bizot l'a rejointe le 19 avril. Trois mille personnes peut-être s'entassaient dans les bâtiments et les jardins. Les Khmers rouges ont décrété que seuls ceux qui détenaient un passeport étranger pourraient rester. Le vice-consul Jean Dyrac a fait ce qu'il a pu. Ancien résistant, c'était, dit en substance Bizot, un homme de cœur. Le 21 avril, huit cents personnes ont passé les grilles… Sous la plume déchirante de l'écrivain, on voit sortir une fille de Sihanouk, son mari, ses enfants, on voit le prince Sirik Matak, cousin de Sihanouk, l'un des principaux instigateurs du coup d'Etat du 18 mars 1970, les échanges de politesses et de sourires pour le faire monter dans la voiture qui ne fera pas un kilomètre : le prince sera fusillé au Cercle sportif.

Parmi ceux qui sont restés, deux mille personnes environ, il y a le curé de la cathédrale de Phnom Penh, Bernard Berger, déjà présenté brièvement dans le chapitre "Souvenirs doux et amers". Bernard Berger n'est pas un curé comme les autres. Je l'ai su tout de suite quand j'ai accepté de le rencontrer une première fois. L'éditeur Desclée de Brouwer désirait publier un livre d'entretiens avec celui qui venait, c'était à l'été 2002, d'accueillir les sans-papiers du 9-3, et bientôt de toute la France, dans sa basilique de Saint-Denis. Le livre se fit, je l'ai dit. Un curé pas comme les autres donc. Direct, non conformiste, secret sur lui-même, ouvert sur les autres et sur l'action. François Bizot – les deux se connaissaient bien, Phnom Penh n'est pas si grand – le dit ainsi dans *Le Portail* : "(…) Berger était arrivé à Phnom Penh avec la canadienne du prêtre-ouvrier plutôt qu'avec la barbe du missionnaire. Esprit brûlant, sans humilité ni hypocrisie, totalement dépourvu des signes de l'apostolat et du zèle prosélytique, mobilisé uniquement par le cri des opprimés, le principal charme de ce frondeur était qu'il ne cherchait pas à séduire. Par-dessus tout, il ne trichait jamais, ni avec lui-même ni avec les autres, ce qui en faisait un homme difficile, amer, solitaire (…). Lorsqu'il venait me voir à l'EFEO, ou que je lui rendais visite au presbytère, nous passions de longues heures à nous disputer… Bref, nous devînmes vite de vrais amis." Arrivé en juin 1972, Bernard Berger a vécu l'avant-Khmers rouges, les réfugiés affluant dans la capitale qui passa de 500 000 à 2,5 millions d'habitants, l'eau qui manque, les kilomètres de fils de fer barbelés, l'impossibilité de sortir de la ville, les tirs de roquettes – l'une tomba sur la sacristie qu'il venait de quitter –, les bombardements des B52 américains – 500 000 tonnes déversées sur le Cambodge ; la grande confusion d'un pays qui, sous la houlette de Sihanouk, avait voulu conserver son indépendance dans le conflit indochinois mais était finalement balayé par la tourmente ; la souffrance et l'écartèlement d'une population entre, d'une part, l'armée républicaine d'un régime qui a destitué Sihanouk, d'autre part Vietnamiens et Khmers rouges un temps prétendument alliés (avant que n'éclate à partir de juillet 1977 une guerre non déclarée mais féroce) : dans la même famille parfois, enrôlé de force ou attiré par la solde, un fils avec les troupes de Lon Nol, un autre avec celles de Pol Pot. En même temps, dit Bernard Berger, c'est le règne du marché noir, de l'américanisation outrancière ; des fortunes colossales se font, des soirées luxueuses – alcoolisées et débridées comme les sécrètent souvent les temps de pré-apocalypse – se donnent dans les somptueuses villas de la capitale qui fut "la perle de l'Asie du Sud-Est".

Ces années-là, Bernard Berger réussit à prendre en charge les lépreux qui vivaient dans des conditions épouvantables. Il obtient un hôpital, des fonds, la scolarisation des enfants. Il est responsable de quatre mille personnes. Progressivement les étrangers quittent la ville, y compris, le 11 avril 1975, Gunter Dean, l'ambassadeur américain : en hélicoptère, la bannière étoilée emportée *in extremis* sous le bras… Bernard Berger, dans ses notes de l'époque, cite la lettre que le prince Sirik Matak écrivit à l'ambassadeur, lettre où il refuse de fuir : "Quant à vous et votre grand pays, je n'aurais jamais cru un seul instant que vous abandonneriez un peuple qui a choisi la liberté (…). Je n'ai commis qu'une erreur, ce fut de vous croire et de croire les Américains." Il rend hommage au courage du prince : "Avait-il perdu sa vie ? Je ne sais mais il a su sauver sa mort." La plupart des prêtres décident de rester. Bernard Berger aussi. C'est le début d'une histoire d'amour avec le Cambodge qui se confond avec celle de sa vie.

Dans les jardins de l'ambassade, il y avait aussi François Ponchaud, missionnaire au Cambodge depuis 1965. Bizot, Berger, Ponchaud, trois Français, trois personnalités exceptionnelles, qui sortiront de ces jours de chaos attachés pour toujours au

Cambodge qu'ils ont vu martyrisé. Car – par quel miracle ? Bernard Berger se le demande encore – ils en sortiront au bout de trois semaines dans un des deux convois de camions qui les embarqueront pour Poipet, à la frontière thaïlandaise. Les scènes décrites par la plume de Bizot sur le pont d'Aranya Prathet, où une jeune Khmère ainsi que la compagne d'un Français sont refoulées, sont un summum de la détresse humaine.

Tous les étrangers ont quitté le Cambodge. Désormais, la tragédie khmère rouge peut se jouer à guichets fermés. Bruno Carette, dans *Khmers rouges amers*, le film le plus riche que j'ai vu sur le sujet, le dit ainsi : "Le Cambodge est transformé en un immense camp de concentration. Travaux forcés, éducation politique et autocritique, séparation familiale, silence de rigueur, malnutrition, incitation à la délation, obsession de la pureté, expulsion intégrale de la population vietnamienne. Une révolution à huis clos dans le silence de la communauté internationale."

Oui, l'Occident est sourd et aveugle.

Le texte de l'écrivain Marie Desplechin (paru en août 2005 dans une série du journal *Le Monde* sur "les événements qui vous ont marqué") en dit long*. "Le 17 avril 1975 j'ai exactement 16 ans, 3 mois et 10 jours et je fais partie des heureux du

---

* Le grand journaliste Jean Lacouture, avec un courage certain, l'exprime ainsi : "Oui, j'ai applaudi à leur entrée [les Khmers rouges] dans la capitale cambodgienne. J'y suis retourné deux ans après… C'était terrible. (…) J'ai manqué de pénétration politique."

monde (…). Je suis une adolescente enthousiaste et presque grasse. Mes résultats scolaires sont encourageants mais j'aurais du mal à situer avec précision le Cambodge sur une carte. Nous n'avons jamais étudié le Sud-Est asiatique en géographie. Et je ne parle pas de l'histoire. (…) Je suis ignare. Mais ce que je sais me suffit : les Américains couvrent le Viêtnam de napalm et d'agent orange. Les Américains sont de beaux salauds à la différence des Russes et des Chinois qui sont des peuples rêveurs et justes, dirigés par des héros, avec fermeté mais avec clairvoyance. Je crois, moi, que le monde sera juste un jour, et que nous y serons tous heureux. Quand je pense à tout ce bonheur et à toute cette justice à venir, je me sens l'âme pleine d'allégresse. Je suis gorgée de calcium, d'hormones et d'endorphines. Et je fais confiance aux camarades internationalistes pour que nous accomplissions ensemble le destin sublime de l'humanité.

"Le 17 avril 1975, les Khmers rouges entrent dans Phnom Penh. Les Khmers rouges sont des camarades comme nous les aimons, des amis du peuple chinois, des victimes de l'impérialisme. Et puis,ce sont des cousins, ils ont fait leurs études à Paris*. En 1959 Khieu Samphan (futur idéologue

---

* "Ce fut donc à Paris, et non à Moscou ni à Pékin, qu'au début des années 1950, Sar [Saloth Sar, le futur Pol Pot] et ses compagnons posèrent les fondements idéologiques du futur cauchemar khmer rouge", écrit Philip Short dans *Pol Pot, anatomie d'un cauchemar*, Denoël, 2007. Il consacre de nombreuses pages à cette "formation" des cadres khmers rouges, racontant notamment leur rencontre avec Jacques Vergès, alors membre du bureau de l'Union internationale des étudiants (UIE) et aujourd'hui avocat de Khieu Samphan.

et futur chef d'Etat du Kampuchea démocratique) y a présenté sa thèse sur l'agriculture. (…) Le 17 avril, avec quelques amis du comité d'action lycéen, nous nous armons courageusement de peinture et nous nous attaquons aux portes des salles de classe. Tout au long des couloirs, nous barbouillons des slogans qui en disent assez sur notre soutien à la révolution khmère. Nous sommes pleins d'audace, nous risquons gros. Un avertissement. Un blâme. Un conseil de discipline peut-être. Je n'ai gardé aucun souvenir des slogans. J'espère qu'ils n'étaient pas : «Qui proteste est un ennemi, qui s'oppose est un cadavre», «Notre cœur ne nourrit ni sentiments ni esprit de tolérance», «L'Angkar voit tout, l'Angkar a les yeux de l'ananas»… Je l'espère sans trop y croire, je me souviens de l'excitation que suscitaient ces petites phrases effroyables. (…)

"Le régime rédempteur du Kampuchea démocratique va durer quatre ans. Je passe mon bac. J'entre à l'université, je quitte Roubaix pour Paris, je vis avec un jeune homme qui est militant trotskiste. Des Khmers rouges et de leur entreprise de refonte de l'espèce, plus de nouvelles. Les Khmers n'intéressent plus. Encagés chez eux, ils ont perdu beaucoup de leur pouvoir de séduction. Les appels au secours arrivent, pourtant, témoignages misérables, dépouillés d'attirail idéologique. Il ne se trouve plus personne sur terre pour les entendre. Ni l'ONU, ni la Ligue des droits de l'homme, ni les journalistes, ni, bien sûr, les camarades. Et puis le monde a changé. Nous sommes désormais libéraux et égotistes. Nous avons, de notre côté, pas mal de soucis avec l'OMC et l'autofiction. (…)"

Cet autisme occidental n'est pas nouveau. Après sa libération du camp de détention khmer rouge en 1971, Bizot raconte que l'ambassade de France lui avait demandé de traduire un texte sur le "programme politique du Front uni national du Kampuchea", qu'il avait rapporté du maquis. Et il commente : "Son contenu préfigurait l'horreur : déjà y étaient annoncées l'évacuation des villes et la mise en place d'un collectivisme étatique reposant sur une population réduite. Ces avertissements, dûment relayés à Paris, n'avaient cependant pas trouvé la moindre écoute, et la France avait opiniâtrement maintenu son soutien aux Khmers rouges…"

Un homme, un seul, François Ponchaud, rapatrié avec tous les réfugiés de l'ambassade en mai 1975, se pose des questions. Une lettre arrivée du Cambodge comme une bouteille à la mer à Paris en juillet 1976 lui a donné l'alerte. Bien que tenté lui aussi de céder à l'engouement d'une révolution que beaucoup appelaient de leurs vœux, tenté de parier que "le bon sens paysan des paisibles Khmers aurait assoupli la raideur révolutionnaire (c'est le moins qu'on puisse dire) qu'il avait constatée sur place", il décide d'enquêter en se basant sur l'écoute de Radio Phnom Penh, la voix officielle du régime de Pol Pot, et sur les témoignages recueillis dans les camps de réfugiés par écrit ou directement. Les résultats de ses investigations sont au centre de *Cambodge, année zéro*, paru chez Fayard en 1977, qui reste, encore aujourd'hui, une formidable somme sur le régime khmer rouge.

L'enquête de François Ponchaud dit les villes vidées, les citadins, "le peuple nouveau" dirigés vers les forêts qu'ils vont devoir défricher, l'éradication des intellectuels – il suffit de porter des lunettes –, les paysans érigés en modèle social, la disparition progressive de la famille, de la propriété privée, l'organisation militaire des chantiers de travail, la transformation du langage (encore une caractéristique des régimes totalitaires), la destruction ou la profanation des pagodes et la chasse aux bonzes, l'éducation politique pour inculquer l'esprit révolutionnaire – lutte, économie, responsabilité, renoncement total –, la dévotion due à l'Angkar, "on remercie l'Angkar qui nous a fait beaucoup de bien, qui nous a délivrés de l'asservissement", qui a "ressuscité l'âme nationale", et l'obéissance aveugle qu'on lui doit.

Les voix des réfugiés comme de la propagande disent encore la radicalité de l'idéologie : contrairement au communisme chinois ou vietnamien, la rédemption, la rééducation sont impossibles, "ce qui est infecté doit être incisé", "ce qui est pourri doit être retranché", "couper un mauvais plant ne suffit pas, il faut le déraciner" (d'où certaines arrestations "par parentèle" qui touchent toute la famille). Avec cette particularité de la révolution khmère d'être fondée exclusivement sur la population rurale : un communisme agraire intégral. Faire du Cambodge un "damier de rizières", tel est l'objectif : "On fait la guerre avec le riz, on fait la rizière avec de l'eau" – d'où les gigantesques et meurtriers travaux d'irrigation que j'ai déjà évoqués (voir le chapitre "Battambang").

Interviewé en 2007 par Laure de Vulpian*, Ponchaud rappelle, comme Marie Desplechin, que Kieu Samphan a rédigé pendant ses études en France

---

* Dans le cadre de sa série sur France-Culture *Cambodge, le pays des tigres disparus*, déjà citée.

une thèse en économie posant que le Cambodge ne retrouvera sa force, sa puissance de jadis qu'en se débarrassant des villes, véritable poison, et en remettant à l'honneur le modèle du cultivateur de riz qui a fait la fortune du Cambodge à l'époque angkorienne. La journaliste a rencontré Khieu Samphan avant qu'il ne soit arrêté. Un grand-père débonnaire, c'est ce dont il donnait l'impression, m'a-t-elle dit. Une interview surréaliste où l'ex-chef d'Etat du Kampuchea démocratique décrit un Pol Pot souriant ("gentil", disait-il dans le film de Barbet Schroeder, *L'Avocat de la terreur*). "Il cherche à obtenir l'indépendance du Cambodge vis-à-vis de l'Occident et du Viêtnam communiste. Je le considère comme un patriote", déclare le vieillard aujourd'hui en prison. Bien d'autres Cambodgiens raisonnaient comme lui à l'époque – je pense à Ong Thong Hoeung, auteur de *J'ai cru aux Khmers rouges*, constatant : "Pour moi, comme pour les autres, Pol Pot était un patriote qui voulait libérer le Cambodge. Nous avons cru, à tort, que la démocratie et les droits de l'homme étaient secondaires."

En 1979, quand prend fin le régime khmer rouge, 90 % des Cambodgiens titulaires d'un certificat ou d'un diplôme supérieur à celui du niveau primaire sont morts ou en exil. Sur 550 magistrats, 4 sont encore en vie. Sur 450 médecins, 48 ont survécu*.

* Cf. Raoul M. Jennar, *Les Clés du Cambodge*, éditions Maisonneuve et Larose, 1995.

12

LA ROUTE DES CAMPS

Comment avez-vous survécu alors que tant des vôtres sont morts, c'est une question qui vous hantera toute votre vie (…).

MAGALI PETITMENGIN,
Graine de bois.

1978. "Sans doute l'année la plus sombre qu'ait connue le Kampuchea démocratique", écrit François Ponchaud dans le toujours précieux *Brève histoire du Cambodge.* Du côté cambodgien on intensifie l'épuration – 200 000 exécutions sans doute cette seule année ; du côté vietnamien on se prépare au combat final.

Janvier 1979. L'armée vietnamienne entre à Phnom Penh et installe la république populaire du Kampuchea. Cette dernière présente des points communs avec le régime khmer rouge – embrigadement politique, autocritique… Les libérateurs deviennent des occupants. Pour le peuple cambodgien, l'arrivée des troupes vietnamiennes est cependant un réel soulagement. Sur le plan international, elle est accueillie avec réprobation. Une famine sans précédent s'étend sur le pays (les troupes ont déferlé au moment de la moisson). Dans les six premiers mois de 1979, 80 000 personnes, réfractaires et paysans affamés, fuient vers les camps où se déverse l'aide internationale, rejoignant les

50 000 qui avaient déjà échappé aux Khmers rouges en gagnant la Thaïlande. A partir du mois d'août 1979, la vague s'amplifie et c'est plus de un million de Cambodgiens qui se pressent aux frontières.

MARIE

Automne 1978. Dans la région de Phnom Thipadeï. "C'est la fin pour les Khmers rouges, la débandade. On est parti vers la nationale 5", dit Marie. Cet énième départ, elle me le raconte dans le square de sa résidence HLM à Palaiseau. Nous sommes sur un banc, au début de l'été 2007. Le ciel est lourd, presque un ciel de mousson. La débandade des Khmers rouges et la route, l'errance encore pour le "peuple nouveau", pour Marie et ses quatre enfants, Sarom, le garçon, Jannick, Chamrong et Sophie, la plus petite. La plupart du temps Marie porte Sophie, cinq ans, sur ses épaules, surtout quand il faut traverser des plans d'eau – il y a toujours des obstacles à franchir comme dans un gigantesque jeu vidéo macabre.

"Il y avait une odeur, ça sentait mauvais. On ne savait pas pourquoi. On s'est arrêté sur les digues pour dormir. J'ai arrangé les nattes et les couvertures pour nous protéger des bêtes. C'était dangereux de s'arrêter mais la tête à peine posée on s'est endormi. Vers cinq ou six heures on est parti récupérer quelques pierres pour poser la casserole. D'un coup, avec le jour (c'est ainsi qu'il se lève au Cambodge), on a vu les cadavres. Tu regardes, tu crois reconnaître quelqu'un et puis tu tournes la tête, tu essaies que les enfants ne voient pas ça. On est reparti. En arrivant sur la nationale 5, qu'est-ce que j'aperçois ? Les chars des Vietnamiens avec le drapeau, la faucille, le marteau. Je ne voulais plus, je ne pouvais plus avancer, je me suis accroupie. J'avais espéré quoi ? Un drapeau blanc, la paix ? Mon fils s'est retourné : Maman, tout le monde est parti, qu'est-ce que tu fais ? Je me suis secouée. Allez Marie, vas-y…

"Plus tard j'ai trouvé une belle maison, abandonnée. On s'est installé avec quelques familles. On ramassait un peu de riz dans les champs abandonnés. Quelques brins. On devient comme des singes. On a bricolé une sorte de pilon avec une branche, on protégeait les grains avec un bout de pantalon. Je ne me souviens plus combien de temps on est resté. Et puis, un jour, le bruit des canons, des coups de fusil de tous les côtés. Mon fils, Sarom, avait préparé une petite charrette avec quatre roues et deux planches pour nos affaires. Quand les Khmers rouges ont attaqué, c'est ma cousine – celle qui avait collaboré avec eux et qui leur avait dit un jour que je parlais français – qui a posé ses affaires sur le chariot. C'était si lourd que tout a craqué… J'avais prévu que cela pouvait péter – je prévoyais toujours, si c'était son père j'aurais eu confiance, mais c'était un enfant : j'avais préparé des sortes de palanches. Et j'ai dit : «Allez hop, on accroche ça et on court.» C'était la panique. Certains ont été repris par les Khmers rouges mais nous, on a réussi à s'enfuir jusqu'à un petit cabanon qu'on a partagé avec une dame. La deuxième nuit ils étaient de nouveau là…"

(Il s'est mis à pleuvoir sur le square, nous nous sommes abritées dans ma voiture, la pluie tambourine sur le pare-brise. Nous sommes toutes les deux ailleurs.)

"On a tout attrapé, les nattes, la moustiquaire, la casserole… Tout le monde courait. On entendait des enfants crier : «Maman où es-tu ?» Nous, on n'a pas pu aller loin, on s'est caché dans le champ de bananiers à côté. Je me rappelle ma fille Chamrong, celle qui est décédée, qui disait : «Grand-mère Sakum, protège-nous.» Je la vois encore. Quand j'étais enceinte de Chamrong, j'avais rêvé de ma mère. Maman est décédée au mois de mars. Chamrong est née en mars et elle est décédée aussi ce mois-là. Elles étaient toutes les deux très jolies, la peau plus blanche que moi, les cheveux presque blonds."

(Pour la première fois depuis le début de nos entretiens à Marie et à moi, à l'abri derrière le pare-brise maintenant noyé de pluie, dans ce cocon où je me souviens d'avoir écouté, consolé, câliné mes enfants, où, plus d'une fois sur la route, la nuit, j'étais au bord des larmes de les sentir là, vivants, forts et fragiles, pour la première fois alors que, juste avant, à ma question : "Est-ce qu'on ne finit pas par se haïr dans de telles conditions de survie ?" elle a répondu : "Oh non, au contraire on s'aime très fort, c'est ma vie mes enfants…", pour la première fois, Marie pleure.)

"J'ai décidé de partir vers Battambang rejoindre ma tante dans un village où on disait qu'il y avait plus à manger. Je ne sais plus combien de temps on est resté. Ensuite on a rejoint Battambang. La maison avait été détruite, on habitait chez une voisine dans un hangar. Elle m'a prêté des moules à gaufre. J'ai fait du troc avec la robe de Chamrong, une robe fuchsia magnifique. J'en avais eu deux à l'époque pour mille cinq cents riels !"

"Tu as trimballé tout ce temps la robe fuchsia ?"

"Mais oui ! Comment faire du troc sinon ? Les Khmers rouges nous fouillaient mais je suis plus maligne qu'eux… J'avais emballé les robes dans plusieurs plastiques, je les enterrais et je mettais au-dessus des feuilles de bananier et des crottes séchées. Quand on partait, je les déterrais. Donc j'ai échangé la robe fuchsia contre un kilo et demi de sucre de palme. J'ai fabriqué de la farine de riz et, avec de la noix de coco, j'ai fait des gaufres que je vendais. Je gagnais quatre boîtes de riz par jour. Mais, une fois trié le bon grain du paddy, il n'en restait que deux. Sophie a été malade, la rubéole puis la diphtérie, j'ai demandé des médicaments aux Vietnamiens – je parle couramment la langue, les Khmers rouges ne l'ont jamais su –, l'eau de la rivière que nous buvions était archisale, l'environnement aussi, les gens faisaient leurs besoins n'importe où. Un jeune garçon est décédé, alors j'ai décidé de repartir vers chez ma tante. Derrière chez elle, dans un champ de pamplemousses, j'ai trouvé un cabanon près d'un puits. C'était formidable : avec l'ovomycine et l'eau potable, Sophie a guéri. J'ai fait à nouveau des gâteaux, du riz dans des feuilles de bananier, on m'appelait Mme Sucrée ! Je les troquais au marché.

"J'ai réussi à mettre de côté quatorze boîtes de riz que j'avais troquées contre un morceau d'un collier en or et à avoir des papiers pour trois jours. Mais en fait j'étais décidée à m'en aller pour de bon, pour la frontière thaïlandaise. On est parti avec mon frère et ma tante et leur famille et une autre avec son bébé, une vingtaine de personnes. Chamrong n'arrivait plus à marcher, elle était très malade, je ne savais pas ce qu'elle avait. J'ai négocié avec un *moto-dop* : un autre morceau du collier pour qu'il nous transporte. Un jour des Vietnamiens qui barraient la route nous ont demandé : Vous vous sauvez ? Non ! j'ai répondu, on va chez mon frère. Je suis entrée dans la première maison : il y avait un couple et ils ont joué le jeu. Ils nous ont tous invités pour la nuit. Le lendemain, à un autre barrage, je ne sais pas comment ça m'est venu, je me suis dit : Je vais draguer ce militaire. J'ai remonté mes cheveux, j'ai été vers lui, il m'a tourné le dos et il a fait un geste comme pour dire : J'ai rien vu… Nous sommes tous passés. Ma tante courait. Fais pas ça, je lui ai soufflé, marche et chante comme si tu habitais ici. Les Vietnamiens se sont mis à tirer en l'air, le barrage était passé. Le *moto-dop* nous avait quittés, je portais Chamrong sur mon dos. Elle avait dix ans, elle était lourde. On a dormi une nuit sur une digue, trois autres dans la forêt. Il y avait des mines – d'autres avant nous avaient planté des drapeaux blancs pour les signaler –, des bombardements, des bandits. Nous étions épuisés. Sarom, qui avait quatorze ans, aidait Jannick et Sophie comme un vrai petit homme.

"Nous sommes arrivés au camp 204, toujours au Cambodge, à la frontière thaïlandaise. Avec du plastique, j'ai bricolé un toit sous un arbre. La nuit, Chamrong a vu l'esprit de l'arbre. Une femme en blanc, les cheveux très longs, très belle, lui a jeté des cailloux et lui a dit : «Fiche le camp !» Le lendemain on a changé de place. Plus personne ne me parlait. J'étais seule avec mes enfants. J'ai vendu un autre petit bout d'or pour acheter de la paille pour le toit. Nous étions comme un troupeau de bêtes. Il y avait un hôpital, j'ai demandé à un militaire cambodgien comment faire entrer ma fille. Il m'a regardée. Il a regardé ma fille. C'est tout. Une heure après il est revenu : «Ma sœur, votre fille a une place à l'hôpital !» *(Elle rit à ce souvenir.)* «J'ai menti, j'ai dit que vous étiez ma sœur. Vous pouvez venir vous aussi avec votre natte.» Et j'ai ramené aussi Sophie. On avait trois places pour dormir. *(Elle rit encore de bon cœur.)*

"Un jour j'ai entendu un couple dire : «Mon Dieu, c'est malheureux de voir ça !» Et tout de suite, toute maigre, je pesais trente-cinq kilos, d'une petite voix, j'ai dit : «Vous êtes français !» Grâce à eux, la Croix-Rouge a décidé de m'emmener au camp de Sakeo où il y avait Médecins sans frontières, avec Sophie et Chamrong. J'ai demandé : Et les deux autres ? Non ! c'était impossible. Mais moi j'avais vu trop de familles séparées. C'était simple : ou on restait tous les cinq ou on partait tous les cinq. Depuis des mois, j'avais tout fait avec eux, travaillé, traversé les champs de mines, couru sous les bombardements… je ne partirais pas sans eux. On vivrait ensemble ou on mourrait ensemble. Ils nous ont embarqués tous les cinq dans le camion, il n'y avait que des malades. On a roulé une journée, à l'arrivée un jeune est mort. On a pleuré avec sa sœur, on a prié. Voilà, c'est tout.

"Chamrong a été emmenée dans un hôpital, puis dans un autre. A un moment, quelqu'un a demandé : «La mère, elle est où la mère ?» J'ai levé la main et j'ai entendu : «Mais elle est jolie, la mère !» *(Elle rit.)* Mes deux grands, Jannick et Sarom, faisaient la queue en plein soleil pour avoir un morceau de viande – depuis les Khmers rouges on n'en avait plus mangé. J'ai trouvé une cuisine pour la faire cuire – j'avais toujours ma petite casserole. Un Français m'a dit que c'était interdit. Trois fois il l'a répété ! Je m'en fichais. Après on est devenus copains. Il s'appelait Patrick ; il faisait un tour du monde avec sa compagne Françoise et ils ont écrit un livre. A l'hôpital, ils ont commencé à soigner ma fille ; je ne savais toujours pas ce qu'elle avait.

"Avec l'aide du médecin, Vincent Fauveau de MSF, j'ai fait une demande, pour venir en France, qui a été refusée. Vincent m'a dit que je devais partir à Bangkok avec Chamrong, qu'ici c'était un camp plein de Khmers rouges* et que je n'obtiendrais jamais les papiers pour la France. Il m'a promis que mes trois enfants me suivraient plus tard. Lui, je l'ai cru. Patrick est venu avec moi dans le car. Il m'avait expliqué qu'au passage de la barrière qui fermait le camp, il fallait que ma fille gémisse très fort. Quand on a été tout près, j'ai dit : «Gémis, ma fille, gémis de tout ton corps, continue, continue.» Un militaire a regardé les papiers et a dit *paï paï*, vas-y vas-y, en thaï. Patrick, il en est presque tombé d'émotion. Marie, tu es sauvée, ma chérie, tu es la première à avoir réussi à quitter ce camp-là ! On a roulé. Par les vitres j'ai commencé à voir les lumières, les maisons éclairées, de plus en plus au fur et à mesure qu'on se rapprochait de la Thaïlande. J'ai sangloté. Des années qu'on vivait dans la forêt, dans l'ombre.

"Je suis arrivée à Bangkok le 30 novembre 1979. L'hôpital était un hôpital de riches avec de la clim, des frigidaires et des rideaux. Au fur et à mesure que les réfugiés arrivaient, les frigidaires sont partis, la clim et les rideaux avec. On n'était pas bien traité : comme des minables. Un jour, Chamrong a saigné du nez. J'appelle. Quelqu'un vient, fait je ne sais quoi. Aucun effet. Je vais chercher de la glace. Rien. Quand je suis revenue le jour suivant, ils étaient quatre ou cinq avec elle et je l'entendais qui criait : «Maman ! viens, il est en

---

* (A partir de septembre 1979.) "Les Khmers rouges, voyant l'intérêt politique qu'ils peuvent tirer de la misère de leur peuple, acceptent d'envoyer une partie des civils et des militaires les plus mal en point mourir dans le camp de Sakeo, ouvert à cet effet à une trentaine de kilomètres à l'intérieur de la Thaïlande (…). On se mobilise de toutes parts pour envoyer de l'aide au peuple khmer, victime des Vietnamiens, alors qu'il est en premier lieu victime des Khmers rouges !" François Ponchaud, *Brève histoire du Cambodge.*

train de me tuer.» J'ai essayé de rentrer, ils blo-
quaient la porte. Quand ils l'ont ouverte, j'ai trouvé
les draps en tas, pleins de sang. Chamrong n'arrivait plus à parler. Le lendemain, dans sa chambre,
cela sentait mauvais, tout était infecté dedans. Son
nez avait disparu. Je l'ai dit aux médecins, je ne
sais pas ce que vous avez fait, le nez a disparu.
J'ai la photo où le nez fout le camp, la bouche,
tout est cramé. Quand Yvette, qui travaillait avec
la Croix-Rouge et qui me connaissait bien parce
que je parlais français, m'a appelée, je lui ai tout
raconté. Elle est venue, elle a vu l'état de ma fille
et elle a dit : «Elle doit être évacuée tout de suite
pour Paris.» Elle a tout organisé, on est parti en
pleine nuit. En urgence, avec Air France. C'était
le 18 janvier 1980. On est arrivé à Paris à six heures du matin. La première voiture dans laquelle je
suis montée, c'était une ambulance. Dominique
Lummaux, la femme du conseiller de l'ambassade
de France à Bangkok, qui s'était occupée de moi
là-bas, avait tout organisé : ma fille est entrée à
Necker. Ils n'ont pas pu la sauver, c'était trop tard.
Elle est décédée le 2 mars. Mes enfants étaient arrivés une semaine après Chamrong et moi.

"On m'a proposé de faire des ménages. Avant
d'y aller, je me suis sentie très mal ! Et puis je me
suis secouée. J'ai été prisonnière des Khmers rouges, mise en esclavage… alors, faire des ménages !
Ensuite je suis entrée dans une école privée à
Orsay pour remplacer une assistante maternelle
et j'y suis restée vingt-trois ans. J'adorais ce métier,
j'adore les enfants, et j'étais tellement prise par
mon travail que je n'avais pas le temps de penser,
d'être triste. La nuit, dans ma chambre, je pleurais,
et je mettais la radio fort pour que mes enfants
n'entendent pas."

Il ne pleut plus. Nous sommes sorties de la voiture. Daniel doit nous attendre à l'appartement.

Marie l'a épousé en 1991. "J'allais voir ma fille Jannick, j'étais très chargée et M. Billard passait par là !" Commence la longue histoire d'amour de Daniel pour un irrésistible bout de femme, une petite boule de courage et d'énergie, et dans la foulée, pour son pays, le Cambodge. Sur la table de la salle à manger on étale des photos de toutes ces années : mariages, anniversaires, Noëls, vacances… Marie a maintenant sept petits-enfants. Au Cambodge, les vacances, bien sûr. Daniel, en short, fumant sa clope dehors, près du Building où ils habitaient. Daniel et Marie avec plein d'enfants khmers autour d'eux. Car, à partir de 1992, Marie a retrouvé des membres de sa famille et, à chaque voyage, elle remplit ses valises de médicaments, de vêtements, de jouets. "Et puis il faut bien les aider un peu financièrement." Pas évidente la question de l'argent, tous les Khmers de France rencontrés me le diront ; mais il faut comprendre, dit Daniel, à côté d'eux on est riches ! D'autres photos précieuses, uniques, "la prunelle de mes yeux", dit Marie. Celles de la petite Sophie dans le camp de Sakeo tenant au creux de son bras levé un ballon gonflable bleu ; une autre de Chamrong et Marie : elles ont le même sourire éclatant, les mêmes étincelles dans les yeux ; une autre, quelque temps après, de la petite fille abîmée par la maladie ; une du petit homme, Sarom, en 1979 également, avec un pantalon trop grand, celui de son père ; une photo de Marie en 1962, belle, cheveux courts, bouche pleine, regard sérieux ; et puis celle de la famille en 1973, avant le cataclysme : les parents et les quatre enfants – Sothea, le bébé qui disparaîtra, n'est pas encore né –, le papa tient Sophie dans ses bras ; et une autre photo de lui, jeune homme, en 1955. Toutes ces photos sont abîmées, elles étaient cachées sous la terre, comme les deux robes. De sa mère, qu'elle a perdue avant les Khmers rouges quand elle avait deux ou trois ans, Marie n'en a aucune. Elles sont restées à Phnom Penh dans la maison familiale au moment de l'exode. "Cela me manque tellement de ne pas pouvoir me souvenir de son visage…"

HONE

C'est au camp de Sakeo que Marie a connu Hone. Elle avait à peu près le même âge que Jannick, la fille aînée de Marie. Treize ou quatorze ans peut-être : Hone ne connaît pas son âge exact. C'est par Marie que j'ai connu Hone en 2006, au retour de mon premier voyage. Je l'ai rencontrée chez elle à Chinon. Son mari Nicolas était venu me chercher à la gare. Il a garé la voiture dans le jardin. Je suis descendue et j'ai vu, dans une maison sur pilotis miniature, quatre paires d'yeux malicieux qui me regardaient : Mathias, neuf ans, Maya, huit ans, Camille, sept ans, Anaïs, quatre ans. La maman, Hone, me regardait elle aussi, jolie comme un cœur, affectueuse comme une Cambodgienne peut l'être d'emblée. On s'est régalé de vin de Chinon, d'un plat khmer sucré-salé, je ne sais plus lequel mais Dieu que c'était bon, et de fromage de la région.

Je connaissais déjà l'histoire de Hone car elle m'avait envoyé une dizaine de feuilles dactylographiées. Peut-être qu'un jour elle la racontera elle-même dans un livre pour les adolescents, c'est son désir. L'histoire de cette petite fille qu'elle m'a fait lire commençait ainsi : "Mon enfance au Cambodge ressemble à une vie au paradis : imaginez-vous une île tropicale au large de Kompong Som (aujourd'hui Sihanoukville), une vie de famille paisible et simple au rythme de la mer. Je me rappelle encore des bons moments passés avec ma sœur Srey à attraper des crabes sur les plages de notre île, l'île de Kaoh Ta Khieu. Je l'admirais, ma sœur, quand elle glissait ses mains dans le trou du crabe et l'attrapait vigoureusement par la carapace, en évitant bien sûr de se faire pincer. Ce n'est pas moi qui l'aurais fait ! Nous vivions dans une maison sur pilotis directement les pieds dans la mer, je voyais des hippocampes, des poissons multicolores dans l'eau transparente tout près de la maison ! Pour me brosser les dents, je prenais du sable…"

Ce paradis va voler en éclats. Une première bombe, sans doute d'origine américaine, oblige la famille à quitter l'île pour s'installer à Authrey, un village de pêcheurs. Hone a sept ans. Le papa continue à faire son métier de menuisier de marine. Tous les matins, la petite Hone va lui chercher son café au lait dans un plastique transparent, elle aime le regarder travailler dans son atelier. Les choses se dégradent pourtant. Un oncle disparaît, la fillette voit sa grand-mère sangloter en priant Bouddha, d'autres hommes du village s'évanouissent du jour au lendemain. La famille, les parents et les six enfants, part pour Kompong Som. Avril 1975 : il faut quitter la ville. Ils se réfugient à Ream chez la grand-mère. C'est là que la fillette voit la mort de très près : une vieille tante "décédée la bouche ouverte, exposée au milieu de la pièce", une petite sœur, un tout bébé, qui ne survit pas à la malnutrition : "Mon père l'a emmaillotée dans une natte et, avec l'aide d'autres hommes, ils l'ont enterrée la nuit pour ne pas être remarqués des Khmers rouges." Hone, elle, a le paludisme et le ver solitaire, elle maigrit et perd ses cheveux. Sa maman l'emmène à l'hôpital : "Elle me nourrissait de mie de pain avec beaucoup de patience."

Sa maman qui elle aussi va mourir sans que l'enfant sache pourquoi. "Elle a reçu un coup de pilon dans l'estomac et une hémorragie interne s'est déclenchée, les Khmers rouges l'ont obligée à travailler, elle n'a pas été soignée." C'est sa tante qui a enfin expliqué cela à Hone quand elle est retournée pour la première fois au Cambodge avec Nicolas en 1996...

C'est sans doute après que le père a commencé à battre sa petite fille. "Il n'avait plus sa femme, c'était très dur pour lui, il attendait que j'aide plus mais j'étais trop petite et je pleurais tout le temps..." Du coup la séparation forcée ne fut pas difficile : Hone rejoint un camp khmer rouge d'enfants. "Tous les petits travailleurs sont habillés en noir avec un *krama* rouge et blanc : nos vêtements de *civilisés* étaient brûlés dès notre arrivée dans le camp. Le matin, réveil à cinq heures, tout le monde chante *L'Internationale* avant le départ pour les terrasses cultivées. Les enfants s'occupent entièrement des potagers qui produisent des tomates, des aubergines et des salades magnifiques." "Mais, écrit Hone, je me demandais où allaient tous ces légumes. Pas dans nos assiettes en tout cas." Hone mange en cachette des mygales, des serpents, des criquets grillés. "Je me rappelle encore la technique pour attirer la mygale en dehors de son petit trou : nous prenions un brin d'herbe pour la chatouiller et l'inciter à sortir et nous l'attrapions avec un bâton. Pendant ce temps les chefs du camp mangeaient à leur faim et nous faisaient saliver (…). Mon frère a été puni par les Khmers rouges : il était fatigué et n'arrivait plus à travailler, je me souviens de l'avoir défendu. Il a reçu des pierres et a dû s'asseoir sur des fourmis rouges."

Fin décembre 1978, le camp se vide sous les bombardements vietnamiens. Hone et ses frères et sœurs retrouvent leur père à Kompong Som. Il les attend près d'un bateau où se "blottissaient" plus de cinquante personnes. Elle se souvient d'avoir hurlé : "Papa, papa, vite monte dans le bateau !" "Le ciel était noir, de grosses vagues surgissaient de tous côtés. Les adultes disaient qu'il fallait quitter le pays." Cette évocation de Hone fait naître en moi une bande-son, toujours d'actualité, celle des clandestins, d'où émane une sourde et profonde angoisse : des bruits de ressac, des murmures, de rares cris, le vent qui claque.

Suit, dans le récit de Hone, un invraisemblable périple. Impossible d'aborder sur la côte thaïlandaise : le bateau est laissé sur la berge. Le groupe continue à pied à travers la forêt. "On dort dans des hamacs pour éviter les morsures de scorpions ou de cobras. Je me rappelle être passée par des villages abandonnés en pleine montagne. (…) Des buffles morts nous ont permis de manger de la viande et de reprendre des forces. On portait le riz dans des boudins de tissu passés autour du cou." Le père guide le groupe d'une centaine de personnes en répétant que le soleil se couche du côté de la Thaïlande. Près de la frontière, il leur fait traverser un bras de mer sur un tronc d'arbre. Beaucoup de gens se noient dans le courant. "Quand mon tour est venu, j'ai battu des pieds de toutes mes forces pour traverser rapidement avant que le tronc d'arbre ne pivote et ne risque de nous faire couler. Une fois arrivée sur l'autre berge, ma sœur m'a agrippée fermement et m'a sortie de l'eau : «Ouf ! Nous venons de marcher sept semaines, nous sommes à bout de forces, affamés.»"

La frontière est là. Après avoir contourné des trous énormes plantés de piques, les réfugiés se retrouvent sur une plage thaïlandaise. "Nous étions des milliers. Nous avons passé la nuit sur la plage après avoir ramassé de beaux coquillages avec d'autres enfants. (…) Mais les militaires thaïs sont catégoriques : il faut repartir au Cambodge, Pol Pot le veut !" Les réfugiés sont ramenés à la frontière en camion. Le groupe se disperse, Hone se retrouve avec son père et ses frères et sœurs. L'errance reprend. "Se taire toute la journée pour ne pas être repéré, passer la nuit en pleine jungle, boire de l'eau boueuse, manger des cacahuètes crues dans des champs, traverser des rivières sur un câble… Pendant toute mon enfance, ma tante m'avait raconté plein d'histoires de fantômes et d'esprits habitant la forêt… Aujourd'hui encore, en France, j'ai peur de partir me promener seule dans les bois."

Le père et ses enfants ne savent pas où ils vont. Finalement ils squattent une maison abandonnée dans un village au sud de Battambang. Lutte quotidienne, petits et fulgurants bonheurs. Ainsi, un soir de pleine lune quand, pour la première fois, Hone voit des gens danser autour d'un feu et sa sœur trouver, croit-elle, un amoureux ! Mais presque chaque nuit, vers deux ou trois heures du matin, les avions vietnamiens bombardent et la famille se terre dans une tranchée creusée par le père : "On entendait des enfants hurler dans la nuit, c'était horrible." Quand les soldats débarquent, la petite Hone se sent rassurée : deux d'entre eux viennent lui parler, lui apprennent à écrire quelques mots de vietnamien : "J'ai senti une grande libération quand ils sont arrivés."

C'est à cette période que Hone va quitter sa famille. Son père la bat toujours sévèrement "avec des tiges de bois qui font très mal", elle et sa sœur aînée, quand elles reviennent bredouilles de leur quête de nourriture. Un jour, justement, Hone part chercher à manger. Elle n'est jamais revenue. "J'avais un petit sac vert, je m'en souviens bien, et un joli corsage tout blanc." Ce n'est pas une fugue préméditée que celle de cette petite de dix ou onze ans, seule sur les routes : "Il m'a tellement battue, j'en avais marre... *(elle rit).*" Elle n'avait pas peur et, me dira-t-elle, elle n'a fait aucune mauvaise rencontre.

Elle trouve refuge chez un couple dont la femme est elle aussi violente. Comme dans les contes les plus cruels, Hone s'enfuit à nouveau sous le prétexte de ramasser du bois. "J'ai été voir un couple que je connaissais un peu – j'avais un jour troqué des fruits contre du riz –, je savais qu'ils voulaient rejoindre la Thaïlande." A la frontière thaïe, dans un hôpital de fortune, elle rencontre une jeune femme enceinte, avec une petite fille de trois ans. Hone s'occupe de l'enfant et, se faisant passer pour la sœur de la jeune femme, elles rejoignent ensemble en camion le camp de Sakeo. "Là, j'ai connu Jannick, la fille de Marie, on est devenues copines, on avait le même âge et je n'en pouvais plus des pleurs incessants de la petite fille ! On a visité le camp ensemble : des tentes, des hamacs entre les arbres." Elle va aussi souvent se faire soigner et rendre de petits services au service de pédiatrie de l'hôpital de MSF où Vincent Fauveau, avec sa femme Claire, l'avait accueillie – un hôpital en bambou construit en huit jours au tout début de l'installation du camp. Il lui avait présenté la femme d'un de ses neveux, Christine Chenevez, venue de France pour participer à l'action humanitaire et qui deviendra sa mère adoptive. "Je me souviens qu'elle nous faisait dessiner : la plupart des enfants faisaient des scènes de guerre et moi des fleurs. Je me souviens aussi que je coupais les ongles des autres enfants. Jannick était alors repartie en France.

"Un jour cela a été mon tour. Un car nous a emmenés à Bangkok, on nous a fait mettre un jean avec des chaussettes et des chaussures, ça faisait mal aux pieds. On a passé une nuit dans un appartement qui sentait très mauvais et le lendemain on a pris l'avion. En France c'était l'hiver. Je n'avais jamais vu un soleil aussi gris de ma vie ! J'ai été hospitalisée à Trousseau : j'avais des champignons dans la tête qu'il fallait enlever coûte que coûte. On s'était tellement moqué de moi au Cambodge : on m'appelait la chauve. C'est là, à Trousseau, que j'ai eu mes premières règles, j'ai vu la blouse blanche avec une tache rouge dans une glace… Personne ne m'avait expliqué. J'étais très perturbée. C'est aussi pour cela que j'ai envie d'écrire un livre pour les ados. J'avais une chambre immense, des mamans venaient me voir, elles m'ont offert une poupée toute blonde que j'ai appelée Caroline, je l'ai encore. Tout cela était très précieux. Le plus dur a été l'adaptation à la France. Mes parents adoptifs m'aimaient beaucoup mais il fallait travailler à l'école, apprendre la musique, avoir des activités. Tout le temps courir. Cela me stressait beaucoup. Quand je voyais les sinistres sapins dans les montagnes près d'Annecy, je rêvais de cocotiers, de chaleur, de la joie de vivre du Cambodge…"

Hone me raconte cette arrivée à Paris qu'elle n'a pas encore écrite. Il fait beau ce jour-là à Chinon. Nous avons déjeuné dans le jardin. Elle est sur un banc, une jambe repliée sous elle comme j'ai vu beaucoup de Cambodgiennes le faire, les pans de son sarong bien ramenés ; ses petits courent dans le jardin : beaux, gais, libres, ils mettent des oreilles de lapin derrière la tête de leur mère, ramassent des pommes de terre au fond du terrain, et Maya, chaussée de hauts talons de Hone, un vieux sac à main en bandoulière, déclare qu'elle part en voyage. Où ça ? Au Cambodge ! Mathias arrive, très fier : "Maman, j'ai une nouvelle, il y a une sangsue dans le bassin…"

Hone me fait aussi partager son retour au Cambodge, le premier en 1996 où elle retrouve sa grande sœur. Le second dix ans plus tard, en 2006, celui où elle a revu son père. Vingt-huit ans après l'avoir quitté vêtue de son petit corsage blanc. En 1996, c'était encore dangereux d'aller en province et, de toute façon, elle ne se sentait pas prête. "En 2006 j'avais appris qu'il habitait près de la frontière vietnamienne, à Kompong Trach. Nous sommes arrivés en *moto-dop*, sans adresse, avec un couple ami français, Marie-Claude et Georges. Il faisait nuit. On nous entoure, on nous pose des questions. Il y avait un monsieur âgé, ébéniste – le métier de mon père. Je lui demande : «Vous connaissez un Khreng ?» Un jeune arrive : «Moi je le connais !» (J'imagine la scène, la nuit très noire, quelques loupiotes, la lourde chaleur, les pétarades de motos, les odeurs de cuisine, les enfants à moitié nus qui se poursuivent, la discussion qui s'installe.) "Surtout ne bougez pas, a dit le vieux monsieur, le jeune va aller chercher ce monsieur Khreng…» Vingt minutes plus tard j'ai vu mon père arriver, je n'ai pas eu besoin de poser des questions pour savoir si c'était bien lui, je suis dans ses bras, je pleure. Lui aussi il pleure, il ne me garde pas très longtemps contre lui, il est comme ça, pudique, et il dit : «Ma fille est partie depuis longtemps, je la cherchais partout, dans tout le Cambodge…»

"Il a organisé une fête pendant trois jours. Je me sentais comme «l'enfant prodigue» ! Il y a eu une bénédiction par les bonzes. Il a fait venir

quatre militaires pour «la protection des Français» :
dix mille riels. La cérémonie, la nourriture, tout ça
lui a coûté pas mal d'argent – et il n'en a pas
beaucoup. J'entendais des bonzes qui disaient :
«Priez pour le Coca-Cola !» quand on leur en offrait. *(Elle rit de bon cœur.)*" Hone m'a montré le
film de ces journées. Il y a un très beau moment
où le père et la fille, se tenant par la main, mar-
chent ensemble sur une petite route. Hone a une
fleur rouge d'hibiscus dans les cheveux. Elle m'a
dit "avoir eu l'audace" de parler à son père de
son ancienne violence. Et ajoute : "Le mot «pardon» n'existe pas au Cambodge. Mais moi je trouve
intéressant de le connaître.

"Après ces retrouvailles très fortes, il y a eu des
moments moins faciles où j'avais même envie de
partir, reconnaît-elle pourtant, faisant une place
sur ses genoux au chat Lychee. En fait j'étais par-
tagée. D'un côté j'étais tellement bien avec tout le
monde, je retrouvais un naturel dans la façon de
se toucher, de s'occuper les uns des autres – par
exemple mon cousin qui venait tous les soirs
brancher mon ventilateur, mes sœurs qui ne me
lâchaient pas la main ! Cela m'a bouleversée, j'ai
senti que c'était ma famille, j'ai renoué avec
quelque chose de très profond en moi. Marie me
cajole ainsi quand je vais chez elle à Palaiseau.
Elle me coiffe, me met des barrettes ! Cela me
rappelle ma maman cambodgienne quand elle
me cherchait des poux…

"J'étais bien donc, mais d'un autre côté beaucoup de choses là-bas me choquaient. Par exemple, leur réaction par rapport à l'argent. Ils se
disputaient celui que j'avais distribué. La femme
de mon père me disait : «Donne-m'en ! je voudrais
jouer aux cartes !» Ou bien les histoires de couleur :
il se trouve que moi j'ai la peau plus claire que

ma sœur, comme si je sortais d'une noix de coco, c'est ce qu'on dit ! Je ressemble à ma mère qui était d'origine chinoise et tout le monde estime que c'est mieux, que je suis plus belle... Cela me pesait un peu : j'ai la chance d'avoir cette culture française où on ne s'attarde pas trop à ce genre de choses. Ce qui m'a dérangée aussi, ce sont certaines conditions d'hygiène : la façon dont ma sœur est installée pour vendre son riz bouilli dehors, au lieu d'aménager son étal, par exemple avec des bambous, j'avais envie de lui apprendre... J'ai envie de leur apprendre plein de choses. Quand je suis descendue dans le Sud voir cette grande sœur, je voyais la terre où tout pousse et la pauvreté pourtant. Je voudrais tant les aider, les faire évoluer, et en même temps ma vie est ici en France..."

Hone est repartie, ce mois de janvier 2008 où je rédige ces lignes, voir sa famille au Cambodge avec son mari et ses quatre enfants. Les échos et les photos par mail éclaboussent de vie et de couleurs mon ordinateur.

13

LE PROCÈS DU MAL-MYSTÈRE

> *Avant, on n'avait peur de rien. On faisait*
> *la fête dans la rue, la nuit. Maintenant,*
> *dès que le soir tombe, j'ai peur pour mes*
> *enfants.*
>
> Une patiente du service psychiatrique
> du Dr Ka Sun Baunat à Phnom Penh.

> *Ce procès peut laisser des traces en termes*
> *de droit humanitaire international, car il*
> *concerne la planète entière.*
>
> MARCEL LEMONDE, cojuge d'instruction
> au Tribunal spécial Khmers rouges.

Je suis à Phnom Penh avec Hisham, à l'ombre d'un
bouquet de palmes, au bord d'une piscine, un
thé devant moi. "Je suis épuisée, Hisham !" (c'est
le temps de la bronchite et de Naga Clinic…) – le
premier contact est si chaleureux que je n'ai pas
hésité à le lui dire tel quel en le rencontrant
3, rue 158 dans les locaux réfrigérés (eux !)
d'Adhoc, l'Association pour les droits de l'homme
et le développement au Cambodge*. "Pour parler,

---

* L'autre association pour les droits de l'homme est la Licadho, Ligue cambodgienne pour la défense des droits de
l'homme, fondée et présidée par le Dr Kek Galabru qui se
bat farouchement pour améliorer la condition des femmes
cambodgiennes (www.licadho.org).

trouvons un lieu paisible, neutre, sans clim, sans bruit." "J'allais justement vous proposer, me dit-il avec un large sourire, la piscine de l'hôtel *Le Billabong*, juste à côté." Parfait ! Je vais l'écouter pendant près de deux heures, ce jeune Hisham Mousar, porte-parole d'Adhoc, bourré de charme, qui décortique pour moi, avec passion et précision, les arcanes et les enjeux du procès des Khmers rouges. Procès qui, à l'heure où j'écris ces lignes, premier trimestre 2008, devrait s'ouvrir avec la comparution devant le Tribunal spécial Khmers rouges (TKR) du groupe des cinq dirigeants du Kampuchea démocratique.

Mais qui est mon interlocuteur ? En mars 1975, quelques semaines avant l'arrivée au pouvoir des Khmers rouges, les futurs parents d'Hisham, pour échapper au diktat d'une aïeule qui ne veut pas d'une bru trop intellectuelle, partent se marier en Malaisie. Ils ne reviendront pas au Cambodge et pour cause, Pol Pot a vidé Phnom Penh. Hisham naît près de Kuala Lumpur en février 1976 et arrive à Paris la même année. Les onze frères et sœurs et tous les neveux et nièces de sa mère seront tués, un seul en réchappera. "J'avais dix-neuf ans quand ma mère m'a dit : «Il faut que je t'emmène au Cambodge.» C'était en 1995. Je suis venu contre mon gré. Mais quand, par le hublot de l'avion, j'ai vu la terre khmère, les palmiers à sucre, le paysage chaotique des rizières et, après, quand j'ai posé le pied sur le tarmac du petit aéroport de Phnom Penh, j'ai ressenti une énorme émotion. Je me suis pris de passion. Je suis revenu tous les ans. Je me suis marié à une Cambodgienne. A cause du Cambodge, j'ai laissé tomber le commerce international pour des études de droit. Et je suis ensuite entré aux Langues O pour étudier son histoire, sa culture et celles de l'Asie du Sud-Est. Je suis parti six mois pour prendre des cours de khmer sur le terrain. J'avais vingt ans. J'étais très politisé. J'avais rejoint l'Union des démocrates khmers. Avec d'autres jeunes Khmers de France, on avait monté un réseau, créé un site web*, un journal, *L'Ecrit d'Angkor***. En 2005 nous avons organisé une marche commémorative du 17 avril 1975. Huit cents personnes sont venues. C'est seulement là que je me suis rendu compte à quel point le sujet Khmers rouges était important, à quel point cela pesait dans l'avenir de ce pays, de mon pays."

A l'époque, Hisham commençait une thèse de doctorat à la Sorbonne sur le thème "Indépendance du pouvoir judiciaire et droit international". La FIDH (Fédération internationale des ligues des droits de l'homme) avait besoin d'un juriste international, le Cambodge venait en effet de ratifier le statut de la Cour pénale internationale mais n'avait pas pris les mesures pour adapter son droit aux nouvelles obligations. Le rapport demandé à Hisham était destiné à localiser là où on devait légiférer. Son bureau se trouvait dans les locaux d'Adhoc, membre de la FIDH. Le rapport pour la FIDH se termine avec moult félicitations et une proposition de travail pour le TKR. Mais, entre-temps, Hisham "est tombé amoureux" de Thun Saray, le boss d'Adhoc, "l'un des *wise men*, des sages, ici, au Cambodge, qui pourrait être nobélisable s'il soignait ses relations publiques…". Il choisit de travailler pour Thun Saray, pour Adhoc. "Je commençais à avoir la ferme certitude que le vrai service public au Cambodge, ce sont les ONG

---

* www.lesjeuneskhmers.com.
** *L'Ecrit d'Angkor*, site lecritdangkor.free.fr. Un excellent magazine.

qui l'assurent : les enjeux de la circulation routière, la lutte contre la drogue, contre les violences conjugales, les expropriations… Au Cambodge, c'est dans la société civile que réside l'essentiel de ce qui justifie l'Etat. C'est drôle de réaliser cela, moi qui étais en France un très fervent défenseur du pouvoir public."

Avec Nary Ung, une "femme extraordinaire", il monte pour Adhoc un projet relatif au procès des Khmers rouges auquel la Commission européenne accorde une subvention de 1,6 million de dollars. Le procès, venons-y. Une longue histoire pleine de bruit et de fureur, d'espoirs et de peurs, de décisions et de volte-face, une histoire dont on pouvait vraiment craindre – ou rêver pour d'aucuns – qu'elle ne finisse jamais. Résumé. Après les accords de Paris en 1991, se déroulent en mai 1993 les premières élections. Le parti royaliste de Sihanouk, le Funcipec*, sort vainqueur devant le PCC, le Parti du peuple cambodgien. Sihanouk nomme deux Premiers ministres, son fils Ranariddh et Hun Sen, ex-Khmer rouge, qui se réfugia au Viêtnam pour échapper aux purges. Une alliance improbable, à la khmère (qui durera jusqu'au coup d'Etat de 1997 : Ranariddh est alors évincé, Hun Sen prend toute la place et l'a gardée depuis…). Le gouvernement à deux têtes présente en 1993 une demande formelle aux Nations unies afin de mettre en place un tribunal international pour juger les Khmers rouges. Les raisons de cette initiative ? L'attente d'un coup de main pour obtenir la reddition définitive des ultimes partisans de Pol Pot, l'espoir aussi, pour Ranariddh, de déstabiliser Hun Sen, et pour celui-ci de se débarrasser de l'étiquette khmère rouge.

* Funcipec, Front uni national pour un Cambodge indépendant, neutre, pacifique et coopératif.

"Il y avait par ailleurs, ajoute Hisham, une pression relative de la population. Quand Adhoc a lancé en 1998 une pétition pour le procès, 85 000 signatures ont été réunies en deux jours." Les négociations entre l'ONU et le gouvernement vont durer dix ans... Hun Sen ne voulait pas d'un tribunal international, façon Rwanda, avec une participation nationale très faible ; quand il devient, après le coup d'Etat de 1997, seul maître du jeu, il a bien l'intention de contrôler le tribunal. Agitations, tergiversations, rupture des pourparlers en 2002. En 2003, pourtant, un accord est trouvé. Accord sur le papier. Le procès annoncé, repoussé, controversé, le procès joue les Arlésiennes. Beaucoup n'y croient plus.

Le 20 juin 2007, peu de temps avant mon second séjour au Cambodge, je suis invitée à Paris à une conférence donnée par Amnesty International sur le Tribunal spécial Khmers rouges. Heureux hasard, le matin même de la conférence est tombée l'annonce de l'adoption du règlement intérieur des Chambres extraordinaires, ultime pierre d'achoppement du processus : depuis des semaines on butait sur les frais d'inscription – 4 900 dollars – des avocats étrangers* ! A la tribune, maître Beaudoin, président d'honneur de la FIDH, se félicite : "Il s'agit d'une nouvelle génération de tribunaux internationaux, une juridiction panachée, avec des magistrats du pays et des magistrats internationaux**, une juridiction qu'on attend depuis bientôt dix ans." il relève une avancée majeure : les victimes pourront porter

* Les droits d'inscription des avocats étrangers seront finalement de 490 dollars.
** Le TKR comprend dix-sept magistrats cambodgiens et treize étrangers.

plainte*. "Entre droit cambodgien, d'inspiration française, et droit humanitaire international", résumera dans la presse le Français Marcel Lemonde, cojuge d'instruction au TKR, ce tribunal hybride pourrait faire jurisprudence. Il représente une étape importante dans l'évolution de la justice internationale.

On est passé à deux doigts de la catastrophe, soupirera ce jour-là Jean Reynaud, du Collectif des victimes des Khmers rouges. Et Rithy Panh s'exclamera : "On n'y croyait plus et voilà, c'est fait ! Le procès va avoir lieu. Pour moi et pour beaucoup de Cambodgiens, il a une portée qui va bien au-delà du judiciaire. C'est écrit nulle part qu'il y a eu un crime contre l'humanité, un génocide. Ni dans les accords de Paris ni ailleurs. C'est insupportable pour les survivants. Ce tribunal, c'est le début d'un Etat de droit. Sans ce procès, on ne peut pas tourner la page."

Tout cela me paraît frappé au coin du bon sens. Je suis une Occidentale, j'ai été élevée au lait freudien, je suis intimement persuadée que la parole (et l'écriture), comme on dit, libère. Les Khmers rouges ne sont plus là et pourtant, depuis que je voyage au Cambodge, je les sens présents. Je suis persuadée que les Cambodgiens doivent se confronter à leurs démons pour les exorciser. Oui ! mais… je suis dans un pays asiatique, donc secret ; bouddhiste, donc étranger à l'idée de pardon. Oui ! mais… je suis dans un pays très pauvre, avec une espérance de vie de cinquante-six ans, une lutte permanente pour assurer le quotidien – et comme me disait Phourinhean,

* Pas de plaintes individuelles, Adhoc va collecter les plaintes. La Cour pénale internationale a reconnu l'utilité de la participation des victimes : au Cambodge, on va expérimenter ce principe en s'appuyant sur le droit français.

jeune Cambodgien de France qui a quitté son pays à l'âge de douze ans : "Quand on n'a pas de problèmes de vie quotidienne, on peut réfléchir à autre chose, c'est du luxe !" François Ponchaud abonde dans ce sens : "Ce procès n'intéresse que l'élite intellectuelle de Phnom Penh et surtout les Occidentaux. Dans les campagnes, ce qu'on veut c'est manger et survivre. Sans compter que 60 % des Cambodgiens n'ont pas vécu sous les Khmers rouges !" De l'argent dépensé pour rien, des sommes qui seraient si utiles ailleurs, renchérissent d'autres, à commencer par Sihanouk.

Partout où je vais, dès que je peux, je pose la question : Que pensez-vous du procès ? Et les réponses ne sont pas unanimes*. Il y a de la peur, de la fatigue, du doute, de la frustration. Qu'est-ce que ce procès, trente ans après, qui va juger une poignée de vieillards ? Quel jeu joue le gouvernement dont on sait bien qu'il nourrit d'anciens Khmers rouges – le Premier ministre Hun Sen, le président du Sénat, Chea Sim, et celui de l'Assemblée, Heng Samrin... Et *quid* des Etats étrangers qui ont entraîné le royaume khmer dans la guerre, puis laissé faire ? Et les Etats-Unis qui ont versé 539 000 tonnes de bombes sur le Cambodge, plus que sur l'Allemagne nazie ! grogne François Ponchaud.

Enfin les opposants au procès convoquent le bouddhisme : la rétribution des bonnes ou des mauvaises actions se fera de toute façon, on n'est pas dans un temps linéaire mais dans un temps cyclique, votre karma vous rattrapera dans cette vie ou dans une autre. Un Cambodgien réinstallé

* Selon une enquête de l'Institut républicain international, 69 % des Cambodgiens soutiennent la tenue du procès (ka-set.info).

au pays, devenu guide touristique et fervent bouddhiste, me disait ainsi : "J'ai un voisin, je sais que c'est un ancien Khmer rouge, depuis que je pratique la compassion, la non-violence et la tolérance, je me sens bien et sa fille est la personne que je préfère dans le quartier. Le procès je m'en moque, il ne me concerne plus…"

"Mais quoi ! argumente Hisham, a-t-on vraiment le choix ? C'est vrai que ce tribunal hybride est une formule complexe, peu lisible, avec des juges internationaux minoritaires, mais néanmoins (et c'est essentiel) l'obligation d'une majorité qualifiée comprenant le vote conforme d'au moins l'un d'eux pour les prises de décision. C'est vrai qu'il y a cette restriction temporelle : ne peuvent être jugés que les faits qui se sont produits entre le 17 avril 1975 et le 7 janvier 1979. *Exit* donc toute mise en accusation des responsables après et avant ces dates, tant du Cambodge que des autres pays – les Etats-Unis, la Chine, l'Union soviétique, le Viêtnam, la France… Exclue également la possibilité de traduire en justice, dans la période retenue, ces Etats en tant que tels." ("Cela ne signifie pas, bémolise Marcel Lemonde, que la question ne sera pas posée (…) par exemple on pourra évoquer le rôle des bombardements américains, celui de la Chine dans le soutien aux Khmers rouges, le fait que longtemps le représentant du Cambodge à l'ONU a été un Khmer rouge…")

"Ne peuvent être jugés, reprend Hisham, que les preneurs de décision, les responsables, et ceux qui ont commis des actes à grande échelle. La vérité est qu'il serait très dangereux de pouvoir porter plainte contre tous les anciens petits Khmers rouges, chefs de district, de village, miliciens, qui aujourd'hui travaillent dans la police, les ministères, les services municipaux, sont commerçants ou moto-taxis." Si on les juge, on remet la machine de guerre en route, prévient François Ponchaud. Et Hisham d'approuver : "Adhoc soutient donc l'idée et la mise en œuvre de ce procès, soutient qu'il faut vouloir à la fois la justice et la paix – la paix est une des rares valeurs qui réunissent tous les Cambodgiens. Mais nous gardons l'œil grand ouvert sur les dérives possibles. Si le tribunal échoue, c'est qu'il n'aura pas respecté les standards internationaux." Et, me dira le boss d'Hisham, Thun Saray, il nous faut accepter cette justice relative. Notre justice internationale n'est pas parfaite mais l'humanité fait beaucoup d'efforts pour s'en approcher...

La bande de mon magnéto est pleine : j'ai oublié d'en reprendre une autre. Je me maudirais bien si je n'étais à Phnom Penh : la chaleur s'installe suavement mais fermement en moi, une jeune fille froisse le tissu de la piscine d'une longue brasse coulée... Hisham me laisse souffler et attraper mon bic. "L'important, poursuit-il, est que, réussite ou échec, ce procès amène journalistes, autorités, Etats, bref la communauté internationale, au Cambodge. Leur présence rassure les habitants qui pourront enfin parler – depuis toujours ils ont peur de le faire." Comment auraient-ils oublié cette époque où tout le monde pouvait accuser tout le monde, où la règle était de s'épier les uns les autres et le silence la condition de la survie ? Pourtant, dès qu'ils sont en confiance, les Cambodgiens parlent. Cham, un Franco-Khmer parti retrouver quelques jours sa mère (dont il a été séparé dix-sept ans) dans un village, me disait : "Ils vivent avec cette mémoire, dès qu'on discute les mots «sous Pol Pot» surgissent spontanément." Les mots seraient donc là, à fleur de peau – je ne peux m'empêcher de penser que cela resurgit de la même façon que les lambeaux de vêtements de la terre du charnier de Choeung Ek.

Faut-il s'en étonner ? Les Cambodgiens, parce que bouddhistes, parce que d'une culture qui fait passer d'abord la "face", l'apparence, seraient différents de nous ? Ne serait-ce pas un ressort proprement humain que de vouloir mettre des mots sur ses maux, de tenter de donner du sens à un magma de souffrance, à quelque chose d'apparemment innommable (mais justement si ! il faut le nommer) qui vous a disloqué, détruit ? Mèt Man habitait sur l'île de la Soie, à quelques kilomètres de Phnom Penh. Il a dû quitter l'île de son enfance sans rien, vêtu d'un pantalon et d'un *krama*, direction Pursat. De son groupe de cinquante, ils seront quatre à rentrer. Mèt Man décide qu'il fera silence sur cette période. Pourquoi raconter ? Même ses enfants ne le croiront jamais… Oui, il dit ça, Beaucoup disent ça. Mais ils ont des migraines ou des accès de violence ou des insomnies.

Le psychiatre Ka Sun Baunat est le premier à s'être intéressé à la santé mentale des Cambodgiens après le traumatisme khmer rouge. En 1994, à son initiative, une formation pour dix psychiatres a été lancée. Goutte d'eau alors que 60 % des survivants vivraient avec des séquelles psychologiques. Dans le livre *S21, ou le Crime impuni des Khmers rouges*, qui accompagne le film, le médecin explique : "Le traumatisme vient d'avoir eu une peur extrême. (…) chacun vivait la peur au ventre d'être dénoncé. Cette inquiétude était omniprésente. Elle nous a brisés (…). Aujourd'hui encore on a peur. On ne fait plus confiance (…)." La femme d'un patient du service psychiatrique de l'hôpital Preah Sihanouk à Phnom Penh*, supervisé par le Dr Ka Sun Baunat, se désespère et se rebelle : "Même d'un petit enfant on avait peur. (…) Ils ont cassé notre conscience pour qu'on ne se relève pas. Depuis on a peur de faire selon notre propre volonté. On n'ose plus prendre d'initiative. Mais maintenant on doit oser parler !"

Oser dire, l'interdit, le non-pensable. Car aussi comment croire que des Cambodgiens aient pu tuer d'autres Cambodgiens ? Tous les Cambodgiens sont des criminels, entend-on parfois et on parle d'autogénocide. "Mais non ! s'emporte Hisham (et avec lui Rithy Panh que cette idée d'autogénocide fait bondir), les victimes vivantes ont besoin d'être reconnues en tant que victimes, sinon elles sont tourmentées." Et les morts aussi sont tourmentés, vous diront la plupart des Cambodgiens. Sans qu'ils aient été libérés, pacifiés par les rites funéraires – mais sans doute aussi sans avoir été nommés, comme ont été nommées les victimes du nazisme dans le mémorial de la Shoah –, leurs âmes ne trouvent pas le repos et viennent hanter leur famille et tout le monde des vivants. Rithy Panh l'a montré de façon saisissante dans son film *La Terre des âmes errantes***.

---

* Comment soigner ce traumatisme ? Les médicaments, l'expression des angoisses, mais aussi des cérémonies : "Les prières, les mantras récités par les bonzes en qui on a confiance, le rythme, la qualité des voix qui deviennent métalliques, tout cela réveille, fait bouger, sort les gens de l'état de dépression", explique Ka Sun Baunat à Laure de Vulpian – *Cambodge, le pays des tigres disparus*, émission déjà citée. Nous sommes dans une autre culture et les soins ont intérêt à emprunter au bouddhisme, sous peine de "verser de l'eau sur la tête d'un canard", dit un autre psy.
** Voir aussi l'article de D. Cuypers, "Cambodge", dans le *Dictionnaire de la mort*, Laffont, 2009.

"On en a marre de relativiser, conclut Hisham avec fougue, marre d'être dans une zone grise, on a besoin de références. Le procès dira qu'il y a des victimes et des bourreaux et qu'il ne faut pas les confondre. Et ce sera comme un grand bol d'air frais."

Le procès, début du travail de mémoire collective ? On me l'avait dit, je ne le croyais pas vraiment, Alain Daniel me l'a confirmé : l'histoire n'est pas enseignée aux enfants ! Le régime qui s'est installé avec les Vietnamiens a décidé de la retirer des programmes. Trop compliqué. Trop d'enjeux. A l'époque, les Soviétiques ont proposé une version… soviétique qui n'a pas été acceptée. Récemment le DC-Cam (Centre américain de documentation du Cambodge) en a rédigé une autre qui a été rejetée en avril 2007 par une commission gouvernementale*. Alors, le procès, d'abord et surtout pédagogique ? "On ne peut réduire l'avenir d'un pays aux problèmes économiques, l'avenir se joue aussi dans sa mémoire collective et sa capacité à la faire évoluer. Il faut espérer en la dimension pédagogique du procès et en sa capacité à susciter un débat public", déclare Jacques Sémelin, directeur de recherches au CERI (*Purifier et détruire, usages politiques des massacres et génocides*, Seuil, 2005).

Cet aspect fait partie du programme d'Adhoc qui assure le *monitoring* du procès. Au centre, le concept d'*outreach* qui consiste à sensibiliser les gens pour qu'ils aient des "attentes raisonnables". Car il ne suffit pas que la justice soit rendue, il

* Ce travail – deux ans – devrait servir de base à une version destinée à être intégrée dans les programmes scolaires. Sans doute, sans doute. Mais que tout cela est long ! Site du DC-Cam sur le procès : cambodiatribunal.org.

faut qu'on ait "l'impression que la justice a été rendue". Adhoc a commencé à se déplacer dans les 178 districts pour expliquer, écouter, répondre aux questions. En six semaines, l'association a rencontré 2 700 personnes. Au total, en trois ans, période prévue pour le procès, plus de 100 000 seront touchées. Au centre Bophana, Rithy Panh a la même démarche : enregistrer le peintre et survivant Vann Nath, distribuer des informations simples dans les lycées, filmer dans les provinces les sessions d'Adhoc…

Dernier argument invoqué par mon interlocuteur en faveur du procès, et pas le moindre : briser l'impunité et ce faisant provoquer un effet dissuasif. Non, on ne peut pas faire n'importe quoi dans ce pays. Oui, la justice peut exister au Cambodge et on en a besoin pour rebâtir un pays. Malay Phcar, auteur d'*Une enfance en enfer*, le dit ainsi : "L'impunité est néfaste pour l'avenir de notre pays, elle empêche la réconciliation de notre peuple. Trente ans après le génocide, nous ne sommes toujours pas en paix. (…) Montrons aux voisins que nous sommes forts, que nous pouvons juger nos bourreaux. N'ayons pas peur de juger nos démons."

L'impunité, elle fut si flagrante et si longtemps. Il y a ceux – parmi les leaders – qu'on ne verra pas sur les bancs du TKR*. Pol Pot, mort d'un arrêt du cœur le 15 avril 1998, dans son lit (si j'en crois Philip Short dans *Pol Pot*, déjà cité). Thiounn Thioeunn, ex-ministre de la Santé, décédé en juin 2006, pas personnellement impliqué dans la politique de

* Pol Pot et Ieng Sary ont été condamnés à mort par contumace en août 1979 par la justice cambodgienne dans un pays occupé par les Vietnamiens – tout le monde ou presque l'a oublié.

destruction de la population, mais resté fidèle à Pol Pot jusqu'au bout – une cérémonie bouddhiste a eu lieu à Phnom Penh lors de sa crémation. Ta Mok, quatre-vingts ans, chef militaire khmer rouge, dit le Boucher, tenu pour l'un des principaux responsables de la mort de près de deux millions de personnes, qui avait été capturé et emprisonné en mars 1999, décédé en juillet 2006.

Devront répondre de leurs actes les cinq* qui ont lâché Pol Pot et rallié le gouvernement en 1998, et qui, jusqu'à peu, coulaient des jours tranquilles. Exception faite pour Douch, soixante-quatre ans, incarcéré à la prison militaire de Phnom Penh depuis 1999 (voir le chapitre "Le cauchemar khmer rouge"). Restent Khieu Samphan, Nuon Chea, Ieng Sary et sa femme Ieng Thirith. L'ex-ministre des Affaires étrangères, Ieng Sary, soixante-dix-huit ans, beau-frère de Pol Pot, et son épouse, ex-ministre des Affaires sociales, ont été arrêtés dans leur villa cossue de Phnom Penh en novembre 2007. Nuon Chea, quatre-vingt-deux ans, ex-secrétaire général du parti, ex-"frère n° 2", considéré comme l'idéologue du régime et l'instigateur des purges, arrêté en septembre 2007 à Pailin, ultime fief khmer rouge – 15 000 d'entre eux y vivaient. Nuon Chea, qui s'était déclaré en 1998 (lors de son ralliement au gouvernement royal) "désolé non seulement pour la vie des gens mais aussi celle des animaux**". Khieu Samphan, soixante-seize

* A l'heure où j'écris ces lignes et avant d'autres éventuelles inculpations.
** F. Ponchaud me signale que lorsque Nuon Chea – "un tueur pour lequel je n'ai aucune sympathie", précise-t-il – parle des "hommes et des animaux", c'est une formule bouddhique polie et relevée pour parler de "tous les êtres animés".

ans, ex-chef d'Etat du Kampuchea démocratique qui a succédé à Sihanouk en 1976, arrêté en septembre 2007, lui aussi à Pailin.

Parenthèse sur Khieu Samphan, personnage ahurissant. J'avais son téléphone, j'aurais sans doute pu le rencontrer : il ne demande que ça, parler à la presse, préparant sa défense depuis des années déjà, et ces derniers temps plus encore. Pas envie. J'en sais assez après l'avoir vu dans le film de Barbet Schroeder, *L'Avocat de la terreur*, avec Jacques Vergès, qui le défendra au procès – ils se sont connus en France dans les années 1950 ; j'en sais assez après l'avoir écouté dans la fascinante interview radio de Laure de Vulpian. La faculté de déni de Khieu Samphan, son aplomb vous laissent sans voix. Extraits : "Je ne sortais jamais (…). Je ne savais pas ce qui se passait dans ce pays." A la journaliste qui lui dit : "Pol Pot c'est un ogre, il dévore ses enfants", Khieu Samphan répond : "C'est exagéré, il était acculé", ou encore : "Lutter contre Pol Pot, c'était se placer du côté du Viêtnam."

C'est là son argument essentiel qu'il développe dans un livre : *L'Histoire récente du Cambodge et mes prises de position*, paru en 2004 : en substance, il y allait de la survie de la nation et navré que les droits de l'homme en aient pris un coup ! Comme Nuon Chea, il "est désolé"… Il est certain qu'une des clés de l'idéologie portée par Pol Pot était un nationalisme exacerbé et la défense de la pureté khmère, et qu'en cela elle parlait à plus d'un Cambodgien. Mais quand même ! La présentation du livre de Khieu Samphan par l'éditeur L'Harmattan dépasse les bornes : "*L'Histoire récente du Cambodge et mes prises de position* est un texte à la fois pointilliste et minutieux qui par sa modestie même déstabilise les interprétations unilatérales et réintroduit toute la complexité de la période historique en cause, écartelée par des contradictions dont la proximité avec les interrogations actuelles est frappante." Galimatias un peu négationniste, non ? Et puis la "modestie" de Khieu Samphan… on rêve !

Mercredi 1er août 2007. C'est quelques jours après l'interview d'Hisham et je suis 363, quai Sisowath, au FCC, le Foreign Correspondents Club, le mythique ex-QG des correspondants de guerre… J'adore cet endroit qui doit réveiller en moi de vieux fantasmes de grand reporter, avec ses hauts tabourets pour s'accouder nez au vent, la vue sur le fleuve d'un côté et de l'autre sur le Musée national hérissé de cornes dorées, les billards, les hauts plafonds, les élégantes pales des ventilos. Au fond d'un fauteuil en cuir, je lis dans *The Cambodia Daily* que Kaing Kek Iev, plus connu sous le nom de Douch, soixante-quatre ans, va être transféré de la prison militaire, où il est enfermé depuis 1999, à la prison officielle des Chambres extraordinaires. Il est mis en examen pour crimes contre l'humanité*. Cette fois ça y est. Le procès sort des limbes. Sur les trois ans prévus dans le cadre d'un budget de 56,3 millions de dollars**, il en reste deux. Deux ans pour juger quelques responsables

* Janvier 2009, dix-huit mois plus tard, au moment de la mise sous presse, la comparution de Douch est annoncée pour le printemps !
** 43 millions de dollars à la charge de l'ONU, et 13,3 millions de dollars à celle du Cambodge. Budget manifestement insuffisant selon les spécialistes. Avril 2008 : le tribunal souhaite obtenir une rallonge de 114 millions de dollars pour pouvoir fonctionner jusqu'en 2011. Il faudra d'abord rassurer les donateurs potentiels à la suite des accusations d'irrégularité dans le recrutement du personnel émises par Open Society Justice Initiative.

et acteurs de génocide, crimes contre l'humanité, crimes de guerre – la terminologie qui fait débat n'est peut-être pas l'essentiel. Deux ans pour regarder en face ce mal-mystère* qui, au Cambodge comme dans l'Allemagne nazie ou au Rwanda, doit être dit et admis par la communauté des hommes et des pays. Oui, il est grand temps de se colleter au mal-mystère khmer car il concerne la planète entière.

* J'emprunte l'expression de "mal-mystère", que je trouve saisissante, à Laure de Vulpian. Elle l'emploie dans son émission, *Cambodge, le pays des tigres disparus*, déjà plusieurs fois citée. Elle m'a dit la tenir d'un prêtre jésuite au Rwanda.

14

LES PLAIES DU CAMBODGE

Dans cette usine ça sent l'éther
Et dans l'éther peinent les filles
Qui font et font des bas de soie
Pour d'autres filles

R. GANZO

Je ne pouvais pas faire l'impasse sur Thun Saray, le boss d'Hisham, le fondateur et président d'Adhoc. Thun Saray, un homme qui m'a donné à voir, en une heure et demie d'entretien, le courage physique et moral, la courtoisie et la gentillesse quand elles se font grand art, et ce sens de l'humour, de la dérision, de la distance qui ont – peut-être ? sans doute ? – permis au peuple khmer de survivre (ce décalage, je l'ai traduit dans le texte par "il rit", mais quelle frustration de ne pouvoir restituer à la fois la vitalité et la lucidité de ce rire).

Je ne pouvais pas faire l'impasse et cela tombe bien, car ce que Thun Saray m'a dit fait parfaitement lien avec les enjeux de ce procès, qui sont, j'en suis de plus en plus persuadée, au cœur de l'avenir du Cambodge. De quoi s'agit-il ? De la violence de la société khmère actuelle, une violence en grande partie séquelle des années rouges. La société a été déstructurée, les valeurs fondamentales piétinées, la confiance dans l'autre pulvérisée – jusque dans le noyau familial puisqu'un fils ou un mari, une épouse pouvaient vous dénoncer. Une violence qui prend aujourd'hui toutes les formes : règlements de compte, voire exécutions extrajudiciaires, violence familiale, prostitution, violence économique, surtout celle des spoliations de terres. Le tout dans un bain, sans précédent, de corruption. Ce tableau constitue les axes de l'action d'Adhoc, le procès n'en étant qu'un volet – essentiel pour l'instant, certes.

La violence, Thun Saray l'a subie à deux reprises. Par deux fois sa chair et son esprit ont supporté les sévices de la prison. "J'avais vingt-quatre ans sous les Khmers rouges. J'ai été emprisonné dix mois à Kompong Cham, mon village natal. Ensuite on m'a déporté une deuxième fois à Kratie, c'était un peu moins dur. Et en 1990, pour le simple fait que j'avais reçu, je dis bien *reçu*, une documentation sur la création d'un nouveau parti politique, social-démocrate, on m'a arrêté *(il rit)* : dix-sept mois en prison dans des conditions pires que celles de la deuxième prison khmère rouge. C'était à la prison centrale de Phnom Penh construite par les Français, mais les Vietnamiens avaient transformé les cellules communes en petites cellules obscures pour deux ou trois personnes, sans air, nous y étions enchaînés. On était traité pire que des animaux. Sans les accords de paix de Paris en 1991, je serais peut-être encore en prison : il n'y avait jamais eu de procès, de décision du tribunal. C'est là, pendant cette détention, que j'ai eu l'idée de créer Adhoc, une association pour défendre les droits de l'homme au Cambodge. Personne d'autre ne m'y a poussé, simplement mon expérience *(il rit)*."

En 2007, Adhoc c'est cent personnes salariées, et trois cents bénévoles dits "activistes" qui fournissent des informations : paysans, enseignants, policiers même, mais ces derniers ne sont pas des "activistes officiels". Chaque année, environ quatre mille plaintes arrivent à l'association, dont la moitié relèvent de son mandat et déclenchent investigations et interventions auprès des institutions, jusqu'aux ministères s'il le faut, acompagnées de communiqués, conférences de presse, rencontres des victimes avec les journalistes… Thun Saray estime que la violence domestique contre les femmes et les enfants perdure mais diminue. L'intimidation politique diminue elle aussi. En revanche les viols ont augmenté. Tandis que la liberté de manifestation, le droit de se réunir subissent des restrictions grandissantes. La question de l'impunité, elle, pour le coup indéniablement liée aux Khmers rouges, reste majeure. Quand ils commettent des actes criminels, les riches, les hommes au pouvoir sont rarement punis. Ils achètent leur jugement. Le système judiciaire est de plus en plus dépendant du pouvoir exécutif. "Pendant le premier et le second mandat de ce gouvernement (1998, 2003), m'explique Thun Saray, on trouvait encore pas mal de juges qui osaient ne pas respecter les ordres de l'exécutif. Désormais, quand le Premier ministre donne l'ordre d'arrêter quelqu'un, le tribunal obéit *(il rit)*. On a tué un de nos activistes en province qui voulait protéger les intérêts des villageois, en empêchant une entreprise privée disposant d'une concession économique de déraciner des arbres pour planter des hévéas. Deux personnes ont été arrêtées mais *(il rit)*, mais ce ne sont pas les bonnes ! Nous poussons le tribunal à continuer ses investigations." Un cas bien connu de "mauvaise pioche" judiciaire est celui qui s'est déroulé après l'assassinat en pleine rue du syndicaliste Chea Vichea en 2003. Deux hommes ont été arrêtés sans tarder, mis en prison, apparemment sans preuve. Depuis il y a une mobilisation des ONG pour réclamer la libération de Born Samnang et Sok Sam Oeum, et un nouveau procès.

Autre violence majeure, celle subie par les paysans expropriés : selon l'opposant Sam Rainsy, les "sans-terres" représenteraient 20 % de la population rurale. "Impunité à la clé, il y a une véritable montée de la spoliation des terres depuis 2004", confirme Thun Saray. Et il n'est pas le seul. Là encore, la destruction des cadastres sous le régime de Pol Pot favorise le racket légal. Le gouvernement de Hun Sen a accordé 3 millions d'hectares de concessions économiques, (jusqu'à quatre-vingt-dix-neuf ans) ; et l'obligation légale d'une étude d'impact social – et notamment y a-t-il des paysans qui exploitent ces terres ? – n'est pas respectée. Certains fonctionnaires possèdent des centaines d'hectares… Chasser une famille de sa rizière, de son bout de forêt, est monnaie courante. Particulièrement dans certaines provinces comme celles du Ratanakiri. Adhoc y organise souvent des séminaires pour informer la population sur ses droits. "Parfois, raconte le président d'Adhoc, on fait venir à Phnom Penh des paysans victimes pour faire des sit-in devant la maison du Premier ministre ou l'Assemblée nationale. Et aussi, me dit-il, contenant mal un énorme rire, il arrive qu'on organise en province des cérémonies religieuses avec des banderoles pour condamner les violateurs, ceux qui spolient les terres."

Et vous trouvez que c'est une bonne idée ?

"Oui, c'est une bonne idée. Dans le cadre religieux il ne peut pas y avoir de pressions sur les manifestants. Il faut tout essayer. Et parfois ça marche !"

Parfois la terre est rendue aux paysans ?

"Oui. Dans la province de Kompong Cham, après cette cérémonie, le gouverneur de province leur a redonné 7 000 hectares !"

Les confrontations ne sont pas toujours aussi pacifiques. Le *Cambodge-Soir* du 22 novembre 2007 rapporte des affrontements dans la province de Preah Vihear* en novembre 2007 entre les autorités et trois cents familles de villageois qui, "armés de haches, de bâtons, de bouteilles d'essence ou d'acide, ont vivement riposté à l'opération d'expulsion qui s'est envenimée jusqu'aux échanges de coups de feu". Onze paysans ont été arrêtés. François Ponchaud que je rencontre chez lui, un soir sans lune je m'en souviens, après m'être perdue, je l'ai déjà raconté (mais je me suis aussi perdue en repartant !), ne contient pas son indignation : "Sur les hauts plateaux du Ratanakiri et du Mondolkiri c'est abominable, on est en train de déposséder les montagnards... Les dirigeants du pays sont en train de tout saboter. Ils sont en train de réaliser les conditions objectives d'une nouvelle flambée de violence**." Et, ajoute le père Ponchaud, Sihanouk et Hun Sen le disent aussi...

Violence économique encore dans les usines textiles, les seules qui créent de l'emploi. Le secteur compte trois cent mille personnes, essentiellement des ouvrières. J'ai pris une photo dans les environs

* Où se dresse le magnifique temple de Preah Vihear que la Thaïlande a longtemps disputé au Cambodge (voir le chapitre "De terre, d'eau et de poussière").
** François Ponchaud mène depuis longtemps à travers son association Espace Cambodge une action sur le terrain dans des villages de la province de Kompong Cham et dans celle de Preah Vihear : construction d'écoles maternelles, canaux, petites routes, biogaz à partir de bouses de vache, cultures de légumes...

de Phnom Penh à une sortie d'usine : une armada de jeunes femmes sur la plateforme d'un camion. Visages ouverts, rieurs. Leurs conditions de travail sont très dures : une semaine de soixante heures et de six jours, un salaire entre quarante et cinquante dollars par mois. Les syndicats, quand ils sont libres, sont fragiles, menacés. N'empêche, me dira la journaliste Bopha Chheang, ces jeunes filles, ces jeunes femmes, venues de la campagne pour s'en sortir, aider leurs familles, accèdent à l'autonomie ; quand elles rentrent dans leur village, elles sont considérées, ont la parole, font avancer les comportements.

Venues pour les mêmes raisons de survie, d'autres jeunes femmes sont tombées dans la prostitution. Certaines ont été vendues par leurs parents, ce qui était inimaginable avant les Khmers rouges, m'affirmeront plusieurs Cambodgiens. D'autres ont suivi une amie ou se sont laissé convaincre par une rabatteuse. Le film de Rithy Panh *Le papier ne peut pas envelopper la braise* (2007) et le livre qui porte le même titre (avec Louise Lorentz) nous font entrer dans le Building blanc à Phnom Penh qui loge quelque trois cents prostituées. Nous en connaîtrons quelques-unes – de l'intérieur comme sait le faire le réalisateur – qui partagent une pièce. Elles ont entre dix-neuf et vingt-trois ans, viennent de la campagne. Elles font partie des vingt-trois mille prostituées de la capitale dont un quart sont adolescentes : la prostitution est officiellement interdite au Cambodge mais les bordels, bars, salons de massage, karaokés foisonnent. On voit Da, élevée dans les camps, et Môm, violée par son père, inhalant du *yaa maa*, une amphétamine, qui énergise ou fait planer – j'apprends dans un article du *Nouvel Obs* que l'Asie du Sud-Est en est inondée. La drogue les aide à oublier le risque du sida, les insultes de la mère maquerelle, la sensation d'être juste de la chair à plaisir – il y a cette terrible phrase : "Quand on s'étend sur un lit, c'est comme si on s'étendait sur la planche du boucher", ou bien : "Quand je couche avec un client, il couche avec une morte." Oublier la possibilité de prendre un coup – l'une d'entre elles dans le film a un œil poché – ou d'être tuées par des hommes furieux de n'être pas obéis – elles disparaissent, c'est tout, sans un entrefilet, conclut le même hebdomadaire (28 mars 2007).

Dans *Cambodge-Soir*, la journaliste Anne-Laure Porée a fait le récit de la vie de Srey Mao. A vingt ans cette fille de paysans quitte un mari violent et suit une femme de passage qui lui propose un emploi de bonne à Phnom Penh. Celle qui est une *mama san*, une mère maquerelle, l'enferme dix jours en attendant de trouver un bordel où la revendre. Personne n'en veut : elle a la peau trop sombre. Elle est expédiée dans une maison de passe de Kampot, "moins regardante sur la marchandise", où le rythme relève de l'abattage : cinq à dix types par jour. Elle apprend qu'elle est séropositive, souvenir du mari. Elle rejoint Phnom Penh et le Building blanc. Au début elle chasse le *barang* au *Martini*, au *Heart of Darkness*. Petit à petit, elle a ses clients, ses habitués. A vingt mille riels la passe (cinq dollars). Quand Anne-Laure Porée la rencontre, elle est enceinte de quatre mois, veut garder le bébé et sortir de cet enfer. Avec le soutien des lecteurs de *Cambodge-Soir*, la journaliste va tenter de l'aider. Elle me le raconte à la cafétéria du Centre culturel français. "Srey Mao voulait retourner en province élever des cochons. On a trouvé l'argent. Elle a acheté une vache, trop jeune pour avoir un veau ! On a tenté un deuxième essai : elle voulait monter un petit commerce. Ce qu'elle gagnait était dérisoire mais surtout elle n'avait aucune ténacité, aucune projection sur l'avenir. Elle a laissé le petit à sa mère et elle est revenue se prostituer à Phnom Penh. Elle s'est fait arrêter pour trafic de drogue : dérisoire, quelques pilules. Je n'ai pas monnayé sa sortie de prison comme elle m'y encourageait. Elle en est quand même sortie, m'a demandé de faire venir son fils à Phnom Penh. Je l'ai fait. Mais j'ai refusé de donner de l'argent pour le faire soigner : il y a un hôpital gratuit pour les enfants. Je vais m'en tenir là. C'est un échec sans doute. Cela rend modeste. Mais j'ai beaucoup appris. J'apprends beaucoup ici."

A Sihanoukville, un soir, j'ai voulu, avec le responsable d'une ONG, me rendre à Chicken Farm, le quartier des prostituées. Nous avions rendez-vous à vingt heures trente chez *Khin's Shak*, ma baraque préférée le long de la plage. Le jeune Australien qui travaille avec l'adorable famille tenant le modeste bar-restau m'a déconseillé de me rendre à Chicken Farm – je me suis assez vite rendue à ses arguments. Il faisait nuit noire, il y avait du vent ce soir-là, la plage était déserte. Le seul nom de Chicken Farm et l'évocation par mon interlocuteur des "filles en batterie" me glaçaient. Nous sommes restés à discuter assez longtemps. Le jeune barman australien faisait circuler un joint – il me précisa qu'on pouvait en acheter partout, "ils le mettent sur l'addition !" J'étais dans la dernière partie de mon second séjour, déjà nostalgique. Je l'ai dit au gars de cette ONG qui m'a répondu : "Normal, c'est très difficile de quitter ce pays, c'est un piège !" et puis il m'a raconté un épisode dramatique de sa vie. C'était un soir comme ça où le temps s'arrête. Où il est tentant de jouer avec l'idée qu'on ne repartira jamais…

Quand je suis rentrée à ma *guesthouse*, *Susaday*, Dominique, l'un des Français qui la tiennent, était encore debout, ou plutôt calé au fond d'un de ces fauteuils ronds en osier toujours dotés d'énormes coussins. Je lui ai raconté ma soirée, la discussion. Il avait son avis. Il était au Cambodge depuis un ou deux ans, je ne sais plus, en tout cas il aimait et admirait à bien des égards ce pays. Il connaissait pas mal de prostituées qui étaient "comme des sœurs pour lui". "On ne peut pas les juger comme ça, à l'emporte-pièce. Elles vendent leur cul pour nourrir la famille, payer une prothèse pour la jambe de l'oncle, retourner à l'école, apprendre l'anglais ou autre chose." Je comprenais bien mais j'avais du mal avec les images sur la plage de très jeunes femmes donnant la main ou massant le pied à un *barang*, un Blanc, vieux et ventripotent, comme dit à juste titre le cliché. "Mais certaines sont les plus heureuses du monde tant elles sont enfin choyées, chéries", m'a-t-il rétorqué, sachant très bien ce que ses propos avaient de politiquement incorrect. J'ai repensé à une délicate jeune fille, au bar du FCC de Phnom Penh un après-midi, qu'un Anglo-Saxon sur le retour draguait sans vergogne. Elle parlait un très bon anglais et lapait à minuscules gorgées un interminable Coca ; lui il en était, après une bière gigantesque, à son deuxième verre de vin blanc. Au troisième, ils ont changé de place – je devais sans doute les boire un peu trop des yeux.

A la bien jolie *Librairie d'Asie*, la librairie française de Phnom Penh, je rencontre Christian P. Guth, un ex-policier français, qui me conseille de lire *Bangkok 8*, de John Burdett, pour comprendre (un peu) l'Asie. Depuis sept ans, il est expert pour l'Unicef au ministère de l'Intérieur cambodgien, au sein d'une structure vouée à la protection de l'enfance et à la lutte contre le trafic des êtres humains – structure qui a une antenne dans les provinces. En 2006 ont été arrêtés 670 délinquants sexuels contre 40 en 1999. Je lui pose la question : Pourquoi tant de viols d'enfants ? "La chaleur, la promiscuité, les films violents, la misère…", il ne me parle pas du passé khmer rouge. "On peut le soir être corrompu et le lendemain faire une bonne action, me dit-il. Trop de policiers impliqués dans la prostitution la protègent ; *idem* pour les militaires. Mais il y en a aussi avec qui nous faisons du bon boulot." Il est marié à une Cambodgienne dont le père, recteur de l'université de Phnom Penh, fut massacré à Tuol Sleng. Il se sent très attaché à ce pays, "sa richesse culturelle et puis quelque chose d'irrationnel", même si, "pour rester équilibré, il faut en sortir tous les trois mois !"

Le règne de l'argent donc, avec une corruption dévastatrice dans tous les domaines (il y aurait onze termes pour la désigner) : justice, police, école, santé, papiers, permis de conduire… Combien de fois ai-je entendu : "Ici on peut tout faire si on a de l'argent." Le pays de la liberté, comme me l'ont dit des étrangers peu ou prou entrepreneurs, mais avec des dollars dans la poche. "Cet argent, *loy*, qui fait devenir fou, ici, peut-être plus qu'ailleurs", écrit Guillaumin Sor dans son excellent roman au très mauvais titre, *Pompe et peine, petite Khmère*, qui fait entrer le lecteur dans l'univers glauque de la prostitution à Phnom Penh. Alain Daniel se désole : "Dans le Cambodge traditionnel, il y avait une grande solidarité, un esprit d'entraide. Quand un paysan avait besoin de construire sa maison ou de réparer une digue, tout le monde venait l'aider, il offrait un bon repas et c'était à charge de revanche. Maintenant on assiste à une dérive vers la possession de l'argent qui est en partie due aux Khmers rouges. Parce que, vous le savez bien, sous Pol Pot, des Cambodgiens n'ont pu survivre ou s'échapper que parce qu'ils avaient de l'or, les moyens de partir à l'étranger par exemple, ou simplement d'acheter en cachette à manger. De ce fait, dans l'esprit de beaucoup, l'argent exprime la différence entre survivre et mourir..."

15

LA RECONSTRUCTION

Sans connaissances, sans vision et sans fertilité imaginaire, toute société sombre tôt ou tard dans le non-sens et l'agression.

CHRISTIANE SINGER,
N'oublie pas les chevaux écumants du passé.

Car ce sont aussi les œuvres d'art, les monuments, voire les ustensiles de la vie quotidienne apparemment banals, qui font vivre un peuple.

ASHLEY THOMPSON,
Visions d'Angkor.

Que je me lève ou que je me couche, Poli est installé à une petite table sur la terrasse du *Susaday*, ma *guesthouse* à Sihanoukville. Il écrit avec application dans son cahier ou bien consulte son gros dictionnaire franco-khmer*. Est-ce que je veux un breakfast ? "Non, Poli, merci, je le prends sur la plage." Il hoche la tête et replonge dans son étude.

---

* J'ai feuilleté le dictionnaire de Poli. Surréaliste ! J'ai relevé en quelques secondes les mots "oppositifolée", "optation", "dessinailler", "dessouchement", "béquillon" ! Mais après tout peut-être ces mots existent-ils ? J'ignorais bien qu'une "bercelonnette" exista et que ce fut un berceau léger monté sur deux pieds en forme de croissant…

Alors c'est vrai – et c'est sans doute l'un des trois problèmes majeurs du Cambodge avec le salaire des fonctionnaires et la corruption –, l'enseignement se porte très mal. Il faut, comme ailleurs, payer. Payer des cours supplémentaires pour que l'instituteur s'occupe bien de votre gamin, acheter les gâteaux ou les bonbons proposés en classe, préparer l'enveloppe pour avoir son examen, pour entrer à l'université… Et, c'est vrai, la moitié des enfants ne finiront pas leur scolarité. Pourtant. Pourtant Poli poursuit son rêve – et ce n'est pas facile, après ou avant son service, de se mettre à étudier alors qu'il fait chaud et qu'il y a toujours un hamac quelque part. Le rêve de Poli, vingt-neuf ans, marié et un enfant : apprendre le français pour se faire engager à l'orphelinat de Sihanoukville où lui-même a grandi (pourquoi le français est-il, là, déterminant, j'ai oublié), ses parents sont morts sous Pol Pot. De jeunes et moins jeunes Khmers comme lui, j'en ai vu beaucoup. Me revient une scène à l'hôtel *La Véranda*, à Kep, où un serveur se faisait traduire des mots en français, les notait, les essayait à haute voix, en priant qu'on le corrige. Un soir particulièrement, où il a bien dû répéter une centaine de fois "Bonne chance" qu'il n'arrivait pas à prononcer correctement.

Une Française vivant au Cambodge, à qui je disais cette ténacité, s'en étonnait : Ils sont plutôt indolents ! A dire vrai, ce n'est sans doute pas le mot exact qu'elle a employé mais l'idée était là. Cela me rappelle l'énervement d'Alain Daniel quand on lui dit que les Cambodgiens sont gentils : "Un reste du protectorat : cet adjectif était toujours suivi par celui d'«indolent» ! Cela nous arrangeait bien qu'ils soient gentils et indolents et, donc, ayant besoin de maîtres. Et c'était une bonne raison pour faire venir des Vietnamiens – les colonisateurs préfèrent toujours employer de la main-d'œuvre immigrée plus malléable –, les Vietnamiens, qui sont, eux, «très courageux» ! Seulement voilà, des chercheurs ont démontré qu'au Viêtnam on employait le même type d'arguments, en faveur des Chinois cette fois !" Certes, les Cambodgiens peuvent l'être, indolents – quelle force aussi cette possible indolence – mais j'en ai vu acharnés, décidés à s'en sortir. Dans les familles, l'école c'est important. Il en a toujours été ainsi, affirme Phourinhean, quarante et un ans, le Franco-Khmer qui travaille en Guyane, visage sensible, humour et finesse des propos. Nous sommes sur une route, de retour de Kampot, en panne sèche. Hissé au sommet d'un palmier *thnöt*, le palmier à sucre, un homme fait tomber les fruits de l'arbre qui donneront, entre autres, ce sirop de palme servi avec le *lime juice*, le jus de citron vert. Mais pour l'heure nous n'avons qu'une bouteille d'eau tiède. "Oui, dit-il, chez les Cambodgiens les parents poussent aux études, l'école, ici, c'est un mythe. Surtout les gens de peu : ils ne veulent pas que leurs enfants subissent le même sort qu'eux."

Cette volonté de continuer ou de commencer à apprendre fut très vivace dans les camps de réfugiés jusqu'en 1992, date à laquelle les Khmers sont rentrés chez eux. Elle a été relayée par l'aide internationale et nombre de Français s'y sont donnés de tout leur cœur. Des associations comme le Sipar, dont j'ai déjà parlé, y sont nées. Phare en est une autre. A quelques kilomètres de Battambang, près du village de Phum Anch Anh, dans un superbe parc, Phare rayonne depuis 1994. J'ai rendez-vous avec l'un des fondateurs, le talentueux dessinateur Srey Bandol, responsable de l'enseignement plastique. J'arrive dégoulinante après ma fameuse journée campagne à moto avec Soon.

Srey Bandol a trente-cinq ans, il est un enfant des camps, de Site 2 précisément. Il y est arrivé en 1979, en est reparti en 1991 après les accords de Paris. Assez vite, une Française, Véronique Decrop, avait mis sur pied, me raconte-t-il, un atelier de dessin, mais déjà le petit garçon dessinait sur la terre… De retour à Battambang, huit élèves et leur professeur créent Phare pour les jeunes réfugiés. L'école de dessin s'ouvre bientôt à la musique. Et en 1998 au cirque qui répond particulièrement aux besoins des enfants les plus instables. "Phare est une école de la confiance, dit Srey Bandol. Un jeune peut venir un ou deux mois pour essayer mais, une fois qu'il est engagé, c'est pour de bon. C'est aussi une famille, celle des professeurs et des élèves." Il me propose d'aller voir les jeunes au travail. A l'abri du soleil mais en plein air, ils sont cinq ou six en quatrième année – les études sont de cinq ans pour le dessin, de sept pour la musique et le cirque –, en train de reproduire des scènes du *Reamker*, le *Râmâyana* khmer.

Bohat est ici depuis sept ans. Il était seul, trafiquait. L'association l'a aidé à renouer avec sa famille. Il a beaucoup travaillé, beaucoup changé. Il habite dans la maison que Phare réserve à ceux qui en ont besoin ; pour de multiples raisons et parmi elles le postulat (vérifié) que les enfants sont parfois mieux sans la tutelle familiale. C'est ce que me dira Khuon Det, autre fondateur et président de Phare, qui me parle avec une émotion contagieuse de "ses enfants" : beaucoup de jeunes des rues, d'orphelins, des toxicomanes, certains dont les parents sont morts du sida, d'autres victimes de la prostitution – la frontière thaïlandaise à Poipet est toute proche, qui la favorise. Khuon Det donc plutôt réservé sur l'influence des parents, un parti pris peu répandu au Cambodge. "La maison de Phare, dit-il, a été conçue pour que les jeunes y soient autonomes, responsables ; chez nous on reconnaît que les enfants ont des idées et on leur fait confiance." J'en rencontrerai un brillant exemple avec Poy Chhunly, vingt-six ans, échoué chez Phare il y a dix ans, transpirant et pourtant si charmant derrière son écran : il a obtenu le premier prix d'un festival de cinéma d'animation – car le dessin dans l'enseignement de Phare ne s'arrête pas au papier – en réalisant un spot télé pour l'ONG Deep – Développement de l'éducation pour l'eau potable. Il travaille, comme un fou, me dit-il, pour un autre projet sur la protection routière, et il a en charge à son tour dix élèves.

Khuon Det, lui, ancien professeur de dessin, transmet désormais l'art du cirque – une discipline ancestrale présente sur les bas-reliefs d'Angkor, un art vivant que les Khmers adorent et, je l'ai dit, adapté aux tempéraments les plus, disons, fougueux. L'école du cirque s'est fait un nom et assure des tournées au Cambodge et en Europe. Chaque année aussi, depuis cinq ans, Phare organise le Festival international du cirque qui réunit entre 1 500 et 2 000 personnes. Pour l'heure, en ce mois d'août 2007, c'est à un autre festival, celui des Cambodian Living Arts, dont c'est la deuxième édition, que Phare ouvre son terrain. Sous un chapiteau – on se croit chez Bartabas à Aubervilliers – se déroule, soir après soir, une semaine de spectacles réunissant 350 artistes et étudiants. Un condensé de la culture khmère. Entre autres : théâtre Bassac, un théâtre parlant et chantant très populaire, créé dans la région du Bassac (l'ex-Bas-Cambodge au sud du Viêtnam) et rentré au Cambodge dans les années 1950, *smot*, récitation poétique et spirituelle, dont il ne reste que quelques maîtres, et même un moment décapant de *break dance* mené par Tiny Toones, des jeunes des quartiers pauvres de Phnom Penh. On vient de tout le pays pour participer à ce festival qui propose aussi des ateliers la journée. J'y ai vu une toute jeune fille répéter un chant *smot* avec une vieille maîtresse, une des rares qui aient survécu, et des enfants autour les écoutant avec une belle ferveur. J'y ai vu un jeune garçon refaire une trentaine de fois au moins une périlleuse pirouette...

A la nuit donc le chapiteau se remplit, surtout des enfants et des adolescents venus des villages pauvres de la province de Battambang, où nous sommes, mais aussi de ceux de Siem Reap, de Takeo, de Kompong Speu. Voilà, c'est fait, en quelques minutes, les gradins sont, au sens littéral, pleins à craquer. Au moins six cents personnes, me dit-on. Pour moi le spectacle est certes sur la scène – grande qualité, beaux décors, tempo parfait, alternant le burlesque et le grave – mais aussi dans la salle ; je n'ai réellement jamais assisté à une telle explosion de vitalité : rumeurs de plaisir, déferlantes de rires, houle d'applaudissements... Les visages de ces jeunes Khmers sont si joyeux, si confiants, on ne peut que ressentir à cet instant une grande bouffée d'optimisme pour l'avenir de ce pays. Dans la nuit douce et odorante, sur la moto qui me ramène à mon hôtel, je lève la tête vers les étoiles : elles ont l'air de bonnes étoiles.

Le nom complet de l'association est Phare Ponleu Selpak, Phare lumière de l'art, ce qui m'assure une parfaite transition. La reconstruction, titre du chapitre, passe bien sûr par l'éducation et par l'art, par la culture. Bien sûr. Bien sûr ? Cela va toujours mieux en le disant. Dans un pays dont un habitant sur trois est au-dessous du seuil de la pauvreté, le combat pour la culture n'est pas du tout gagné. Non, il ne l'est pas du tout. Alain Daniel, non pas dans la pâtisserie où nous avons si agréablement devisé, mais sur les ondes de France-Culture, au micro de Laure de Vulpian, Alain Daniel s'inquiétait à juste titre de la créativité artistique au Cambodge depuis que les intellectuels et les artistes ont été au sens propre décimés. Chansons – une autre des grandes passions khmères –, littérature*, arts plastiques, cinéma… le palmarès contemporain est pauvre, pour ne pas dire inexistant. Oui, il y a Rithy Panh, mais il le dit lui-même : quelques réalisateurs ne font pas un cinéma khmer. Rithy Panh qui sait à quel point le cataclysme khmer rouge s'en est pris aux ressorts intimes de la création – c'est pourquoi il était si réservé, et si ardent pourtant dans son désir de passer à la fiction.

A Phnom Penh, j'ai rencontré un grand militant de la culture, un autre enfant des camps. Il s'appelle Ly Daravuth. Pour le rejoindre, je dois aller, non loin du Musée national, dans le quartier des artisans d'art, 47, rue 178, à la galerie qu'il a créée : Reyum. Sur le chemin je prends des photos : un vieux sculpteur à barbichette et yeux facétieux, tout droit sorti d'un film, qui enseigne son art à un jeune Khmer, une tailleuse de pierre, son bébé à côté d'elle… Voici Reyum. Ly Daravuth

* Mais il y a ces deux Cambodgiens de France, Séra, auteur d'une bande dessinée splendide *L'Eau et la Terre*, et Randal Douc, qui ont osé la fiction sur le génocide. Randal a quitté le Cambodge en 1975 à quatre ans. Il est mathématicien et comédien – M. Jo, dans *Barrage contre le Pacifique* sorti au moment du bouclage de ce livre, c'est lui. Et il est écrivain. Sa pièce *Les Hommes désertés*, jouée à Phnom Penh en 2006, est d'une grande densité émotionnelle et littéraire.

commence par m'impressionner. Je le sens sur une grande réserve, fatigué, trop occupé peut-être, et moi je me sens maladroite dans mes questions. L'averse de mousson commence au moment où je déclenche le magnéto. Je sais déjà que je n'entendrai rien sur la bande. Je prends des notes, fébrilement. Je me raisonne, il y a des interviews comme ça, tant pis, ce n'est pas grave. Je fais un vrai effort pour écouter la violence apaisante de la pluie, regarder la rue désertée, sauf par une Européenne à robe fleurie – et à tordre – s'engouffrant dans le cocon plastifié d'un cyclo-pousse – le conducteur est pieds nus. Je suis heureuse, soudain, d'être là, à Phnom Penh. Je vois mon interlocuteur qui se détend lui aussi.

Il avait six ans quand les Khmers rouges ont pris le pouvoir. Il a été séparé de ses parents, a gagné le camp de Site 2 avec une tante et un cousin, puis la France en 1983 où ses parents l'ont retrouvé trois ans plus tard. Il a suivi des études d'anthropologie à la Sorbonne mais a toujours gardé une relation intellectuelle et culturelle avec le Cambodge. "A un moment j'ai eu besoin de retrouver des liens organiques. Je suis rentré, c'était il y a dix ans. Le retour est toujours difficile. Si vous n'étiez pas là sous Pol Pot, vous êtes un peu un traître, ou bien vous avez un accent ridicule… Il faut se réimprégner de sa culture au sens large, dans sa chair : la façon de parler, de manger, de respirer, de penser." Il a enseigné les arts plastiques et l'architecture à la faculté des beaux-arts de Phnom Penh. En 1998, avec sa jeune femme, Ingrid Muan, professeur d'histoire de l'art moderne, aujourd'hui décédée – et on perçoit dans ses paroles comme elle habite toujours ce lieu –, il crée Reyum pour préserver, faire vivre et transmettre la culture khmère. Un tout petit Beaubourg orienté pareillement sur l'éducation culturelle. Cela se traduit d'abord par un travail d'édition : une trentaine de publications (il est le seul éditeur cambodgien si on exclut les éditions à compte d'auteur) distribuées dans le réseau universitaire, offertes aux bibliothèques, vendues dans sa galerie. Je devrai, quand je les feuilletterai plus tard, m'empêcher de charger mon sac : livres sur la musique, les contes, l'ornementation, les outils, monographies de peintres (par exemple celle de Vann Nath, le témoin de S21), ouvrage sur l'architecture moderne khmère par l'architecte que j'ai déjà cité, Vann Molyvann… j'ai envie de tout ! Je me déciderai pour un *Alphabet khmer illustré* que j'offrirai à un ami guide à Angkor qui s'occupe aussi d'enfants ; il sera emballé. Et j'aurai un coup de foudre pour un livre de dessins : *Visions d'Angkor*. L'auteur n'est autre que Srey Bandol, le responsable de l'école de dessin de Phare ! Le livre met en scène et le pillage d'Angkor et la lutte pour la survie culturelle grâce à une très belle mise en abyme : l'œil de l'artiste observe un jeune voleur solitaire déambulant d'un temple à l'autre avant de choisir sa proie de pierre, les deux observateurs étant à leur tour observés par les statues des dieux. Les deux sont des prédateurs ! Mais l'un détruit, l'autre crée. "Les heures passées à observer et à faire des esquisses au crayon réalisent elles-mêmes la survie d'une culture face à sa propre perte", écrit Ashley Thompson dans le texte d'introduction. Et à la question "Faut-il se soucier de vieux morceaux de pierre quand on est confronté à des vies d'hommes et de femmes elles-mêmes en morceaux… ?" elle répond oui.

Reyum a également une activité de recherche : l'exposition en place sur les murs de la galerie traite ainsi, avec un ouvrage à l'appui, des peintures murales dans les pagodes. Six ans de travail pour réaliser l'inventaire des fresques qui décorent les six cents pagodes du pays : cela va des cinq cent cinquante vies de Bouddha à l'univers des enfers, avec parfois l'apparition de personnages d'aujourd'hui, Sihanouk par exemple. Ou Nixon ! Façon de lutter contre l'acculturation puisque les peintures sont peu à peu érodées ou recouvertes et que les peintres d'aujourd'hui s'en tiennent souvent à des scènes très connues – lors d'une balade sur le Tonle Sap, quand j'étais à Siem Reap, j'ai visité une pagode flottante où un jeune peintre réalisait précisément une fresque d'un épisode de la vie de Bouddha, mais lequel ? je l'ignore ; en fait ce jour-là je voulais absolument savoir combien l'artiste gagnait pour ce travail, tandis que le guide refusait de poser ma question, m'assurant que c'était déplacé, que ce n'était pas le problème… argent et religion, domaine tabou, bon !

Autre facette de Reyum, l'école d'art créée en 2000 pour les enfants défavorisés. Elle est gratuite, l'enseignement dure quatre ans, elle touche cent quarante enfants entre sept et quinze ans. Les élèves sont choisis pour leur talent et leur motivation. On leur enseigne le dessin, la peinture, la sculpture, les techniques traditionnelles et modernes khmères. On favorise leur créativité, on développe leur fierté personnelle et leur identité culturelle. L'école permet aussi de cadrer des enfants qui, comme tous les petits Cambodgiens, ne vont à l'école publique que le matin ou l'après-midi : il y a trop d'élèves ou pas assez d'enseignants* !

Ly Daravuth a envie de me parler de la France qu'il adore. "Quelle chance de marcher cinq minutes

* C'est là le rôle que remplit aussi la maison des jeunes de Kampot d'Accueil cambodgien.

dans le quartier de l'Odéon à Paris et de croiser cinq ou six librairies !" Nous avons ensuite un délicieux débat très parisien sur les lourdeurs françaises. Je lui dis qu'il pourrait sans souci passer chez Taddéi à *Ce soir ou jamais* ! Mais l'image que j'aimerais plutôt donner de lui, c'est celle d'un homme de grande bonne volonté, qui voit la culture comme une philosophie de vie, qui privilégie la relation à l'autre au sens large, au sens bouddhique "même si, dit-il, je suis à des millions d'années de Bouddha", qui est profondément attaché à l'idée de ne rien renier, de s'enraciner avec humilité dans le passé. "C'est très dur, poursuit-il, de vendre l'idée de connaissance, d'apprentissage dans un monde de *short cuts*, où on *coupe-colle*, où tout va vite. Les universités privées (elles fleurissent dans tout le Cambodge avec des noms plus ronflants les uns que les autres) qui proposent de faire des *marketing managers*, c'est très bien, on en a besoin, mais un pays n'a pas d'avenir s'il n'y a pas aussi des lieux et des gens qui réfléchissent en profondeur – et ça, ce n'est pas très en vogue au Cambodge."

La culture pour ressouder, pour panser et penser un pays, c'est vrai partout, oui. Plus vrai au Cambodge... Ce que je dis là, bien qu'ayant l'air convenu, ne l'est pas. L'histoire glorieuse qui a vu s'édifier le plus grand temple religieux du monde – Angkor Vat et Angkor, encore et toujours ! – appartient à chaque Cambodgien qui la revendique haut et fort. Ce que j'entends à la journée Cambodge des Langues O (déjà citée) me conforte. Particulièrement la communication de Marie-Sybille de Vienne. Extrait : "De même que nous autres Occidentaux, quand on se réfère à des mots ou à des concepts relevant du politique ou de l'économique ou de la société, on fait appel à toute une série de concepts inventés par le monde grec, de même, dans l'Asie du Sud-Est péninsulaire, le modèle de référence à bien des égards, c'est le modèle khmer – ce n'est pas pour rien que vous avez la maquette d'Angkor Vat au palais royal de Bangkok." Sortir du questionnement conformiste en matière de développement, dit-elle ensuite, et "rappeler qu'une société avant même d'être un Etat, avant même d'être une nation, c'est une culture (…)".

16

LA STYLISTE AUX PIEDS NUS

Moi, mes souliers ont beaucoup voyagé
Ils m'ont porté de l'école à la guerre
J'ai traversé sur mes souliers ferrés
Le monde et sa misère.

FÉLIX LECLERC

"Tu verras, c'est un grand carrefour, il y a une station-service et à côté une boutique Internet, tu prends un petit escalier sur la gauche, c'est là !" Deuxième séjour, deuxième jour à Phnom Penh. J'ai rendez-vous avec Nak, l'assistante de Sirivan Chak, jeune styliste franco-khmère que j'ai connue à Paris. Nak va me prêter un téléphone portable, un mobile cambodgien, qui ne me coûtera rien ou presque. C'est là ! Où ça ? Les explications n'étaient pas très claires, et je ne le suis pas non plus, très claire, sans doute le décalage horaire. Cette fois, c'est vraiment là. J'entre dans une pièce – une grande table, un ordinateur, des échantillons de tissu, des étagères, des cartons – où un ventilateur brasse péniblement un air bouillant. On n'a pas la clim, désolée ! me dit avec un sourire Liesbeth Van Opstal, l'associée de Sirivan, qui a créé Baray Occidental pour accompagner des ateliers d'artisanat cambodgien. Beau nom qui fait passerelle entre le patrimoine khmer et l'Occident : les *baray* sont deux immenses réservoirs d'eau sur le

227

site d'Angkor, réalisés à l'époque avec des digues pour irriguer les terres, le *baray occidental* et le *baray oriental*. "On se voit un soir ?" Elle me racontera.

Quelques jours plus tard, j'attends Liesbeth à la *Guesthouse Del Gusto*, tout près de S21. Quartier calme, résidentiel. Dans une villa coloniale restaurée, je m'installe à l'étage sur la terrasse en bois, fauteuils en rotin, parfum de jasmin, chansons des années 1960 – quand Liesbeth arrive c'est Sinatra avec une rengaine que j'aime, elle égrène les années qui passent... Eh bien oui ! parlons de la vie qui passe, Liesbeth. Avec des tapas ? me propose-t-elle. (C'est très mode, les tapas, dans la capitale.) *Why not...* On en vient aux choses sérieuses. Elle me résume son projet, qui concerne pour l'instant huit ateliers artisanaux de femmes dans des villages ou des centres de formation professionnels : valoriser les savoir-faire cambodgiens, les aider à se confronter aux contraintes de production, faire entrer les enjeux de la qualité mais aussi la création dans ces ateliers – "Voilà pourquoi j'ai très logiquement fait appel au talent de Sirivan", dit-elle. Avec une échéance toute proche, le salon parisien Maison et Objet, leur premier salon, dans un mois. Il y a tout à faire : l'approvisionnement en matières premières, le suivi dans les ateliers, la recherche et l'accompagnement des premiers clients... Tout est compliqué au Cambodge, rien n'est jamais sûr, tout bouge sans arrêt : les rendez-vous, les chiffres... Oui ! mais tout est pourtant possible, oui ! mais elle l'adore, ce pays. Liesbeth est ici comme chez elle : d'ailleurs elle vient d'acheter un terrain à Siem Reap pour y construire sa maison. C'est avec les Chantiers-Ecoles de formation professionnelle et les Artisans d'Angkor qu'elle a commencé à travailler au Cambodge, après vingt années comme

secrétaire générale du prestigieux comité Colbert*
où elle s'est forgé une expertise exceptionnelle
en matière de valorisation des métiers.

Les Chantiers-Ecoles sont nés en 1992. Les Khmers
rouges avaient laminé l'artisanat d'art du pays – il
ne restait ainsi qu'un maître tailleur sur pierre à
Siem Reap. Un ingénieur français des Arts et Métiers, Jean-Pierre Martial, décide de le relancer**.
Enorme défi puisqu'il faut repartir de zéro, réap-
prendre les gestes des techniques ancestrales à
de jeunes ruraux déscolarisés : métiers du bâtiment, sculpture sur grès et sur bois, travail de la
soie depuis la culture des mûriers jusqu'au tissage des étoffes. Mais le jeu en vaut la chandelle,
"les plus belles collections de soie du musée de
l'Homme sont cambodgiennes !" rappelle Jean-
Pierre Martial***. Et il rapporte comment la formation des jeunes, d'abord de quinze mois, est

* Le comité Colbert, créé en 1954 et qui regroupe soixante-
dix maisons de luxe, tient son nom de Jean-Baptiste Colbert, surintendant de Louis XIV, artisan de la renommée
du savoir-faire français dans le monde ; on lui doit aussi la
Comédie-Française.
** D'autres ont suivi cette voie après lui. Ainsi le Japonais
Kikuo Morimoto qui a créé l'Institut des textiles traditionnels
khmers, une ONG dont l'objectif est de relancer la production de la soie cambodgienne selon la technique complexe
de l'*ikat* (teindre de différentes couleurs les parties d'un même
fil avant tissage). Autre initiative, celle de KSV, Khmer Silk Village, basée sur le regroupement de communautés de tis-
seuses financées par le microcrédit. Actuellement les
exportations de soie cambodgiennes s'élèvent à 4 millions
de dollars par an, l'objectif du CCI, Centre du commerce international, qui a investi dans ce secteur, serait que soient
atteints les 25 millions de dollars en 2012 (www.silkfrom-
cambodia.com).
*** Dans un dossier "Visa pour le Cambodge", *Le Monde*,
16 mars 2001.

vite passée à six tant les apprentis sont doués – ils ont le talent de leurs ancêtres dans le sang ! Une deuxième structure voit le jour pour créer des débouchés commerciaux, les Artisans d'Angkor, qui emploient aujourd'hui mille personnes. Chaque œuvre, produite d'après un modèle des temples angkoriens – pas de création –, est unique.

C'est un régal de se promener dans le paisible jardin et les ateliers des Artisans d'Angkor installés à Siem Reap (tout à côté de mon hôtel *Ancient Angkor*). Les jeunes artisans gagnent 130 dollars par mois et bénéficient d'une protection sociale. Ce n'est pas la richesse mais c'est bien. Très bien même : les salaires moyens, je le redis, dépassent rarement 50 dollars, les fonctionnaires ayant droit à une aumône de 25 dollars. Certes, c'est moins que les guides d'Angkor qui peuvent toucher jusqu'à 400 dollars : le jeune, qui m'oriente dans ma visite, en rêve et regarde TV5 pour améliorer son français. Il m'explique – en français bien sûr – qu'il faut un mois de travail pour un éléphant en grès, cinq jours pour une tête de Jayavarman VII (j'ai déjà acheté le mien, de Jayavarman, au marché de Siem Reap). Les foulards, les bols laqués sont de toute beauté. *True inside, beautiful outside*, c'est l'accroche du site Internet des Artisans. En regardant les photos que j'ai prises des visages et des mains des jeunes, je me dis que ce n'est pas une fausse promesse.

Après avoir contribué trois années à la réussite des Chantiers, fin 2004 Liesbeth s'en va et se lance. Aux Artisans d'Angkor, elle a rencontré Sirivan. Entre la Française à l'expérience professionnelle béton, grande amoureuse du pays khmer, et la jeune styliste cambodgienne, qui bat les pavés de Paris, une amitié, une complicité puis un projet se sont tissés. Je lui dis combien j'aime ce qu'elles font et que j'ai vu lors d'une expo-vente dans le 20e arrondissement à Paris : une gamme de produits pour la maison et pour soi, panneaux décoratifs et vêtements d'intérieur, courtepointes et pochettes, étoles et coussins, aux couleurs de la terre, de l'eau, des rizières, du ciel khmer. Douillet, raffiné. Délicat. A l'image de celle qui les imagine.

Sirivan a la grâce. Ce qu'elle dessine et ce qu'elle crée, effectivement, lui ressemble. Quelque temps plus tard, nous nous retrouvons dans un bistrot place de la République à Paris. Elle porte une veste en soie froissée, fuchsia foncé, et de drôles de souliers, mi-tongs mi-sabots, avec des socquettes blanches détourées sur le pouce. Elle déguste son chocolat comme une enfant, lentement, attentivement. Elle a un mari français et deux bambins. Elle se dit "solide et dépressive". Voilà pour l'essentiel. Pour le reste… tant de choses entrevues derrière le front têtu et beaucoup dites aussi dans son beau récit qu'elle m'offre avec simplicité.

Il y a la fillette que je vois derrière sa tasse de chocolat : menue, comme elle l'est encore aujourd'hui, trottinant derrière sa maman sur une route. "C'était en 1979. J'avais sept ou huit ans. On quittait Battambang, le camp de travail, pour essayer de rejoindre les Vietnamiens. On a rencontré des paysans khmers rouges qui travaillaient dans un champ. Ma mère s'est assise avec eux, elle a sorti des clopes, en a offert. Elle a eu un sang-froid incroyable : elle l'a jouée à la fois amicale et soumise." (Et puis, me dira aussi Phourinhean, déjà cité dans ces pages, qui est le frère de Sirivan, allumer une cigarette était intelligent : ce sont les femmes du peuple qui fument…) "Elle a dit qu'elle rejoignait des parents au village voisin. Il commençait à faire nuit. On attendait. A un moment, les Khmers rouges ont dit : « Allez ! » On est parti. On marchait vite. Elle m'a avoué plus tard qu'elle avait eu pitié de moi, ma bouilloire au bout du bras, et mes petites pattes qui tricotaient..." Sa mère, Sirivan y reviendra souvent dans cette conversation. "Elle avait la peau blanche. Elle portait des lunettes, elle était institutrice. Tout pour être supprimée." Elle survécut. A l'arrivée à Phnom Penh, la même année 1979, elle fait entrer sa petite fille à l'Ecole des beaux-arts, en danse. "Elle voulait que je devienne une étoile pour que je puisse partir à l'étranger. Elle avait été pistonnée pour que je sois là : à côté des autres je ne savais rien faire, ni danser ni chanter. Et moi de toute façon je voulais dessiner ! Ensuite, elle m'a mise dans un orphelinat. C'était affreux. Bien pire que les Khmers rouges... Et puis elle a eu l'idée de me confier au fils d'une amie, qui voulait fuir aux Etats-Unis, pour rejoindre un camp en Thaïlande. Je me sentais abandonnée, je ne comprenais pas pourquoi elle faisait ça, après tout ce que nous avions traversé ensemble. Un soir, elle est venue me chercher et nous avons été au restaurant. On a mangé de la langoustine. Un plat excessivement cher. C'était comme un adieu, c'était horrible. C'était un adieu. Je suis partie le lendemain très tôt avec le jeune homme. On a pris un bateau pour Siem Reap. Je me souviens des vagues, du bateau bondé, et de ma sensation d'un danger mortel."

Il y a la petite réfugiée qui habite à Paris rue Saint-Denis, "la rue des prostituées", chez Charlie, le père adoptif, admiré, adulé même, le mentor, le Pygmalion, aimant, exigeant. "Deux jours après mon arrivée en France en septembre 1983, je prenais le métro pour aller à l'école à Chemin-Vert ! J'avais douze ans, j'étais en CP, quasi analphabète.

Je me souviens que je n'avais pas de chaussures ou des tongs peut-être. Mais l'école me fascinait. Deux mois plus tard, je suis passée directement en CM1. C'était facile en fait. Ce que j'avais vécu là-bas faisait comme un socle qui remplaçait les années d'école que je n'avais pas eues. Quand j'apprenais, c'était comme si je redécouvrais des choses déjà connues, tout se mettait naturellement en place dans les bonnes cases. Je sortais de ma jungle, je n'avais jamais vu un réverbère et pourtant ça marchait ! J'avais l'impression d'être dédoublée, je me voyais apprendre. Très vite j'ai eu la meilleure rédaction. J'ai été dans les premières jusqu'en classe de seconde. Tant que Charlie était là. Il était mon père et ma mère et plus encore."

Il y a la jeune artiste qui trace son chemin. Le BTS de styliste-modéliste à l'école Chardon Savard, décroché *in extremis* : "Je ne sais pas me vendre à l'oral, mais heureusement il y avait ma note de français !" La rencontre affective et professionnelle avec la créatrice de mode Facteur Céleste et les premiers pas dans le monde de la chaussure en travaillant comme assistante styliste sur les très sophistiquées sandales de cette marque. Une autre grande rencontre avec un vieux monsieur, le bottier Maurice Arnoult, une figure de Belleville*. Il lui apprend les règles de l'art. Elle est fin prête pour ouvrir une cordonnerie à Montmartre où, quand elle ne pose pas des fers sur des semelles, elle réalise des chaussures sur mesure, sur désir. Dans son press-book d'alors, ses souliers, ses escarpins ont des noms de haïku : *Fleur de prunier*, *Libellule*, ils sont en peau de saumon, au crochet... "A six cents euros la paire, pour cinquante heures de boulot, je gagnais à peine ma

* *Moi, Maurice, bottier à Belleville*, L'Harmattan, 1993.

vie, mais j'étais heureuse, en dehors du temps, du monde, de tout …" La petite fille aux pieds nus qui fabrique des chaussures de luxe ! "Oui, c'est ce qui représente pour moi la civilisation, le raffinement. La paix, c'est quand on n'a rien d'autre à faire que de s'occuper du pied… Parallèlement, j'avais suivi pendant trois ans un atelier de nœuds coréens avec un maître – ils ornementent les costumes dans les cérémonies ou servent de porte-bonheur dans les maisons. J'aimais l'aspect concentration, méditation de ce travail. Mais c'était scandaleux de mettre des nœuds partout comme je le faisais : sur les chaussures, les sacs, les ceintures…"

Le Cambodge, elle l'a mis de côté, caché dans un coin de sa tête. "Je l'ai nié", dit-elle. Charlie la convainc pourtant d'y retourner. Sur place, elle est contactée par les Artisans d'Angkor. Elle met deux ans à accepter le poste : "J'avais la trouille. De ne pas revenir. D'une balle perdue. Je ne sais pas. Et puis j'étais bien dans mon petit milieu parisien. La soie c'était ringard pour moi, mon truc c'était plutôt la récup ! Je me disais que ce serait nul sur le plan stylistique…" Elle travaille d'abord en free-lance pour les Artisans puis finalement s'installe quand elle attend son deuxième enfant. "C'était une réconciliation affective. La volonté de me confronter au passé, aux fantômes." Des changements au sein de la direction des Artisans ont bouleversé en partie la donne. Sirivan s'est réinstallée à Paris même si elle va souvent au Cambodge et, avec Liesbeth, elle a plongé dans Baray Occidental.

"Cette entreprise, je dois la mener jusqu'au bout. C'est la mienne. Elle me correspond : retrouver mon identité cambodgienne, participer à la renaissance de l'artisanat khmer tout en étant dans le haut de gamme, dans le luxe. C'est une façon de sublimer mon passé, évidemment ! mais ça me plaît. A moi ! Je voudrais arrêter de jouer les caméléons qui s'adaptent à tout, qui ont toujours cette reconnaissance, ce désir d'être acceptés, aimés. Quand on a survécu, quand on a été toujours aidé, sauvé, on ne sait pas comment rendre ça. Je n'oublierai jamais les familles chez qui ma mère, trois fois, m'a emmenée pour qu'elles me cachent – je me souviens que j'étais enfermée dans le noir, dans un grand panier ? un placard ? Les gens disparaissaient la nuit, on pouvait toujours «être appelé» et, sans doute, ma mère avait eu vent de quelque chose. J'ai appris plus tard que ces trois familles ont été assassinées. Je ne les oublierai jamais." Elle dit ça tandis que son portable sonne et sonne encore dans ce bistrot où s'engouffrent des Parisiens bruyants, trempés jusqu'aux os. Elle a les larmes aux yeux. Elle décroche pourtant, confirme un rendez-vous, appelle pour confirmer qu'elle passe prendre les enfants, consulte son répertoire pour me donner des contacts à Phnom Penh, efficace soudain, parisienne ô combien… Je le lui dis. Elle soupire : "Je dois me contraindre. Ma vie idéale, c'est ne pas courir, rêver, créer. Je n'ai aucune notion, ni du temps, ni de l'argent."

Je ne sais pas pourquoi cette petite apsara de Paname me touche autant.

17

DE TERRE, D'EAU ET DE POUSSIÈRE

Méandres
Elégants
Kaléidoscope
Oriental
Nénuphars
Grand fleuve de mon enfance.

MÉAS PECH-MÉTRAL,
"Cambodge, je me souviens".

Phnom Penh-Kompong Cham-Kratie. Le Cambodge comme une gigantesque entreprise de construction : des maisons, des ponts, des barrages, des routes. Arrêt dans la plantation d'hévéas de Chup. Une armada de jeunes gens descendent d'un pick-up et s'enfoncent dans la forêt. Somptueuse terre rouge. Saignée des arbres d'où coule l'or blanc. Grandes allées façon conte de fées, gigantesque damier hérité des Français. Déjeuner à Kompong Cham. On est à trente kilomètres du Viêtnam. Nuit à Kratie au bord du Mékong. Lumière renversante de l'aube. Petit-déjeuner d'une soupe odorante au marché. Prendre des forces : ce matin, nous partons pour le Ratanakiri.

Ratanakiri ! Même effet que Battambang. Phonèmes à fantasmes. Le monde sauvage des Hautes Terres… C'était au premier séjour en janvier. En août 2007, je n'aurais sans doute pas pu m'y rendre : la mousson y est forte, les routes souvent coupées. Ce périple se déroule avec l'association Accueil cambodgien. Par où commencer ? Dire d'abord ce qu'il me reste de cette province au Nord-Est du Cambodge, limitrophe avec le Viêtnam et le Laos, trois choses qui me restent, pour toujours, sûrement, du Ratanakiri, comme ça d'emblée, sans trier, sans tricher, sans hiérarchiser. Allons… la poussière, la forêt primordiale, le chercheur de pierres précieuses. Commencer par la poussière, puisqu'elle nous a accompagnés pendant ces heures et ces heures de 4X4, cahotés, malmenés, bousculés, bercés aussi. Phnom Penh, Kompong Cham, Kratie, Stung Treng, Ban Lung. Des heures et des heures de spectacle. Douze heures, paraît-il. Quand on aime on ne compte pas ! La poussière donc. "Au début était la Poussière, chemineuse d'immensité, poudreux simulacre des astres, nuée de pollens inféconds. Elle est la complice du vent qui d'abord la berce puis la disperse, la dissémine, la rudoie, la tutoie peut-être. Qui l'étreint, qui l'enserre avant de l'enlever, fiancée volatile, pour la poser, la déposer en d'autres couches. En quelque ailleurs où elle reformera aussitôt ses escouades errantes, ses foules, ses houles sans cesse recommencées, ses fantômes égrotants." Ainsi parle Jacques Lacarrière, grand écrivain-voyageur, dans *La Poussière du monde*.

La poussière khmère, sur les routes qui mènent au Ratanakiri, c'est un voile permanent et mouvant, rouge profond, pourpre, opaque ou transparent, c'est selon. La poussière, c'est surtout pour moi l'illustration de la formidable patience, l'indéfectible résistance des Cambodgiens. Car si, par la vitre du 4X4, la poussière se la joue, nous la joue suite d'esthétiques tableaux, dehors c'est une fieffée envahisseuse contre laquelle il est vain de lutter. Les paysans sur leur vélo, leur moto, sur la plateforme des camions, les ouvriers sur la chaussée remuant le ciment à la pelle, les enfants partant à l'école ou aux champs, les Cambodgiens donc, momies enrubannées dans leur *krama*, ne luttent pas ; simplement, tranquillement, dirait-on, ils résistent… et trouvent même le moyen de nous faire d'amicaux signes de la main. On répond, ravi de cette éphémère connivence. Et l'exaltation du voyage monte et les numériques jouent les hystériques : vite, en roulant, attraper ce bout de pagode, cette femme en *sampot*, cette rangée de poivriers, ce tumulus funéraire, ce panneau pour le PPC, le Parti du peuple cambodgien, le parti du pouvoir, mais celui-là, basta ! reproduit à des milliers d'exemplaires dans tout le pays, on sait qu'on le retrouvera.

Et les kilomètres interminablement s'étirent.

Et les reins ont le mauvais goût de faire souffrir.

Kratie-Stung Treng. Route toute neuve réalisée par les Chinois. Des ouvriers finissant des bouts de chaussée. Voiture renversée peu avant Stung Treng. Une mère et son bébé mal en point. Dans notre groupe, Phrana, Cambodgien de France, anesthésiste, leur donne les premiers soins. Le chauffeur s'est enfui, par crainte des représailles, paraît-il. A Stung Treng, nous prévenons l'hôpital. Déjeuner. Terrasse ombragée – plantes, fleurs et bric-à-brac – sur un toit qui me rappelle mon premier émerveillement toit-terrasse, à Pondichéry. Courte balade en plein cagnard au bord du Sékong qui se jette dans le Mékong à peine plus loin. Embarcadère, pour le Laos tout proche… – non ! on ne peut pas tout faire.

Stung Treng-Ban Lung. Si cahotée, si bousculée, si malmenée, et pour finir bercée, je m'endors jusqu'à Ban Lung, la poussiéreuse, la ville rouge. Je me souviens mal de l'hôtel, je sais que je continue à y dormir comme une souche. Je dors encore quand les 4X4 nous déposent dans une "forêt primordiale", vierge d'intervention humaine. L'expression est magnifique. Il me semble qu'elle dit, mais le dit-elle ? l'exubérance et la dégénérescence, la puissance des fûts qui s'élancent et que j'ai du mal à suivre jusqu'au faîte, les troncs définitivement enlacés, les ondulations folles des lianes en vrille. L'expression dit-elle le silence magnifié par les chants, les notes, les trilles d'oiseaux inconnus, amplifié par les craquements mats et les gémissements des mâts vivants, les infimes bruissements, frémissements, naissant sous nos pas ? Dit-elle le moutonnement infini de la canopée sur un ciel qui moins que jamais nous appartient à nous humains, un ciel surnaturel, un ciel planétaire, une idée de ciel, une quintessence de ciel, un méta-ciel… Si bleu. Je plane. Redescends, m'arrête pour palper la tiède douceur d'une mousse aux senteurs de terre, d'humus, de sueur aussi, la fraîche transpiration d'un enfant… Senteur d'enfance – le temps où je découpais de petits carrés de mousse dans la forêt de Montmorency pour en faire des moquettes de poupée… Phourinhean, qui me rejoint sur le sentier, lui, est vraiment venu ici enfant. Il est dans une sorte d'ébriété sensorielle, joyeuse et nostalgique en même temps.

Nous parlons des forêts. Selon Greenpeace, près de 80 % des forêts primaires (synonyme de "primordiales") ont disparu, elles qui détiennent un potentiel énorme pour la pharmacopée ; et sans doute y a-t-il ici comme ailleurs un savoir-faire en la matière qui va s'évanouir. Nous parlons du massacre des forêts tropicales au Cambodge. Près des trois quarts du pays sont boisés ou plutôt l'étaient : environ trois millions d'hectares de forêts ont été rasés depuis 1970, soit un quart de la superficie originale*. Les Khmers rouges ont financé leur débauche guerrière sur le dos de la forêt, vendant des centaines de milliers d'hectares. Les suivants n'ont pas fait mieux. Exportations illégales de bois un temps couvertes par des membres du gouvernement, concessions distribuées comme des petits pains**... C'est une véritable dilapidation de l'or vert, l'une des richesses du pays khmer. Le gouvernement commence à s'en inquiéter officiellement mais la corruption est là qui gangrène toute politique. De plus la culture du riz sur brûlis ou essartage – un bout de forêt est brûlé, la terre ainsi fertilisée, sans irrigation, sans repiquage, servira une à trois fois –, très répandue chez les populations nomades au Ratanakiri, mais aussi dans la province voisine, le Mondolkiri, aurait également contribué à la dégradation de la forêt. J'emploie le conditionnel car, à la journée des Langues O à Paris, j'entendrai une communication de Mathieu Guérin argumentant du contraire***.

* J'ai lu des chiffres plus dramatiques encore évoquant 70 % des forêts cambodgiennes qui auraient disparu...
** Fin 1995, près de 6,5 millions d'hectares de forêt tropicale ont été cédés à une trentaine de concessionnaires, selon des chiffres rapportés par *L'Ecrit d'Angkor*, février 2004.
*** L'essartage n'est pas, dit en substance Mathieu Guérin, le mode de production archaïque qu'on stigmatise : le Ratanakiri a une productivité de 1,5 à 2 tonnes de riz à l'hectare, soit deux fois supérieure à celle de la région de Kompong Speu, mais moins qu'à Battambang – 6 à 8 tonnes – dans le fameux grenier à riz cambodgien. De plus, ajoute-t-il, cela permet à la forêt de se régénérer... (Mathieu Guérin, *Des*

Quoi qu'il en soit, d'après les spécialistes, les effets de la déforestation se font déjà sentir : inondations et sécheresses accrues font baisser la production des rizières. A quand la prime au non-déboisement proposée au Grenelle français de l'environnement ?...

Quand nous arrivons aux cascades de Chaa Ong, Phourinhean noue son *krama* autour de ses reins en guise de maillot de bain. Pique-nique : riz, poisson séché et fruit du dragon. Fraîche et violente cascade de l'eau sur le corps rompu. Se faire offrir une cigarette sur une pierre au soleil, mouillée je tiens six minutes ! Vent chaud, impudique, béatitude, sentiment océanique de mansuétude extrême ! prête à pardonner à mes pires ennemis... deuxième moment à la Bouvier (le premier à la nuit tombée à Angkor). Un groupe d'enfants khmers déboule. Leur bonheur sous les chutes.

Le lendemain, encore de l'eau. Le lac sacré, lac volcanique de Boeng Yeak Lom. Age : sept cent mille ans. Parfaitement rond, parfaitement pur, serti dans la jungle. Bain de jouvence. Le corps régénéré, l'âme pacifiée. A nouveau que de bonnes pensées ! Sur le ponton en bois, bain de soleil et Coca. Un petit côté canadien, je trouve. Si on fait le tour du lac, on trouve un centre de "visiteurs" qui vend des instruments de musique au profit des villages "ethniques". Je n'y vais pas. Car, soudain, en plein nirvana, mon corps se désolidarise. Coliques frénétiques, là, dans ce lieu de beauté absolue ! Modestie, relativité...

montagnards aux minorités ethniques. Quelle intégration nationale pour les habitants des hautes terres du Viêtnam et du Cambodge ? L'Harmattan/Irasec, 2003.) Selon d'autres voix autorisées, il y a un phénomène de seuil : il faut laisser à la forêt le temps de se reconstituer.

La nuit sera rude. "Certains jours, on se passerait d'avoir un corps ; avant l'aube, la colique et la fièvre me laissent quatre heures de sommeil et de répit bienvenus que j'emploie à le séparer de moi. Au réveil je le retrouve à une bonne longueur de bras. Je le bouchonne, je l'étrille à la brosse et à l'eau froide, je le frotte à l'alcool de camphre, le retourne sans façon en m'amusant de le retrouver chaque matin plus émacié et piteux. Je l'enveloppe de laine et de cuir, l'abreuve de thé très sucré – le seul aliment qu'il supporte – puis je l'envoie sur la route où il se nourrit de vent atlantique et où je le rejoins un peu plus tard sans qu'on ait échangé un mot. Si mauvaise qu'ait été la nuit, quelques bouffées d'air ont suffi à le remettre d'aplomb. Il est là, revigoré, fin prêt pour les entreprises de la journée." *(Journal d'Aran et autres lieux.)* Oui ! cher Nicolas Bouvier.

Les minorités ethniques du Ratanakiri : les Tompuon, les Kreung, les Jarai, les Brou, les Katcha, les Kaveth… c'est aujourd'hui que nous allons les voir, dans leurs villages. *A priori*, le côté "réserves" ne m'emballe pas. Je passe un long moment à l'hôtel à bouquiner la doc fournie par Accueil cambodgien. Ces minorités avec une langue et des costumes propres, il y en a au Laos, au Viêtnam et au Cambodge, toujours désignées par un mot qui signifie "sauvages" ou "esclaves", *phnong* en khmer. Officiellement on parle des *khmer-leu*, ce qui signifie "Khmers de la montagne", "Khmers d'en haut". Chaque tribu ne compte que quelques milliers et souvent quelques centaines de membres. Premier village, une tribu kreung de cent personnes. Le guide nous montre la minuscule maison perchée du fiancé, où les promis peuvent se rencontrer avant le mariage – un Cambodgien me dira que ces superbes nids d'amour ne sont là désormais que pour le touriste –, la salle des réunions, des cérémonies, chauffée par panneaux solaires, l'enclos de la sorcière avec un bananier (oui, ce sont des sorcières !) où se prennent les décisions – combien de buffles seront sacrifiés ? –, le puits dont certains n'osent pas se servir car ils ne voient pas l'eau, l'école équipée elle aussi d'un panneau solaire. Le tout réalisé par une ONG – elles sont très nombreuses dans cette province.

Nous visiterons quatre villages de la sorte. Le guide ne nous ménage pas les explications : les habitants vivent de cueillette, de la chasse à l'arbalète des sangliers et des chevreuils, de la culture du riz sur brûlis, ils fabriqueraient du *nuoc mâm* à base de rat – un des objectifs des ONG est l'amélioration de l'hygiène –, les maisons sont construites de façon à être facilement transportables, le village déménageant en général au bout de trois ans. Déménageait, car les autorités et les ONG les encouragent à s'installer pour de bon, notamment pour éviter la déforestation. Je me sens un peu mal à l'aise, comme je le pressentais, avec cette visite organisée : nous croisons quelques habitants, plutôt petits, habillés comme le sont la plupart des Cambodgiens pauvres, il n'y a pas de bruit, pas de jeux, pas de cris – l'impression que tout est mis en place pour le touriste. Et nous passons trop peu de temps pour recueillir autre chose que des impressions.

Le soir, un verre au *Lodge des Terres Rouges*. Pour touristes certes mais elle est bien belle, cette ancienne demeure du gouverneur aménagée par Pierre-Yves Clais, le rédacteur du *Petit Futé* sur le Cambodge, marié à une Cambodgienne, qui a découvert le pays en 1992 sous le casque bleu de l'Apronuc. Moi, c'est sous le croissant de lune, dans les jardins, que je découvre le gigantisme d'un jacquier, les arrogantes orchidées – que ces fleurs-bijoux de luxe sont intimidantes –, moins prétentieuse, quoique ! la fleur de bananier flanquée de son minuscule régime – Groslier, le père du Musée national de Phnom Penh, dans son mythique roman de 1928 *Le Retour à l'argile**, la décrit ainsi : "La prodigieuse fleur d'un bananier venait d'ouvrir son fuseau d'améthyste et lui tendait une main verte aux doigts innombrables" ! Bref, ici tout n'est qu'abondance et fête des sens, les cocktails de fruits sont du paradis et ça sent le frangipanier jusque dans la pièce de massage... Les élégantes suites, sans clim, bravo ! sont à 70 dollars (la taille de la salle de bains est celle de mon séjour) et une soupe coûte 2,5 dollars.

Fastueux paysages pour le trekking, notamment dans le parc national de Virachay (une des zones protégées du Cambodge par un décret royal de 1993**), rivières et grottes, chutes et cascades, jungle et promenade à dos d'éléphant, derniers tigres et sangliers... le tourisme a sans doute de très beaux jours devant lui au Ratanakiri (comme au Mondolkiri). Notre très bon guide Bun Long Phe, trente-trois ans, anglais courant, attend beaucoup de cet Eldorado : il organise déjà des treks de trois jours avec nuits dans les villages ethniques – peut-être une façon d'en savoir un peu plus ; il gagne 115 dollars par mois.

---

* *Le Retour à l'argile* valut à G. Groslier le Grand Prix de littérature coloniale de 1931 – année de l'Exposition coloniale à Paris, porte Dorée, où il organisa les pavillons du Cambodge.
** Les zones préservées par le décret royal de novembre 1993, y compris les parcs nationaux, représentent une superficie de 3,4 millions d'hectares (*L'Ecrit d'Angkor*, 2004).

Nous reprenons la route. La déforestation saute aux yeux : de grands espaces rasés et soudain, au milieu de rien, trois maisons, un puits et un billard. Et toujours une femme, un enfant qui de temps en temps émergent de la poussière – par quel miracle n'y a-t-il pas plus d'accidents ? –, le *krama* jusqu'aux yeux, et nous saluent. L'une de nous est malade (moi ça va mieux, merci) ; les chauffeurs la gratifient d'un *koch-kchol* : son dos est zébré tant ils l'ont étrillée. Cela ne marche pas : nous l'emmènerons à l'hôpital. Arrêt dans un village musulman très vivant – minorité religieuse qui vit en bonne entente avec le reste des Khmers bouddhistes : un camion chargé de graines de soja, une jolie jeune femme non voilée qui broie des cannes à sucre pour en extraire le succulent suc, un petit garçon qui écrit sur le carnet que je lui offre, le sourire de la plus adorable des gamines, une rouquine !

Dernière étape dans un village de mineurs : Ratanakiri signifie "colline des pierres précieuses", autre richesse naturelle de la province. Nous grimpons au-dessus du village et marchons en prenant garde aux trous, ceux par lesquels se glissent les mineurs pour extraire le zircon, genre de diamant, m'apprend-on. L'un d'eux vient de sortir, il est assis par terre, quelques pierres dans le creux de sa paume. Il est ici depuis trois ans pour mettre de l'argent de côté et ouvrir un petit commerce. C'est un très beau gars sous sa gangue de boue brune, lisse et luisante. Je lui achète une pierre à un dollar. Il fait un mouvement et je vois qu'il a un pied et une jambe artificiels. Une victime des mines antipersonnel. J'y reviens ci-dessous.

En rentrant pour la dernière nuit à l'hôtel, nous nous arrêtons dans un village au hasard pour distribuer des vêtements apportés de France. Un paysan cède son arbalète ouvragée pour cinq dollars à l'un de nous. C'est pas cher payé, je trouve, mais le propriétaire paraît comblé. Quand nous remontons dans les 4X4, d'un champ surgit un groupe de femmes : l'une d'elles, *krama* rouge et blanc et allure de reine, fume une fine et longue pipe.

Nous reprenons, dans l'autre sens, la même route calamiteuse entre Ban Lung et Stung Treng. Devant nous, un pont en bois s'écroule sous le poids d'un camion. Ledit camion est aussitôt monté sur cric, et les hommes qui arrivent nombreux, du village voisin sans doute et de quelques voitures khmères, tentent de mettre des planches sous les roues. Finalement, en moins de deux, hommes et femmes – dont une autre fumeuse de pipe d'une cinquantaine d'années tout en nerfs et en muscles – tracent, à coups de machettes, pioches, pelles, sorties d'on ne sait où, une mini-déviation, qui contourne le pont. Les voitures, étrangères en tout cas, qui faisaient la queue, doivent donner mille ou dix mille riels, je ne sais plus, soit, au pire, un peu plus de deux euros. Bien mérités ! Ecrivant cela, je repense à Hisham Mousar, le porte-parole d'Adhoc, me parlant du génie khmer…

A nouveau, étape à Kratie pour observer les dauphins d'eau douce de l'Irrawaddy ou dauphins du Mékong*, une espèce en voie de disparition. Somptueux, lourd et nonchalant Mékong, le Fleuve Jaune, quatre mille kilomètres du Tibet à la mer de Chine, le Fleuve-Mère qui nourrit des millions de gens, une manne menacée peut-être par les nouveaux projets de barrages chinois** ;

* Un plan de protection, qui vise également à réduire la pauvreté en développant le tourisme, a été lancé.
** Selon la Mekong River Commission (une organisation intergouvernementale chargée de la santé du fleuve), le débit du Mékong diminue, réduisant gravement la capacité des

le moment de se rappeler que, pour citer une fois de plus François Ponchaud, les Khmers nomment le pays qui les a vus naître "Eau et terre" : "Où finit l'eau ? Où commence la terre ferme ? On ne l'a jamais bien su et on ne le sait pas encore" ; le moment de dire un mot du lac Tonle Sap qui gonfle et dégonfle, quadruplant sa superficie entre juin et septembre*, et laissant quand il se retire une "forêt inondée" où l'expression "pêche miraculeuse" n'est pas juste une image – on dénombre huit cents espèces de poissons. Les Cambodgiens célèbrent ce renversement des eaux – sous la pression du Mékong surabondant, le Tonle Sap (le nom désigne le fleuve et le gigantesque lac qui le prolonge) renverse son cours et coule du sud au nord – par la fête des Eaux, débordante également, dit-on, de vie et de plaisir…

Embarquement donc sur le Mékong. Je fais semblant de guetter les cétacés – j'apercevrai quelques queues – mais la vérité est que je jouis simplement du moment où mon "rêve du Mékong" s'incarne, là, dans ce bateau, sous le charmant auvent de dentelle rose assorti à la palette du ciel. L'arrêt sur un banc de sable blanc, où notre marin très pince-sans-rire nous informe dans un anglais hésitant mais avec un ton assuré que des *barang* se sont récemment fait dévorer

poissons à migrer et se reproduire. Les deux barrages hydroélectriques édifiés par la Chine sur le cours supérieur du fleuve en seraient responsables. Un troisième est prévu pour 2010. Huit autres sont projetés et plus d'une centaine d'ouvrages d'art et d'irrigation sont à l'étude car chaque pays traversé par le fleuve souhaite profiter de cette manne énergétique. (*Grands reportages*, février 2006.)

* Je n'ai pas réussi à bien comprendre ce phénomène qu'on m'a expliqué moult fois ! Guillaumin Sor dans son roman avoue le même blocage – ça rassure…

par des crocodiles, ne rompt pas le charme puissant…

Nous dormons dans le meilleur hôtel de la ville, au bord du fleuve, au *Santepheap*, l'hôtel de la Paix : on nous sert du poulet au gingembre et du *prahoc*, sur des tables installées pour nous, dehors, à la lumière des bougies. Je n'ai pas envie de dormir, la nuit est capiteuse, certes elle l'est toujours, mais là, de l'autre côté de la rue, coule le Mékong… Avec Miss Chamruen, la réceptionniste, c'est ainsi qu'elle se présente, je discute en anglais des fumeuses de pipe du Ratanakiri. Elle me dit que les femmes au Cambodge peuvent fumer dès qu'elles sont âgées "parce qu'alors, elles pensent !" Cela me plaît bien : je me sens autorisée à sortir une cigarette Alain Delon (elles font fureur au Cambodge avec ou sans l'aval de l'acteur, je l'ignore) qui traîne dans mon sac… Miss Chamruen m'apprend à bien prononcer *Ritrai susdai*, "bonne nuit".

Après Kratie, le paysage devient plus riche : belles maisons sur pilotis et mares piquées de nénuphars, cafés-gargotes, rizières, champs de poivriers, centres de santé, ribambelles de bonzes, une moto transportant un cochon et toujours, à tout bout de champ, des panneaux du PCC… Avant Kompong Cham, arrêt sur image d'un camion versé sur la route avec son chargement de noix de coco. Et le film reprend : opulentes meules de paille de riz, enfants qui cherchent des crabes dans les rizières, attelages de buffles, toits de tuiles, de chaume, de tôle ondulée, de feuilles de palmier pour les plus pauvres, portiques très kitsch annonçant une pagode… Je ne me lasse pas de regarder. Encore, encore. Quelque chose d'une addiction. Je sais que les premières fois ne reviennent pas, je sais que plus jamais je n'aurai la rétine aussi sensible. Alors j'engrange.

Notre itinéraire est un peu fou qui nous fait re-piquer vers le nord, vers Kompong Thom, puis Tbeng Meanchey, dans la province de Preah Vi-hear. Des heures ! Sur le bord de la route, des pan-neaux avec une tête de mort et *Attention danger* ! Au premier arrêt pipi, j'enjoins à une Française du groupe de rester au bord de la route pour ne prendre aucun risque. Elle est sceptique. Elle a tort : nous sommes ici dans une des régions les plus minées. Un soir, à Phnom Penh, je verrai un excellent film d'Eric Page sur les mines antiper-sonnel, projeté chaque jour à dix-sept heures par *Mekong River*, quai Sisowath. Dans une mini-salle de projection, au-dessus du café-restaurant, nous sommes ce jour-là trois à le regarder. Le Cam-bodge est le pays au monde qui a été le plus in-festé : 4 à 6 millions de mines posées par tous les camps pendant les presque trente ans de guerre. Enterrées de 5 à 17 centimètres, elles se déclen-chent sous la pression et sont d'abord conçues pour mutiler – un blessé ralentit plus l'ennemi qu'un mort ! Les mines font encore une victime toutes les trente minutes sur terre ; quelque 40 000 Cambodgiens ont perdu des membres après avoir sauté sur une mine (1 personne sur 275) ; en 2007 il y a encore eu 800 victimes (quatre fois moins qu'il y a dix ans)*.

Le déminage doit être fini en 2010**. Il est no-tamment assuré par le CMAC, Centre d'action contre les mines, qui travaille avec les forces armées roya-les, souvent de façon manuelle, la seule efficace à

* Et je lis dans *Cambodge-Soir* que ce chiffre est passé à 350 en avril 2008.
** Les démineurs cambodgiens transfèrent désormais leur savoir-faire : 135 d'entre eux sont actuellement en opéra-tion au Soudan.

100 %. Coût de fabrication d'une mine : 3 dollars. L'enlever : 100 dollars… Le processus d'Ottawa, afin qu'aucune mine ne soit plus posée, regroupe 152 Etats (dont le Cambodge) : 42 pays comprenant les Etats-Unis et la Chine ont refusé de s'y engager. J'apprends aussi que l'appareillage des victimes ne peut se faire qu'après quatre opérations et qu'il doit être réadapté tous les deux ans. Une école de prothésistes s'est ouverte à Phnom Penh.

Cela, ce sont les chiffres secs. Dans les rues des villes, aux abords des temples, sur les plages de Sihanoukville, ces chiffres ont des visages. J'ai le souvenir d'un homme se traînant, rampant jusqu'à moi, devant mon hôtel, alors que je prenais mon petit-déjeuner, et moi me précipitant avec mon billet, pour que, mon Dieu ! il parte, que je ne le voie plus. Et d'un autre qui vendait des livres et avec qui j'ai discuté littérature. Et d'un jeune dans un fauteuil roulant qui a eu un mal fou à me convaincre d'acheter non pas une seule de ses naïves aquarelles-cartes postales, mais la série entière. La somme était dérisoire, peut-être dix dollars, peut-être même pas. Chaque fois que je tombe sur ces cartes, ou, récemment, lorsque j'en ai offert une représentant un éléphant à une très jeune fille dont c'était l'animal fétiche, je me demande comment j'ai pu ainsi pinailler avant de céder.

Tbeng Meanchey. Ville poussière à nouveau que celle-là, où, dit le *Lonely Planet*, très peu de visiteurs s'aventurent. C'est qu'ils ne sont pas drivés par Bernard Berger, le curé contestataire, l'incorrigible baroudeur, celui qui prit en charge les lépreux du Cambodge en 1973, accueillit chez lui en Seine-Saint-Denis, non seulement dans sa sacristie mais dans sa maison, des enfants khmers réchappés du massacre, en aida d'autres à obtenir des papiers, à trouver du travail, celui qui joua le rôle de passeur en permettant à Cham, Thérèse, Jean-Marc, Marie et les autres de revenir au Cambodge sans se faire trop mal. Mais avec ça une réserve, une pudeur, qui en font un homme difficile à interviewer… Bref, si vous partez avec Bernard Berger, vous irez à Tbeng Meanchey. Moi, je ne l'ai pas regretté. Je n'ai pas regretté l'unique et fantomatique rue, son karaoké, sa baraque Internet, son échoppe qui vend des portables… Je n'ai pas regretté cette chambre invraisemblable avec la lampe d'ambiance rose sur la coiffeuse (comme chez ma grand-mère !), la télé satellite, les W.-C. qui fuient, et dehors la poussière la poussière la poussière et une certaine fraîcheur de l'air, celui des hauts plateaux. Surtout je n'ai pas regretté la soirée au *Dara Reah Restaurant* où nous avons dîné, "installé dans un grand jardin et fréquenté par les notables locaux", affirme encore le *Lonely Planet*. Etaient-ce des notables, ceux qui mariaient leurs enfants ce soir-là ? Sans doute. C'était un beau mariage. On a sympathisé, on a trinqué, on a guinché. Les hommes se battaient presque pour nous apprendre, à nous les Françaises, la danse traditionnelle. Je n'étais pas mauvaise à la vérité… J'ai même dansé avec le marié, pas mal de sa personne et vêtu de satin rose indien. Il faisait doux, il faisait gai, il faisait bon. *Okoun tchraeun*, Bernard !

Etape ultime, le temple-montagne de Preah Vihear, altitude 730 mètres, sur la crête des monts Dangrek, que les Thaïlandais ont longtemps disputé au Cambodge*. Un versant thaïlandais

---

* Selon un jugement rendu en 1961 par la Cour internationale de La Haye, le temple appartient au Cambodge. Le conflit, jamais complètement éteint, a repris de vive façon depuis l'inscription de Preah Vihear, le 7 juillet 2008, au Patrimoine mondial de l'Unesco.

accessible par une route goudronnée – des colonnes de touristes –, un versant cambodgien qu'on rejoint à moto ou en 4X4 – une poignée, les happy few ! Hautement à risques, ce moto-cross avec des pentes pouvant atteindre 35 %, certes, mais, accrochée à mon *driver*, quel plaisir ! J'ai beau ne pas être accro des points de vue, celui-ci, qui domine la plaine cambodgienne, je ne l'oublierai pas – et je peux encore aujourd'hui sentir la fraîcheur de l'air après la fournaise de la montée. Pour le temple, franchement, je passe à côté : une bonne fatigue proche de l'ivresse me coupe les jambes, émousse mes facultés admiratives. Je prends quand même une photo de jeunes, cambodgiens et thaïlandais, qui me font l'honneur de poser ensemble, rigolards et fraternels, sur un canon datant de la guerre.

18

PLAISIRS ET PÉRILS A SIHANOUKVILLE

> *Ne te fie point au ciel, ne te fie point aux*
> *étoiles, ne te fie point à ta fille qui prétend*
> *n'avoir pas d'amoureux, ne te fie point à*
> *ta mère qui prétend n'avoir pas de dettes.*

Proverbe cambodgien.

Visions désespérantes de Sihanoukville montrées dans un récent *Thalassa*. J'en parle à Paris avec Marina Pok, l'ex-sous-secrétaire d'Etat aux Affaires étrangères cambodgiennes de 1993 à 1997, qui part dans quelques jours au Cambodge en tant que conseillère d'un film sur la côte khmère, dans le cadre d'une série produite par Arte et diffusée à l'été 2008*. Faut-il ne montrer dans un magazine comme *Thalassa* que le mauvais côté – expropriations, prostitution – d'un lieu doté par ailleurs de tant d'atouts ?

Unique port du pays conquis sur la jungle en 1950, la ville fut rebaptisée Kompong Som après le renversement de Sihanouk en 1970. Les Cambodgiens utilisent l'un ou l'autre nom, peut-être selon qu'ils sont royalistes ou du côté du PPC. Si la ville elle-même est sans charme, elle offre ses plages splendides et ses îles préservées. Le sable

---

* *"Tout le monde à la mer"* : *Cambodge – le sourire retrouvé*, System TV.

blanc, les palmiers, les vagues, images convenues peut-être mais combien douces à vivre. J'arrive un matin après mon épisode durassien. J'hésite et me fais finalement déposer, après, je dois le reconnaître, pas mal de tergiversations, par mon chauffeur Mondayman de plus en plus fatigué de moi, au *Jasmin Hotel*, plage d'Ochheuteal, au sud du centre-ville. La vaste terrasse au deuxième étage me plaît bien. Je pose tout et ressors. Je veux voir la mer. C'est à la fin de la matinée – l'expédition Duras avait commencé à l'aube. La mer de Chine est là, tout de suite, à une minute. Et c'est ce choc, égal à lui-même, de la mer offerte dans le vaporeux, le translucide, le tremblé de l'air, la mer toujours recommencée, dit le poète, et toute neuve, à moi offerte. Ce jour-là je retrouve la fraîcheur de mes sensations à la découverte de la plage de Pyla, près d'Arcachon, un matin amoureux de mon adolescence. Le monde sous mes pieds qui foulent le sable clair, le monde qui bruit à mes oreilles, ressac, appels, oiseaux, vent peut-être, le monde qui bat au tempo de mon désir. C'est mon troisième instant Bouvier… je le fais miroiter, je le fais tourner dans la lumière pour que ses cristaux laissent en moi quelques éclats. Un lit sur pilotis me tend son matelas. J'y tombe ! Tout de suite s'approche une femme qui descend son plateau de sa tête et me propose des langoustines : elle les épluche, les assaisonne de citron vert et de poivre. Mes orteils sont léchés par la mer tandis que je me pourlèche. Passe une autre femme qui vend des nems. J'en mange deux, le troisième est subtilisé par une petite qui part en courant. Arrive un homme en fauteuil roulant : je lui achète des cartes postales et un lexique français-khmer. Un autre qui rampe, sans jambes et sans voiturette, fait demi-tour quand il voit que je suis déjà accaparée. S'arrête une autre vendeuse avec un petit brasero, et des calamars me semble-t-il. Je n'achète pas mais j'achète à la suivante des fruits rouges poilus, si bons, dont je ne sais jamais si ce sont des mangoustans ou des ramboutans. Je suis sonnée : ce mélange de délices et de misère, de douceur pour moi et de lutte pour eux. Et quand faut-il s'arrêter de donner, d'acheter, et comment dire non ? On le fait au bout du compte, on le fait, quitte à garder quelques cuisants regrets de ne pas avoir donné à celui-là ; mais n'est-ce pas la même chose à Paris où tout à l'heure, juste avant de rédiger ces lignes, je n'ai pas ouvert mon porte-monnaie – flemme, déjà donné – pour un jeune Africain qui tendait la main rue Lassus ? Et son regard qui s'est éteint quand j'ai poursuivi mon chemin me poursuit tandis que j'écris.

Je ne dors pas bien cette nuit-là. Mon cauchemar – un générateur – m'en empêche. Dès l'aube ou presque, je déguerpis pour la *guesthouse* toute proche et repérée hier en rentrant de la mer. Un minuscule bungalow avec ventilateur, pour cinq dollars, tenu par des Français (c'est là que Poli apprend obstinément notre langue). Je retrouve la mer et la grève quasi déserte avec grand bonheur et les premières vendeuses – je fais semblant de savoir dessiner et j'essaie de croquer sur mon carnet, puisque je n'ai pas pris l'appareil photo, leur dégaine de princesse et le chaloupé de leur démarche. En vain. Je note l'éclat bariolé de leur tenue – pantalon corsaire à raies, chemise à fleurs ou le contraire –, le chic avec lequel elles portent leurs chapeaux cloches, ou leurs capelines parfois retenues par un *krama* noué sous le menton. Je m'installe pour un petit-déjeuner dans une chaufeuse à coussins recouverts d'un tissu imprimé rouille qu'on retrouve dans tout le Cambodge. Et tout de suite je suis prise en main. Façon de parler : une jeune femme ravissante a décidé de me faire les ongles de pied pour un dollar – le résultat est mirifique ; je garderai le vernis carmin de longues semaines. Et, d'accord, je passe commande d'un bracelet tissé bleu avec le prénom de ma fille pour deux dollars.

Plus tard dans la matinée, je ferai connaissance de mon nouvel ange gardien, mon *driver* de *moto-dop* à Sihanoukville, Chupp. Il a vingt-cinq ans, ne parle pas un mot de français ni d'anglais, tant pis ! La constance qu'il déploie pour m'avoir comme cliente ces quelques jours ne souffre pas le refus. Je lui demande de m'emmener pour déjeuner à *Treasure Island Seafood* sur la minuscule plage de Koh Pos. L'endroit est sublime, battu par les vagues et le vent. Très durassien encore ! Je suis seule dans un immense restaurant de plein air avec une kyrielle de serveurs. Un peu trop seule. *"We go*, Chupp *!"* Direction Sokha Beach. Je suis à nouveau très seule à la terrasse de ce restaurant de luxe choisi par mon *driver* qui n'a pas très bien compris ce que je voulais – une gargote avec du poisson au bord de l'eau ! Par gestes je lui demande s'il a déjeuné. Non. Nous nous installons à une table nappée de blanc, fleurs coupées et armada de verres. Il m'explique comme il peut qu'il a mal à l'estomac et ne peut prendre qu'une soupe. Ce sera donc deux soupes à la citronnelle. *Tchul kaou !* qui *a priori* mais sans garantie signifie "tchin-tchin" : nous trinquons à l'eau d'Evian. Après le frugal repas, tandis que je prends un bain divin, il me garde mon sac. Je me sens très en confiance avec Chupp. Pourtant, petit sursaut de crainte quand je suis dans l'eau : sans lunettes je ne vois rien ! Comme j'ai tort, comme il est amical, comme il me conduit avec précaution.

Autres plages désertes, oui désertes, il insiste, avec du poisson pour le déjeuner, c'est ce que je comprends de sa proposition pour le lendemain. Il insiste, *beautiful autres* plages plus loin. J'acquiesce. Bien sûr pourquoi pas d'autres plages un peu éloignées... Nous longeons la mer sur notre droite. Je vois des endroits qui m'iraient à ravir mais non, Chupp sait où il veut m'emmener. A *Otres Beach*, ainsi que me l'indiquera le *Lonely Planet* ! Cette fois c'est ni plus ni moins le paradis. Nous sommes cinq ou six sur la plage à côté d'un modeste bar-restaurant, *Chez Pau*, qui a installé de moelleux transats au pied des vagues. Solitude et sécurité – la chaleur du sourire de la jeune Cambodgienne qui m'a dit qu'elle viendrait me prévenir quand mon repas, *seafood* et riz, serait prêt, en est le garant. Il l'est, prêt, quand menace, comme tous les jours vers quatorze heures depuis que je suis au bord de la mer, l'arrivée d'un gros grain. Célérité de toute la famille pour rentrer les transats et les fauteuils, recouvrir le billard, dérouler les bâches afin de protéger l'avancée en bois qui sert de salle à manger. Sur toutes les plages du coin, au même moment, on plie bagage, avec efficacité et tranquillité. Moi, sur un genre de divan-balancelle, je me délecte et de mon poisson-riz et du bruit de la pluie – je suis sous la tente de mon enfance quand les orages de la mer du Nord faisaient se blottir plus encore au creux du duvet. Car il fait moins chaud d'un coup et je me félicite d'avoir acheté cinq minutes avant un large *krama* bleu à trois copines qui passaient là – je ne verrai pas d'autres vendeuses sur cette plage, la deuxième propose des bracelets et la dernière une manucure ; celle du *krama* a vingt et un ans, elle me dit vivre seule, travailler depuis dix ans sur cette plage et y avoir appris le bon anglais qui est le sien. Je félicite la manucure pour sa capeline jaune canari : elle veut que je l'essaie, sort un miroir, propose de me la vendre, dix dollars je crois bien. Ce n'est pas si cher – une autre jeune femme me dira qu'elle achète ces chapeaux cinq dollars au Viêtnam. Le ciel se dégage à une prodigieuse vitesse, la famille réinstalle tout le toutim. Je discute avec une Cambodgienne, quasi obèse, en vacances. Elle a retrouvé son frère après en avoir été séparée pendant vingt-huit ans, elle est serveuse dans un restaurant vietnamien à Paris dans le 19e, mon quartier. Congratulations, accolades. La manucure au bibi canari est ravie : "Vous vous êtes rencontrées comme des amies sincères", commente-t-elle… Quand je veux repartir et appeler Chupp, je constate que mon portable n'a plus de batterie. La jeune femme du restau saute sur sa bécane pour aller me chercher un *moto-dop*. Je voudrai lui donner quelques riels, elle refusera. En l'attendant, je feuillette des livres laissés par des clients. Il y a *Les Fleurs du mal*, de Baudelaire. Voilà quelques jours, j'avais voulu réciter "Les bijoux" à une brève rencontre. Ma mémoire avait flanché. Je la rafraîchis aujourd'hui et ne boude pas cette délicate correspondance. Mon *moto-dop* est avancé ! La famille au complet de *Chez Pau* me fait des signes de la main en me regardant partir.

Et si on allait voir l'hôtel Indépendance, Chupp ! la "grande dame" de Sihanoukville, l'icône du Sangkum au temps des belles années 1960, fréquenté par l'élite de Phnom Penh et la jet-set étrangère : Catherine Deneuve, John Kennedy… Fermé au milieu des années 1970, il fut ensuite un repaire des Khmers rouges. De macabres rumeurs coururent sur ce qui s'y serait passé, et il fut surnommé l'hôtel Fantôme. Cette fois, nous avons la mer à notre gauche. Il fait si bon sur la moto, le trajet n'est pas assez long, je me sens libre comme Audrey Hepburn dans *Vacances romaines*... Plus libre qu'en marchant pour tout dire car je me suis explosé le pied, la nuit dernière, sur un rebord en béton dans ma rustique salle de bains. La "grande dame" de Sihanoukville vient donc de rouvrir. Visite rapide du palace quasi vide, style rococo moderne. Vue, à se sentir des ailes, sur la mer et ses îles. Photo de Chupp devant l'hôtel. Au retour, à une minute ou deux du palace, nous passons devant les plus pauvres des pauvres qui dorment et vivent sur le trottoir. Chupp a l'air patraque, nous ne pouvons pratiquement pas échanger. Intense frustration.

Plus que deux jours car j'ai des rendez-vous à Phnom Penh. Je décide de renoncer à l'excursion dans les îles chatoyantes, d'autant que les départs sont parfois annulés à cause du temps : grandes îles de Koh Kong et Koh Rong Samlon, petites îles dont celle de l'enfance de Hone, l'île de Kaoh Ta Khieu ; dans la foulée je renonce à Ream (le *Ram* de Marguerite Duras) à treize kilomètres, une réserve de deux cent dix kilomètres carrés, singes, aigles, dauphins, mangroves – sonorité irrésistible que celle-là aussi –, je renonce aux mystérieux marais, aux plages vierges, aux récifs de corail... J'appelle Chupp pour qu'il me dépose au *Starfish Café*, une petite ONG dont le *Lonely Planet* me dit que son patio est frais et accueillant. C'est le début de l'après-midi. Le centre de Sihanoukville est silencieux, plombé de chaleur. Même le ventre de la ville, le marché, est au repos. Et le Starfish est en effet comme un havre. Quelque chose de marocain dans le bruit de l'eau d'une fontaine et sans doute aussi dans la multiple splendeur des pâtisseries maison. Je choisis la moins plantureuse de toutes – énorme pourtant – avec un thé. Affalée sur de mols coussins, je vois le ciel, "par-dessus le toit, Si bleu, si calme ! Un arbre, par-dessus le toit"… Je m'endors presque, avant de monter, par l'escalier en bois, à l'étage dépenser mes dollars. Tout ce qui est vendu là l'est pour la bonne cause, femmes artisans, etc. Je craque sur un sac rouge du Ratanakiri – magnifique et robuste tissage que j'ai vu de mes yeux faire lorsque j'étais dans cette province. Je redescends et discute avec le staff de l'ONG : sept ou huit jeunes qui ont tous un handicap. Une des jeunes filles travaillait avant dans une usine textile six jours par semaine, onze heures par jour pour quatre-vingt-dix dollars. Elle est si contente de faire désormais partie de l'équipe de Starfish. Dans la pièce réservée à Internet, je discute avec un jeune handicapé appareillé d'une jambe, tandis qu'il me connecte à mon mail. *How old are you ?* Cela faisait longtemps… je ris. C'est que, m'explique-t-il comme d'autres l'ont déjà fait, j'ai un comportement jeune mais l'âge de leurs parents qui sont vieux…

Dernier jour, dernière visite à mon QG, mon bar-restaurant sur la plage, le *Khin's Shak*. Tartines de miel et café. Massage sur le lit monté sur pilotis – la plage est encore déserte. Cinq dollars pour une heure, me prévient, presque gênée, celle qui me le prodigue. C'est moi qui suis gênée : son art, qu'elle tient de l'école de massage des aveugles (il y en a dans tout le Cambodge), mérite plus. Lida, une cousine dont l'anglais courant facilite la vie à la famille qui fait tourner ce lieu, est en train de lire dans *Sangkhum Magazine* un article qui raconte comment une chanteuse est devenue avocate. C'est dimanche. Les familles khmères, dont certaines venues de Phnom Penh, débarquent et déballent le pique-nique sur la plage. Un papa très chic en chemise rose et sa fillette en jupe du même rose font une balade à la lisière de l'eau. Des ados jouent au ballon. Un groupe de très jeunes musulmanes sorties d'un tableau de Delacroix se baignent en poussant des cris de joie ; l'une, adorable, émergeant des vagues, voile bleu et pantalon rouge, se tortille pour décoller de sa peau son tee-shirt à manches longues. Il y a de plus en plus de monde. Atmosphère bon enfant : on se croirait à Dieppe ou au Tréport un dimanche de Pentecôte ! Elle se prolongera jusqu'au coucher du soleil : derniers bains, derniers casse-croûte. Mélancolie feutrée du beau jour qui finit. C'est seulement ensuite, à la nuit tombée, que les enfants vendeurs et mendiants reprennent possession de la plage.

Le croissant de lune, la mer moirée. Les bars-restaurants se remplissent d'un autre public moins familial. Quelques Khmers et beaucoup d'étrangers. Je prends un verre de vin blanc et une *noodle soup* aux crevettes. La belle vie… qu'il faut négocier avec les petits mendiants. Chacun a sa stratégie : ignorance totale ou distribution indifférenciée de riels. J'achète des gâteaux ronds et fins, on dirait nos tuiles, pour les distribuer à des gamins qui ramassent des boîtes vides de bière et de Coca dans de grands sacs en plastique jetés sur l'épaule. J'ai du mal à soutenir le regard de certains, deux ou trois surtout plus âgés, quinze, seize ans, qui passent avec leur marchandise : de dérisoires caleçons. Un gamin a installé ses bracelets sur un cintre, il rigole avec un pote. La petite Slaïma, dix, douze ans, n'est pas décidée à me lâcher avant que je n'aie sorti ma bourse. Elle est incroyablement soûlante. Elle m'épuise. Je résiste et lui chante *A la claire fontaine*. Elle me demande de recommencer. Je m'exécute. A ton tour, une chanson khmère ! Elle le fait avec grâce puis réattaque en douceur : Un bracelet *please* achète-moi un bracelet, un dollar ! C'est sa *mum* qui les tisse et ça prend longtemps. Elle ne pourra aller se coucher – elle rentre avec un ami à moto – que quand elle aura fait du bizness. OK Slaïma, un bracelet ! Une autre lui succède avec des *banana chips*. Elle a besoin de *money to go to school* : c'est l'argument le plus fréquent. Et sans doute c'est vrai. Et d'ailleurs on s'en fout que ce soit vrai ou pas : elle ne vend pas des *banana chips* le dimanche soir sur une plage pour le plaisir.

Les scandales dénoncés par *Thalassa* existent bien. La prostitution prospère malgré les panneaux dissuasifs annonçant : *Le tourisme sexuel vous mènera en prison ici ou chez vous*. Et les expropriations ne ralentissent pas. Car les prix montent sur cette côte qui, avec ses cent vingt kilomètres de plage et sa kyrielle d'îles, peut rivaliser sans complexe avec la Thaïlande*. Toujours dans *Thalassa*, le maire faisait les honneurs de la future marina de Sihanoukville : trois cent cinquante chambres sur cinq hectares… Les petits bars-restaus tenus par des familles sont ainsi de plus en plus menacés. Chez *Khin's Shak*, le serveur australien me confirme que la famille peut être chassée pratiquement du jour au lendemain sur simple courrier. L'émission rapportait que cela s'était

---

* Le royaume compte au total cinquante-cinq îles. Une dizaine ont déjà été louées à des sociétés privées – ce qui ne garantit pas automatiquement la protection de l'environnement… L'île aux Lapins est dans le lot : pour le trip Robinson Crusoé, c'est fini ! Mais il est important aussi que le Cambodge sorte du monotourisme angkorien. Trois millions de visiteurs sont attendus au Cambodge en 2010.

passé de la sorte pour des habitants du village de Sokha. Et qu'une manif avait alors été organisée à Phnom Penh sous les fenêtres de Hun Sen, peut-être à l'initiative d'Adhoc, je ne sais pas. Et qu'on attendait la suite…

19

PHNOM PENH

> *Parlez-moi de Phnom Penh. Voilà une*
> *ville qui ne vous fait pas languir. Son ca-*
> *ractère est sur ses toits. Phnom Penh est*
> *un troupeau de buffles dressés sur leurs*
> *pieds de derrière et provoquant de leurs*
> *cornes l'implacable cuirasse du ciel.*

ALBERT LONDRES

Phnom Penh, le retour ! C'est ma dernière semaine, celle de mon deuxième séjour. Encore des
rendez-vous, l'envie de voir tout ce que je n'ai
pas vu. Certes. Mais aussi une sensation plus tranquille, confortable. Moins d'étrangeté – cette
étrangeté si délectable qui fait le désir de partir,
l'excitation du voyage, mais aussi fatigue, perturbe, désarçonne. Bref, quand je débarque dans
ma rue 118 avec mon gros sac plein de senteurs
marines, mon orteil explosé, mes petits carnets
griffonnés, mes centaines de photos et mon ballot de linge sale, j'ai l'impression de rentrer à la
maison. Quand je débarque dans ma rue 118, celle
de mon hôtel bien bruyant mais au cœur de la vie
de Phnom Penh, à deux pas du quai Sisowath, et
que les *drivers* de *tuk-tuk* indolents (oui, ils le
sont, là : c'est l'heure calme) me hèlent : *"Hello
Dane !"* soudain je me sens chez moi. Naturellement ce n'est pas vrai, et ce pays si complexe

m'échappe – ne serait-ce qu'à cause de la langue – quasi complètement. Mais n'empêche. C'est ma rue avec, au coin du quai, le café *River Front* et en face le *Mekong River*, plus loin le bar *L'Asiate*, le coiffeur-manucure, l'épicier où j'achète l'eau, le karaoké, le coquet petit spa, la boutique du *blind massage*…

AU DARA REANG SEY

Après la mer, le fond de l'air est à la fournaise et à la pollution. Tout à l'heure j'achèterai un masque, ainsi que le font de plus en plus de Cambodgiens. Je pose mes affaires dans "ma" chambre 321 et m'écroule à la terrasse du *Dara Reang Sey* où les jeunes serveurs m'accueillent comme une reine. Ma préférée tousse – elle me montre ses pilules dans un kleenex. Je m'abandonne à la torpeur, j'attends que la pluie vienne ; le début de la sagesse peut-être. Devant moi, le film de la rue, au ralenti d'abord, s'accélérant au fur et à mesure que l'après-midi avance. Pulsations. Détermination. Les mêmes qu'à New York – et les rues numérotées pareillement. Ça avance, ça pousse, ça tire, ça pédale, ça klaxonne, ça pétarade. Chariots, vélos, mobs. Cabas, paniers, plastiques. Palanches parfois, à la vietnamienne, Ça transporte tant et tant de choses. Dans les pays développés, le transport est beaucoup moins visible ; de toute façon, il m'a toujours semblé que plus on est riche, moins on porte.

Je m'absorbe dans la contemplation de la patronne, Mme Dara Reang Sey. Joli brin de femme et quel punch ! Son mari travaille au ministère de la Santé, elle a trois fils ; sa sœur, très discrète, la seconde. Il faut voir comme elle mène tambour battant, sans jamais élever le ton, toute la maisonnée, le personnel et même les clients. Et, avec ça, des cheveux en pluie autour de son visage enfantin et une fantaisie vestimentaire réjouissante : aujourd'hui un ensemble vert pomme avec des oursons brodés – qui me fait regretter le pyjama du marché de Battambang... Je lui donne mon balluchon de linge : magie de la *laundry* qui en quelques heures et pour un ou deux dollars transforme mes nippes pitoyables en vêtements propres et repassés. Une autre solution étant de faire sa petite lessive soi-même et de l'étendre sur le toit de l'hôtel (il y a toujours un toit avec des cordes à linge où se balancent draps et serviettes que des jeunes femmes ont montés jusque-là dans des panières dont j'aime mieux ne pas imaginer le poids).

Tentative ratée pour aller à l'île de la Soie. Trop loin, trop tard, trop compliqué pour ce premier jour de retour. Lire, écrire dans la chambre. Squatter à nouveau la terrasse du *Dara Reang Sey* après la pluie, à la fraîche – tout est relatif. Plaisir de retrouver les guirlandes électriques sur les arbustes qui ressemblent à des thuyas. Un cyclopousse dépose un client et s'accorde une pause, juste devant moi. Silhouette à la Giacometti, élégante, dégingandée, longue chemise, chapeau cloche comme un point sur un *i*, clope clouée au bec – c'est ainsi que mon père fumait ses Gitanes maïs. Un air revenu de tout, une fierté et en même temps une indulgence, une façon de gentiment se moquer de l'homme blanc, l'homme pressé. Peut-être. Précédés par le tintement de leurs grelots – les clochettes de l'élévation à la messe ! –, quelques chariots passent, éclairés par une lanterne qui tangue, avec les en-cas dont les Cambodgiens sont si friands : les fameux œufs couvés, de la mangue verte, du poisson séché, des cacahuètes, des carrés jaunes dont je ne sais pas si ce sont des patates douces sautées ou des morceaux de sucre confit, un mélange des deux aux dernières nouvelles... Arrive un vieux couple traînant une carriole branlante, qui fait office, dirait-on, de poubelle, lui tire, elle pousse ; leurs habits n'ont pas de couleur ; leurs *krama* traditionnels à carreaux rouges et blancs sont gris de poussière. Eux sont gris de fatigue.

MA RUE 118

Huit heures – ici c'est déjà tard pour commencer la journée. Petit-déjeuner pantagruélique : *pancake* au miel et à la banane, thé jasmin et fruits. Je donne mes fruits à un petit qui les dévorait des yeux, ses frères arrivent, sa petite sœur suit. Je partage le *pancake* : dans sa hâte la petite s'étouffe presque, la mère surgit, qui n'était pas loin. Un cireur de chaussures d'une douzaine d'années astique celles d'un Cambodgien très chic qui mange avec concentration et rapidité sa *sour fish soup* préparée dehors : poisson, racines de lotus, tomates, citronnelle et un œuf. J'ai deux rendez-vous dans la journée, dont un au salon de massage. J'ai jeté mon dévolu sur le spa de ma rue 118. Je décide d'essayer tous les massages proposés. Massage thaï pour la première séance dans une pièce au décor très zen, lit bas, propreté parfaite. Tonique, le massage ! *"OK mam ?"* s'enquiert de temps en temps la jeune femme qui s'occupe de moi. (Il y a de la tendresse dans sa voix : je sais, cela paraît très excessif, mais j'ai ressenti plus d'une fois de la part de Cambodgiens cette attention à l'autre, fine, délicate – la compassion bouddhiste peut-être ?) Le massage khmer aromathérapique sera pour le lendemain avec une autre masseuse qui a, elle aussi, vingt-cinq ans, et un délicieux minois. Huiles odorantes et enveloppement délicat – je m'endors. Troisième expérience, *foot massage* : celui-là ne se passera pas à l'étage mais au rez-de-chaussée. Porte vitrée avec vue sur rue : un *tuk-tuk* rouge à l'arrêt, une grande paillasse bleue qui sépare le pas de porte du spa de celui de l'hôtel voisin, un jeune homme élaguant les branches d'un arbre, tandis que la petite sœur de ma masseuse balaie les feuilles tombées. Pieds lavés dans un plat avec pétales de fleur et rondelle de citron (ah ! quel pied de vivre une scène biblique), quarante-cinq minutes de pétrissage – malaxage des orteils au mollet, avec baume de camphre et huile. La jeune officiante est fort jolie, elle ressemble à ma Lily. Et la tête ? Et la tête ! Oui, je m'offre aussi un autre jour le *head-massage*. *The best*.

RIVER FRONT

C'est là que je prends mes breakfasts américains, œufs au plat et baguette chaude. Les gamins du quai passent, personne ne les chasse et ils n'insistent pas si le bizness ne marche pas : mon petit pote et ses *Cambodia Daily*, un cireur de chaussures, un vendeur de lunettes de soleil qui, ce matin, fait affaire avec une jeune *barang*. Les serveurs sont amicaux, je m'y sens bien. A dire vrai ils sont aussi amicaux en face au *Mekong River* (celui qui produit et projette le film sur les mines) et ailleurs… mais c'est là, au *River Front*, que je vais. Ce matin où je suis la première cliente, un serveur que je pensais être le patron tant il veille à tout, mais non, me dit en français : "Aujourd'hui je m'assieds avec vous !" Et il s'exécute. Il s'appelle Sota, il a trente-cinq ans. Il veut s'en sortir, faire autre chose que ce métier où il gagne 50 dollars par mois, sans horaire, dormant dans le café plus souvent qu'à son tour. Il habite à vingt-cinq kilomètres de Phnom Penh et a en charge six personnes : sa femme, ses deux enfants, douze et cinq ans, une nièce, sa mère et sa belle-mère. Il me demande mon métier, je le lui dis. Il s'exclame : "Je veux être journaliste !" Mon breakfast est servi, il me laisse.

Nous reprenons la conversation le lendemain. Il me redit qu'il touche 50 dollars par mois (les deux autres employés gagnent respectivement 40 et 20, et en face, au *Mekong River*, le salaire est de 70 dollars), alors qu'un kilo de riz de bonne qualité vaut 1 500 riels et que la consommation de sa famille élargie est presque de cent kilos par mois, soit une quarantaine de dollars… Son français n'est pas mauvais, je pense qu'il l'a acquis dans le camp de Site 2 en Thaïlande – il me dit en effet connaître Ly Daravuth de Reyum. Je l'encourage à aller voir ce dernier. Mais Sota pense, à raison sans doute, qu'il doit d'abord améliorer son français. Pourquoi ne suit-il pas des cours ? Il l'a fait : à 25 dollars les trois mois, il ne peut pas renouveler. Et le Centre culturel français ? Trop cher aussi. Il me dit que, s'il avait un dictionnaire, il avancerait tout seul. En même temps qu'il me parle, il a l'œil à tout dans le café. Je sens en lui une tension, un désir, à la marge du désespoir. Je déposerai, un après-midi où il n'est pas là, un dictionnaire franco-khmer et une grammaire. Quand je lui dis au revoir la veille de mon départ, il me jure que, quand je reviendrai, il parlera parfaitement le français. Et il me demande de lui dédicacer les deux manuels…

Je retourne au FCC, le Foreign Correspondents Club, quai Sisowath, refuge au temps de ma bronchite. Je me soûle d'images – à la fin de la semaine c'est fini –, îles au loin, drapeaux mollement agités, sampans* de pêcheur, file indienne de bonzes safran, femmes s'affairant. C'est juste avant la pluie de mousson, quatorze ou quinze heures. L'eau du Tonle Sap est une échine parcourue de frissons. Il y a les haut-parleurs qui susurrent *Besa me mucho* (déjà des souvenirs…). Il y a les ventilateurs qui ventilent. Il y a le balayeur qui pousse son ramasse-poussière emmanché d'un long bec. Lauren Bacall va entrer, ou plutôt Delphine Seyrig, et Isabelle Huppert sortie du film de Rithy Panh… Le ventre de la jeune serveuse qui m'apporte mon *mango shake* est bien rond : elle accouche en octobre et arrête de travailler… en octobre. Elle porte une robe longue, couleur prune, et un petit chignon bas, elle a quelque chose d'Adjani. Une autre serveuse, petite moue volontaire, me fait penser à Duras jeune. S'installent une jeune femme et un homme, la trentaine, avec un ordinateur portable. Elle, petite jupe noire et *krama* de soie crème, montée sur ressorts, n'arrête pas… de parler, de taper, de grignoter. Lui, béat, opine du bonnet et rit. Accoudés côté fleuve, juchés sur les hauts tabourets, deux baroudeurs (le look au moins) gobent une pizza-bière. Un Français et son fils d'une dizaine d'années démarrent un billard, deux Japonaises commandent un *passion fruit-honey smoothie*. Pour moi ce sera un *duck dumplings*, canard, litchi, menthe et crevettes. *Okoun tchraeun !*

Une risée de vent traverse la salle. Voilà la pluie de mousson. Sans concession. Généreuse, outrancière,

* Petits bateaux à fond plat.

comme le parfum des fruits, la taille des poissons, la luxuriance des fleurs. Elle couvre la musique. Elle empêche toute réflexion. Noie les conversations. Elle remplit. Elle envahit. Elle déborde. Elle comble. Quand elle cesse, se retire, laissant le sol luisant, les trottoirs truffés de mares, les enfants trempés et hilares, je rejoins le quai. Les marchandes sont déjà revenues avec leurs panières de tentations – les ouvreuses de ciné en avaient, de ces panières, et moi j'en ai eu aussi, enfant, lors des processions de la Fête-Dieu. Je discute par gestes avec l'une d'elles, la soixantaine, qui vend des sortes de grandes galettes très légères – j'ai vu les mêmes, ou presque, en Sardaigne. Elle est la première qui ne veut pas être photographiée. Les mains ? Oui, elle veut bien. Je triche et vole, sans qu'elle s'en aperçoive, son visage. Pas vraiment contente de moi.

Est-ce ce soir-là que le ciel était si beau, si dense, couleur anthracite, avec de fulgurantes trouées de lumière, et les enfants en ombres chinoises debout sur le parapet, le Tonle Sap ondulant derrière eux ? Non, c'était un autre soir : le ciel dont je me souviens soudain est un ciel d'avant la pluie ; et je me souviens aussi des ors et des ocres des toits du Palais royal sur ce ciel d'apocalypse. Mais c'est ce soir-là, après la photo volée, que j'en fais une autre d'une maman poule (consentante !) avec ses trois poussins – elle les nourrit, ses gamins, d'œufs effectivement couvés : j'aperçois dans la coquille l'embryon plus foncé… Elle n'est pas seule à faire dînette : des dizaines et des dizaines de familles s'installent, sur le parapet, par terre sur un tissu, sur des pliants bas. Agitation joyeuse. Je croise, quelle chance, Srey Lin, quatorze ans, avec qui j'ai sympathisé l'un de mes premiers soirs à Phnom Penh. Elle parle très bien anglais. Sa grand-mère est propriétaire d'un bateau de croisière. Sa mère gère la petite affaire. La voici d'ailleurs, qui sort de son sac des barrettes qu'elle vient d'acheter à sa fille. Lin pétille d'intelligence, elle est très excitée de m'avoir retrouvée. Elle voudrait tant, *oh please !* que je vienne un matin visiter son école. Il fait nuit maintenant. L'atmosphère change : diseuses de bonne aventure, tireuses de cartes, petites lumières, petits mystères, on mange, on chuchote, effervescence feutrée, danger peut-être, sois prudente, on me l'a redit, sur ce côté du quai, le long du fleuve. Je traverse – je sais maintenant, l'air farouche, couper, dès qu'il fait mine de se tarir, le flot des voitures, motos, vélos – pour rentrer à l'hôtel par le côté boutiques, cafés, karaokés, restaurants. Une fillette couchée sur un linge avec trois bébés à côté d'elle, des hôtesses qui attendent les clients. Je retrouve avec plaisir ma rue 118 quasi déserte. Quelques familles regardent la télé sur leur pas de porte. Mon dodu *driver* dort à moitié dans son *tuk-tuk* garé devant l'hôtel : je lui donne rendez-vous pour demain matin. J'irai au Marché russe : il est temps de dépenser mes derniers dollars dans le temple khmer de la consommation.

L'OMBRE DE CHARLES DE GAULLE

J'ai décidé d'aller voir le stade olympique – un endroit épatant, m'a dit une *expate* du Centre culturel français, où on a de l'air et de la hauteur. Fort bien. Ladi n'est à nouveau pas libre et mon dodu *driver* n'est pas devant le *Dara Reang Sey*. Je saute dans le premier *tuk-tuk* qui me repère. On galère un peu. Pour y arriver et pour y entrer.

Apparemment l'idée est saugrenue. De la hauteur peut-être, mais de l'air, pas un pet ! c'est d'une tristesse, ces gradins vides et dégradés... Je me concentre. Je revois les images de l'INA visionnées au centre Bophana : de Gaulle au Cambodge avec Yvonne et Sihanouk (on est du même signe du Scorpion, le général et moi, soulignait le roi dans ses Mémoires), fin août 1966, et précisément au stade olympique où il prononce son fameux discours de Phnom Penh pour soutenir la volonté de neutralité du Cambodge dans la guerre du Viêtnam. "Je déclare ici que la France approuve entièrement l'effort que déploie le Cambodge pour se tenir en dehors du conflit, et qu'elle continuera de lui apporter dans ce but son soutien et son appui." Sur les images, la houle d'une foule en délire et le portrait géant du général accompagné d'un immense drapeau français sur des panneaux mouvants faits de pixels vivants, soit vingt mille jeunes Khmers !

La superbe gaullienne m'a donné faim. Mon *driver* d'occasion à qui je donne le nom d'un restau pas loin du boulevard Monivong, paraît-il génial, opine vigoureusement du chef. La circulation est démentielle. Je mets longtemps à réaliser qu'il ne sait pas où il va, vu la détermination sans faille qu'il met à tourner à gauche puis à droite, ou à droite puis à gauche, enfilant des rues de plus en plus étroites et chaotiques. Je lui fais signe d'arrêter, je sors le plan, des militaires s'en mêlent, je m'énerve – *"Why did you say I know, if you don't know ?"* Je sais bien pourquoi ! Pour avoir la course. Bref je l'engueule, lui laisse deux dollars et change de *tuk-tuk*. Je m'en veux de mon impatience. Je me fais déposer au *Rising Sun*, quai

Sisowath – au moins je sais où c'est. Je demande, comme la première fois, un thé chinois – la patronne rit. Pas moi : elle n'a plus de sandwiches. En face, une femme a garé son chariot et fait cuire, éventant son feu, des saucisses sur son étal ambulant ; sur le côté du chariot un sac plastique avec des baguettes de pain. Qu'est-ce que j'attends ? Trop tard, elle est déjà repartie.

Jour sans ! Et si j'essayais de me faire bichonner : le coiffeur. Une femme connaît-elle un peu un pays sans aller chez le coiffeur ? Expérience inoubliable. La façon dont la tête est lavée "au fauteuil", eau versée avec parcimonie et frottage-massage intensif du cuir chevelu, suivie par le confort absolu du bac à rincer en position allongée, et non pas la nuque tordue comme chez nos capilliculteurs, avec re-massage de la tête mais aussi du dos et des bras (la pogne de ma coiffeuse ! la même que celle des mères attrapant leurs petits, les foraines se saisissant d'énormes poissons, les commerçantes charriant leur charrette). *Okoun tchraeun !*

UN BEAU DIMANCHE
Tout au bout du quai Sisowath se succèdent trois ou quatre grands hôtels. Je voudrais retrouver celui où, à peine arrivée de Paris, je m'étais endormie au bord d'une piscine hollywoodienne. Je n'avais pas sur moi les neuf dollars nécessaires, l'employé m'avait fait confiance : je reviendrais payer ! Et puis j'avais retrouvé un billet au fond de mon sac et j'avais dégusté au bord de la piscine un homard-riz-légumes vapeur-sauce *oyster*… J'écrivais sur mon carnet et le jeune homme

était venu me voir – tout au long de mon séjour je le constaterai, dès que vous écrivez ou que vous lisez, ils viennent vous voir*… Il avait (le premier d'une longue série…) vingt-six ans, gagnait cent dollars par mois, travaillait six jours par semaine, neuf heures par jour. Bref, en quête de ce havre de luxe, je commence par entrer dans le prestigieux *Cambodiana* ; lors du coup d'Etat de 1997, l'hôtel servit de refuge aux partisans royalistes du Funcipec quand Hun Sen fit descendre les chars dans la rue – c'est Marina Pok, à l'époque sous-secrétaire d'Etat aux Affaires étrangères, qui l'a vécu et me l'a raconté. Jolie piscine un peu triste avec vue généreuse sur le fleuve – non, ce n'est pas là. Je pousse les portes du voisin *Himawari*, le tournesol en japonais. Ce n'est pas là non plus, mais l'endroit me plaît. Je commande un break-fast à seize dollars ! Je suis seule dehors, à côté du tennis – les clients de l'hôtel sont dans la salle à manger réfrigérée. Une famille de pêcheurs est en train d'accoster, je me sens voyeuse quand je prends ma photo depuis mon paradis bien clos. Piscine. Grand moment dans le jacuzzi : sous mes yeux une belle reproduction du bas-relief du ba-rattage de la mer de lait tandis que l'eau vibrion-nante fait sur moi son travail de barattement (les deux mots sont possibles, oui). Vent joueur. *Lime juice* – saveur inoubliable (j'espère !) du sirop de sucre de palme qui l'accompagne.

---

* Au cours d'une lecture à la bibliothèque française du Centre culturel (Solange Thierry, *Le Cambodge des contes*, L'Harmattan), j'ai noté ceci : "Le manuscrit est lié à la notion de mérite, le *punya*, acquis pour l'existence future : le seul fait d'entendre la lecture d'un récit permet d'acquérir un mérite, de faire du mérite."

J'y retourne de très bonne heure le lendemain, dimanche. Je pars à pied. Mais au dixième *"Tuk-tuk madam !"* je déclare forfait. Mon *driver*, à qui je demande de rouler doucement pour mieux profiter du quai Sisowath enfin presque vide, le fait au-delà de mes espérances : je ne crois pas qu'on dépasse les vingt kilomètres à l'heure. J'arrive à l'ouverture, huit heures peut-être. Seule. Ciel bleu léger, effilé de nuages, eau bleue et ciel itou, palmes et parasols, moelleux matelas, chant de la fontaine et des oiseaux – très discrets ces derniers, pas de trilles intempestifs, eux aussi savent qu'ici le client a droit au luxe, au calme, éventuellement à la volupté. Prix des chambres : de 100 à 300 dollars. Même satiété des sens un autre jour à l'hôtel *Le Royal*, ouvert en 1929, fameux du temps du Sangkum de Sihanouk, l'écrivain Somerset Maugham, Jackie Kennedy, de Gaulle… y dormirent ; à l'entrée des Khmers rouges dans Phnom Penh, les étrangers s'y regroupèrent avant de rejoindre l'ambassade de France. Il a été restauré dans sa splendeur originale, *dixit* le dépliant (qui dit aussi les tarifs, de 260 à 2 000 dollars pour une suite). Oui ! mais comme d'habitude, dans l'*Elephant Bar* climatisé, j'ai froid. Je gagne le jardin de l'hôtel, retrouve la douceur de l'air, la splendeur du ciel, la débauche végétale : j'ai le vertige à suivre les palmiers et les bananiers jusqu'à leurs frondaisons. Expresso, cookie, mini-jarre de crème fouettée. Le soir descend. Myriade de lumières dans les lauriers-roses, je crois, qui bordent la piscine. Je ne boude pas mon plaisir – c'est féerique – mais je suis la proie des moustiques… J'ai oublié ma crème anti, tant pis, rentrons.

20

LA PROMESSE DES FEMMES

Elle s'éloigne ma pirogue
Que les rames balancent
Petite aimée, ne pleure pas
Parce que je pars en un lointain pays
O ma chérie !
Parce que je pars en un lointain pays.

Si tu te souviens de moi
Donne un cierge en offrande
Au neak-tea *de ce pays*
Afin que je revienne vite
O mon amour !
Afin que je revienne vite.

Vois les aigrettes, vois les pélicans
Vois les courbes du Fleuve,
Vois les oiseaux chanteurs
Le long des plages de sable
O mon amour !
Le long des plages de sable.

Le Fleuve a des bras multiples
De multiples rivières, et des îles,
O femme, ne me punis pas,
Ne fuis pas de mes bras
O ma chérie !
Ne fuis pas de mes bras.

Le Fleuve a des bras multiples
Et des rivières sinueuses.

Jeunes gens, ne la suivez pas,
Vous n'aurez pas ma chérie
O mon amour !
Vous n'aurez pas ma chérie*.

Chanson khmère

Je sais, c'est agaçant ce discours : la femme est l'avenir de l'homme et patati et patata. Moi aussi, ça m'agace. Mais le fait est. Au Cambodge et dans toute l'Asie, comme en Afrique et sans doute comme dans tous les pays en devenir, les femmes portent les promesses de l'aube. Des femmes cambodgiennes, j'ai d'abord envie d'évoquer, encore une fois, leur grâce. Mais que j'aime les voir sur les mobs**, assises en amazone, souples et nonchalantes (quand moi je m'arrime au maximum). De quelle façon retiennent-elles à leurs petons leurs ballerines ou leurs tongs ? Je l'ignore. Il n'est pas rare en outre qu'elles aient calé un bébé dans leurs bras et parfois même un deuxième petit entre elles et le conducteur. Les Phnompenhoises sont particulièrement gracieuses : passagères mais souvent aussi conductrices, elles portent de ravissants chapeaux et quelquefois de longs gants, sans doute pour protéger leurs bras du soleil. Car les Khmères, comme toutes les Asiatiques, prisent la peau blanche. Le blanc est le canon de la beauté. Il y a sous ces latitudes un marché du blanchiment et je ne pense pas que les Cambodgiennes y échappent. Dommage. Soon, mon adorable

---

* Extrait d'un poème populaire traduit par Solange Thierry (revue *France-Asie*, novembre-décembre 1955). Les *neaktea* sont les génies du sol.
** Il y a un million de motos dans les rues de Phnom Penh, fabriquées en Corée, en Thaïlande, en Chine. Prix d'une moto : mille dollars.

driver à Battambang, m'avait tellement surprise quand il m'avait parlé de ses critères esthétiques. Je l'avais morigéné. Non Soon ! tu ne peux pas dire que les femmes de ton pays ne sont pas belles parce qu'elles ont la peau sombre et le nez trop large ! Les femmes d'ici sont des reines, Soon. Ecoute comment les décrivait George Groslier en 1928 dans *Le Retour à l'argile* : "Plusieurs races ont façonné ce peuple, lentement, au cours des siècles. Le Chinois a éclairci son teint, le Siamois et l'Annamite affinèrent ses formes, après que l'Aryen, peut-être, eut agrandi ses yeux. Ainsi l'on voit du Sud au Nord du pays défiler de belles filles robustes et complexes, nées de ces greffes successives, mûries dans la chaleur et dont la nudité, au temps de leur enfance, fut polie par l'air et par les eaux. (…) Pour qui sait les voir cette beauté vivante est d'autant plus surprenante qu'elle s'offre partout et à toute heure."

Belles, indéniablement, et c'était bien l'avis de Dominique, le Français de la *Guesthouse Susaday* à Sihanoukville. Il était dans une admiration sincère et touchante : "Elles sont fortes et tellement courageuses !" Didi, la directrice de Mith Samlanh (Friends), me disait : "Une famille où le père n'est pas là peut s'en sortir, sans la mère c'est impossible !" Je le crois volontiers mais, parallèlement, la condition féminine au Cambodge ne semble pas enviable. J'ai déjà évoqué la prostitution, et les chiffres de la violence domestique ou bien ceux liés à l'avortement* sont alarmants : le ministère

* L'avortement est légal depuis 1997 mais 40 % du personnel de soixante-dix hôpitaux interrogés pensent que le ministère de la Santé l'interdit ! (Chiffres OMS rapportés par

de la Femme, s'il manque de moyens, m'a-t-on dit, ne manque sûrement pas de travail.

Autre indicateur alarmant : la moitié des femmes de plus de quinze ans sont illettrées. Alain Daniel m'avait expliqué les complexités de la langue khmère avec ses mots différents selon l'âge, le sexe, la condition sociale du locuteur. Et entre autres : "Une femme pour dire «oui» dit *tia* : c'est la contraction du mot *matia* qui signifie «maître». On peut y voir une image des relations de la femme par rapport à l'homme mais, en fait, la langue n'a pas suivi l'évolution vers l'égalité des sexes. Les femmes ont depuis très longtemps un rôle-clé dans la société cambodgienne – malgré les mots. Il y a eu des femmes ministres au Cambodge bien avant qu'il n'y en ait en France[*] ! L'image de la femme réservée et de l'homme paradant en public relève d'une espèce de jeu. C'est la femme qui porte en fait la culotte[**]. Et les Cambodgiens se plaisent à considérer que le premier

Espace-Cambodge-infos, janvier 2007, la revue d'Espace Cambodge, l'association de François Ponchaud. Autre chiffre cité : 437 femmes sur 100 000 meurent en couches, soit le second taux le plus élevé en Asie du Sud-Est, après le Laos.

[*] La princesse Norodom Arunrasmy, fille cadette de Sihanouk, avait été désignée par le Funcipec pour être Premier ministre en cas de victoire du parti royaliste aux élections législatives de juillet 2008.

[**] Dans la bible des amoureux du Cambodge, *Le Paysan cambodgien* (1961), Jean Delvert écrit : "La femme est souvent plus active et plus ambitieuse que son mari ; elle s'entend mieux aux affaires. Elle hérite dans les mêmes conditions que l'homme. Elle garde son propre nom. Son importance dans la vie économique est considérable."

souverain du Cambodge était une femme, Liu Yi. Cela étant, si vous interrogez Mme Kek Galabru, à la Licadho, elle vous dira qu'il y a beaucoup à faire, et elle aura bien sûr raison."

Je n'ai pas eu le loisir de rencontrer celle-ci et je ne sais pas à dire vrai quelle est précisément la condition des femmes au Cambodge ; je pense qu'elle est très différente en ville et à la campagne. Ce dont je peux témoigner, c'est de leur vigueur, de leur vitalité, de leur bravitude (ce néologisme leur va bien). A Phnom Penh, j'ai parlé longuement avec trois jeunes citadines, et de ce qu'elles m'ont dit je peux rendre compte.

BOPHA CHHEANG

Elle a vingt-sept ans, elle est intelligente, vive, naturelle, je la rencontre au Centre culturel français pour qu'elle me donne des tuyaux. Elle est en effet journaliste : ex de *Cambodge-Soir*, où elle a passé six ans, correspondante de RFI. Je la connaissais pour l'avoir vue dans le film de Rithy Panh, *Les Artistes du Théâtre brûlé*, où elle joue un rôle de… journaliste. Elle parle couramment notre langue : "Les études et un stage en pays malouin !" Elle voulait d'abord faire droit ou médecine : impossible, trop d'étudiants et de corruption, et s'inscrivit finalement au département d'études francophones, section journalisme et professorat, nettement moins fréquentée. Personne ne veut devenir prof ! dit-elle. Sa mère l'est, de maths, à quarante dollars par mois. Son père l'est aussi.

Nous parlons donc d'abord métier. Et de l'affaire de *Cambodge-Soir* : après la parution d'un article sur la déforestation à partir d'un rapport de l'organisation Global Witness (un groupe britannique de protection de l'environnement), mettant en cause des personnalités du pouvoir, un administrateur du journal a pris peur et la ligne du journal a changé : on éviterait désormais ce type de papier. Les journalistes français ont démissionné, les cambodgiens sont restés. Après quelques mois de silence, l'hebdomadaire reparaît. La liberté de la presse au Cambodge ? Bopha a le même discours que François Ponchaud ou que le président d'Adhoc, Thun Saray : elle est à peu près totale pour la presse internationale et quasi nulle pour la nationale. Il existe environ deux cents quotidiens, sans compter des journaux occasionnels liés à des événements, des fêtes par exemple. Pour éviter la parution d'un article indésirable, il suffit de payer. La plupart des journalistes, m'explique-t-elle, sont d'anciens militaires – et en province on a peur des journalistes ! Mais on paye aussi pour la parution d'un article, à tel point que les ONG rechignent à inviter la presse cambodgienne, sachant qu'elle attend l'enveloppe…

Ce genre de choses, Bopha voudrait les écrire. Mais ses rédacteurs en chef lui disent de faire attention. Elle ne renonce pourtant pas. Elle aimerait mener une longue enquête sur le thème : "Comment les riches s'enrichissent ?" Caustique, elle développe : "Comment pouvez-vous avoir des villas et plusieurs 4X4, même avec un salaire de 2 000 dollars : un appartement en face du Centre culturel par exemple coûte 120 000 dollars…" Les indignations, Bopha n'en est pas avare. Que les enfants, à partir de cinq ans, sachent qu'il faut payer pour avoir de bonnes notes la scandalise. "Le système éducatif est malade, insiste-t-elle. Sans moralité, un pays n'avance pas."

Et côté cœur ? "Je suis célibataire et toutes mes amies le sont, j'habite chez mes parents (comme la plupart des jeunes Cambodgiens). Ici, il faut se marier avant vingt-cinq ans. Sinon on s'inquiète… Mais nous on est en quête de l'homme idéal !" La jeune journaliste souligne une évolution des mœurs très rapide, trop rapide à son sens (Sirivan, la styliste, pourtant française jusqu'au bout des orteils, m'a dit la même chose) : "On brûle les étapes. Il est de plus en plus courant que les jeunes à partir de douze ans aient une petite amie. Il y a des petits garçons qui violent des petites filles. Cela n'empêche pas que pour les hommes la virginité reste importante et ils sont critiqués dans leur village s'ils prennent une femme qui n'est pas vierge." Un conjoint étranger alors ? Bopha les trouve très égoïstes ! "Les Cambodgiens, dit-elle, ceux qui sont éduqués s'entend, sont plus responsables, ont beaucoup plus le sens de la protection de la famille. Alors…"

La politique, les politiques ? Bopha est fatiguée de les voir retourner leur veste, s'insulter, au lieu de travailler pour le pays. Elle assène : "Trente ans après les Khmers rouges, il n'y a toujours rien dans leur tête !"

La spiritualité ? "Je n'ai pas le temps de méditer", dit-elle, mi-figue, mi-raisin ! "Le sens du temps, la patience, on a perdu tout ça. Dorénavant il faut gagner de l'argent…"
Elle finit son café et s'envole.

CHHORVIVOINNE SUMSETHI

Je ne sais pas prononcer son nom, mais je sais que j'ai passé avec elle deux heures riches et rieuses. Je la rencontre dans une boutique Internet, à quelques mètres de mon hôtel à Phnom Penh, où j'échoue un soir pour consulter mon courrier électronique. La seule idée m'en décourage à l'avance : la lenteur, les touches effacées, mes mauvaises manips à répétition… Mais ce soir-là il y a Chhorvivoinne. Elle me lance sur mon mail en moins de deux, le clavier est nickel, la musique de fond discrète. Et quand je règle – la somme est toujours dérisoire pour nous Européens, moins d'un dollar –, nous parlons.

Rendez-vous est pris : je propose le café *Indochine*, tout près et calme. Elle a (encore une* !) vingt-six ans. Ses parents se sont rencontrés en 1978 sous les Khmers rouges, un mariage forcé. Elle est la seule des trois filles à s'intéresser à cette période. A seize ans, elle a essayé d'écrire la vie de sa mère sous Pol Pot. "Maman était en deuxième année de sciences économiques et mon père en quatrième année de médecine quand tout s'est arrêté. Après les Khmers rouges, c'est ma mère qui a financé la reprise de ses études à lui – de pédiatrie. Elle a vendu des médicaments sur le trottoir pour nourrir la famille. Elle est devenue pharmacienne, puis interprète dans une ONG française, enfin enseignante au CCF avant de se former au métier de guide touristique. Elle a fini par créer sa propre agence de voyages. Mon père, c'est le pantouflard du couple. Un couple né d'un mariage forcé et réussi, coup de bol…"

* Je viens seulement de comprendre pourquoi tous les jeunes que je rencontre ont, en gros, vingt-six ans ! Il a dû y avoir un énorme baby-boom au tout début des années 1980, lorsque le pays a été libéré des Khmers rouges.

Que peut-elle me dire, que lui transmet son père, sur l'état de la santé au Cambodge ? En substance, d'abord que les hôpitaux publics ne fonctionnent pas bien. Ils n'acceptent pas les gens sans argent, y compris à Calmette, le fameux hôpital des Français de Phnom Penh – à moins d'en faire la demande formelle avant. "Mon père a eu un accident de moto, c'est là qu'il a été emmené, on nous a donné la facture – deux cents dollars à régler immédiatement – avant l'opération !" Les cliniques privées sont chères* (j'en ai l'exemple avec Naga Clinic qui m'a très bien soignée, mais à trente dollars la consultation pour moi, vingt pour les Cambodgiens ; deux fois moins environ dans les établissements publics, ce qui reste évidemment très cher). En province, dans les districts, les centres de santé manquent souvent de médicaments – de plus on utilise encore des produits dangereux comme l'Optalidon –, et manquent encore plus cruellement de médecins** – il y a essentiellement des infirmiers. "Sans l'action des ONG, tout s'écroulerait", diagnostique la jeune femme.

Le sida ? Une réelle mobilisation***, semble-t-il, pour les 65 000 séropositifs recensés en 2006 ; les

* Les plus nantis vont se soigner dans les pays limitrophes – la patronne de mon hôtel est ainsi partie trois jours avec sa mère, en Thaïlande ou au Viêtnam, je ne sais plus.
** Il y a 16 médecins pour 100 000 personnes – 298 en France.
*** *Cambodge-Soir* du 23 novembre 2007 relatait la campagne de prévention contre le sida pendant la fête des Eaux, un week-end qui draine des centaines de milliers de gens dans la capitale et provoquerait une hausse de l'activité sexuelle : 700 personnes étaient là pour informer, 250 000 préservatifs furent distribués.

hôpitaux publics reçoivent l'aide des ONG et la prise en charge des malades est gratuite. Ainsi à Calmette avec le programme Esther*. Ou à l'Hôpital khméro-soviétique avec Médecins sans frontières. ONG encore, Chhorvivoinne s'enthousiasme pour les hôpitaux pédiatriques de la fondation Richner : Kantha Bopha à Phnom Penh et Jayavarman VII à Siem Reap. Les enfants peuvent y être soignés gratuitement. Les plus démunis reçoivent trois mille riels par jour. "J'ai vu, me dit-elle, des gens attendre couchés sur le trottoir pour être sûrs d'entrer." Je lui parle de l'épidémie de dengue qui sévit en ce mois d'août 2007 et qui me fait pas mal flipper – un article du *Phnom Penh Post* fait état de la 174e victime, une petite fille. Elle est véhiculée par le *tiger mosquito*, celui de la fièvre jaune. Il n'existe pas encore de vaccin. Et je lui dis aussi qu'il ne me semble pas que la moustiquaire soit assez prônée** – pour nous touristes, et en tout cas pour moi, dormir sous cette protection est une expérience assez exquise : le tulle du berceau du bébé, du voile de la mariée…

Il fait nuit maintenant à la terrasse de l'*Indochine*. Doit-elle rentrer ? Elle rit : son *daddy* est toujours inquiet, il passera la prendre car elle va dormir loin, chez sa sœur cadette. Elle a encore

* Esther (Ensemble pour une solidarité thérapeutique hospitalière en réseau), basé à Calmette à Phnom Penh depuis 2003, a fait bénéficier 750 malades d'un traitement antirétroviral ; et 500 autres à l'hôpital de Siem Reap.
** La moustiquaire fait partie des solutions simples pour lutter contre le paludisme, un fléau dont on ne parle pas beaucoup, je trouve, qui touche 59 % des habitants en Afrique et 38 % en Asie et fait 1,1 million de morts par an.

le temps d'évoquer pour moi, dans un exposé impromptu, l'agriculture, l'emploi excessif des engrais chimiques, les difficultés à sortir de la monoculture du riz, la diminution du nombre de poissons, la pêche illégale (fils électriques, explosifs !), les alluvions dans le Tonle Sap qui le rendent de moins en moins profond, le déboisement massif, l'exploitation des hévéas qui se privatise… Elle m'épate. Ce qu'on appelle une tête bien faite. Sciences-po peut-être ? Oui, en France ! Diplôme de mastère, carrière internationale option développement. Il commence à être tard pour son *dad*. Elle veut absolument me parler de son mari. Elle accélère le débit.

Je ne la voyais pas mariée, mais si, elle l'est, avec un Cambodgien de trente-deux ans, orphelin, né en 1975, toute sa famille exécutée à Battambang ; il était chez une voisine ce jour-là, y est resté ; il n'était pas bien traité, s'en est échappé à sept ans, a vécu dans une autre famille à Phnom Penh, là aussi on le frappait ; de treize à quinze ans, l'orphelinat l'accueille mais l'armée a besoin de jeunes recrues, il s'échappe à nouveau ; doué en maths, il donne des cours particuliers contre un logement, travaille dans une boulangerie quand il n'est pas au lycée ; il est finalement contraint par manque d'argent d'interrompre son année de droit ; à dix-neuf ans il travaille dans une ONG américaine, Pact Cambodia, avant d'être recruté par Usaid ; à vingt-deux ans, il décroche une bourse pour les Etats-Unis et obtient en 2004 un mastère de droit et de diplomatie à l'université de Boston ; il est tout de suite embauché comme responsable pédagogique dans une université du Massachusetts. Il attend la *green card*…

Je n'ai pas noté où ils se sont connus, ces deux-là, mais ils se sont reconnus. Chhorvivoinne va le rejoindre aux Etats-Unis et, dans trois ans, c'est sûr c'est prévu, ils rentrent au Cambodge pour offrir tout ça – leurs connaissances, leur expérience, leur jeunesse, leur enthousiasme – au pays. Elle file. Je suis toute ragaillardie.

NAK BOPHA-SARUN

Je suis une nouvelle fois à l'*Indochine*. La jeune serveuse, qui m'a raconté ses deux boulots pour gagner trois sous et qui me fait peine, debout à s'ennuyer tant et tant, la fatigue sous ses yeux en prime, avec son envie obsédante de discuter, participe cette fois un peu à notre conversation. Nak rit avec elle de temps en temps, elles se moquent gentiment de moi quand je change de place – le bruit de la rue – puis demande que la musique soit coupée ! Ce soir-là il y a aussi Chandy Kim, ce jeune ami qui m'a accueillie au Cambodge et qui fait l'interprète – nos deux anglais approximatifs à Nak et moi (surtout le mien) ont en effet du mal à s'entendre. Mais, y compris dans sa langue, Nak ne parle pas volontiers d'elle. Elle a vingt-quatre ans, habite chez ses parents. Elle a étudié un peu de logistique et de comptabilité, elle travaille depuis un an pour Liesbeth et Sirivan à Baray Occidental. Elle ne sort pas, sauf quelquefois au cinéma, d'ailleurs ses parents sont stricts, elle ne doit pas dépasser vingt heures. Elle regarde la télé, joue parfois aux cartes. Elle aime travailler et elle a une grande envie de bouger, de voyager. Est-ce elle ou ses parents qui choisiront son mari ? Fifty-fifty… Elle veut deux enfants. Elle va à la pagode avec sa famille : elle "suit le mouvement". Son rêve, c'était de devenir enseignante.

Je demande à Chandy de raconter lui aussi un peu sa vie. Elle est envahie par sa thèse sur, en gros, le caoutchouc ; il a vingt-six ans, il est en neuvième année d'études dont une partie se passe en France : il espère se faire embaucher par Michelin ou devenir enseignant-chercheur, mais, précise-t-il, il aura de toute façon, comme tout le monde, un deuxième job, sans doute dans le commerce. Il habite lui aussi chez ses parents que j'ai rencontrés au début de mon séjour – c'était merveilleux d'entrer tout de suite dans une famille, de voir les photos du mariage de sa sœur qui a épousé un Australien (les Cambodgiens ont d'énormes albums avec des dizaines et des dizaines de clichés identiques : habits de fête, fleurs, bougies, offrandes), de parler avec son père qui a développé une affaire de plastiques après que le sucre de palme n'était plus rentable. Je trouve Nak et Chandy extrêmement raisonnables. Sérieux, responsables. Un peu trop, mais ont-ils le choix ? Non, bien sûr. Quand on se quitte, Chandy reprend le 4X4 de son père, tout fier, et Nak monte sur sa moto, toute frêle.

21

SOURIRES KHMERS
ET AUTRES PERPLEXITÉS

*Le Cambodge, c'est un des pays que j'aime
le plus et que j'aurai compris le moins.*

JEAN LACOUTURE

Ils ont ponctué tout mon voyage, le vrai et celui de l'écriture. Les (et non pas *le*) sourires khmers. Car les avatars en sont multiples. Christian P. Guth, avec qui je discutais à la librairie française de Phnom Penh, disait les choses assez joliment : "Le sourire khmer a plusieurs couches ! D'excuse, de sympathie, de gêne, de timidité. Et il n'y a pas de transition : on passe du sourire au couteau." J'avais ajouté : "Il paraît que, si un Khmer ne sourit plus, il vaut mieux prendre la fuite !" La vendeuse khmère, montrant toutes ses jolies petites dents, avait vigoureusement opiné du bonnet. J'avais essayé de l'imaginer sans son sourire… Sabu Bacha, le sénateur musulman, qui m'avait recueillie ruisselante de pluie et m'avait réconfortée avec un délectable café au lait dans son douillet bureau sénatorial, à qui je racontais combien cela m'avait énervée que des Cambodgiens sourient après que je m'étais cognée, m'avait répondu, assez ravi au fond : "Ah oui, inexplicable ! nous sommes comme ça…"

Il y avait eu le sourire de mon vendeur du *Cambodia Daily* : jamais je n'avais vu s'incarner dans un éclair autant de confiance radieuse. Dans quoi ? Je ne sais pas, dans la relation éphémère qui nous reliait, j'aime à penser.

Il y avait eu le sourire très joyeux, très moqueur, des jeunes serveurs du *Boddhi Tree* – je ne me souviens plus pourquoi ils me mettaient en boîte mais ils le faisaient sans vergogne ! –, qui, de toute façon, je les entendais de ma chambre le soir, n'arrêtaient pas de chahuter.

Il y avait eu la fraîcheur incrédule de leurs sourires, trois ou quatre jeunes gens à qui j'avais demandé mon chemin, qui avaient tourné au fou rire quand j'avais insisté en leur disant *okoun map map* – je croyais que cela signifiait "merci infiniment", mais *a priori* non, cela ne voulait rien dire ; en tout cas pas ça.

Il y avait eu les sourires de celles ou ceux qui me parlaient de leurs difficultés ou de leur passé tragique. Ce sourire-là était un sourire de respect de l'autre, qui n'a pas à souffrir de mes peines – à mille lieues de notre occidental et perpétuel épanchement synovial. Bernard Berger m'avait raconté avoir été reçu à dîner dans une famille khmère et n'avoir appris que le lendemain le décès de la fille de la maîtresse de maison.

Il y avait eu le sourire un peu figé, mais sourire quand même, des employés du *Dragon Soup* à Siem Reap, que j'avais réveillés à l'aube – ils dormaient comme des anges sur la terrasse – avant de prendre le bateau, pour retrouver un carnet que j'avais oublié sur une table la veille au soir. *Sic !* Je n'étais pas fière. J'imaginais l'affaire en France, où il m'est arrivé plus souvent qu'à mon tour d'avoir peur de prendre une baffe quand je demandais un second verre d'eau.

Il y avait eu, pendant la visite du charnier de Choeung Ek, le sourire d'un jeune Cambodgien, qui tentait sans doute de contrôler le bouleversement intérieur, ou la gêne par rapport à une étrangère, je l'ignore.

Il y avait eu naturellement les sourires des *drivers* de *moto-dop* sillonnant les rues sans la moindre idée de l'endroit où je voulais aller, sourires qui me mettaient les nerfs à fleur de peau. Et me bouleversaient au même moment.

La volonté à tout prix de préserver l'harmonie, de ne pas perdre la face, je l'avais senti à maintes reprises, était peut-être ce qui nous séparait le plus, eux et moi. Alain Daniel, lui, m'avait confié se sentir très à l'aise avec cette facette du comportement khmer. "Les Cambodgiens ont du mal à dire non ! Ça ne se dit pas. Ils ont des façons plus subtiles de l'exprimer que nous. Ce n'est donc pas convenable de mettre un Cambodgien au pied du mur et de l'obliger à dire non : vous lui faites perdre la face. Alors si vous avez envie d'inviter un ami cambodgien à dîner et que vous lui demandiez à la française, avec vos gros sabots, s'il est libre et qu'il vous répond : Je ne suis pas sûr, je voudrais bien… comprenez qu'il dit non. A vous d'amener les choses d'une façon plus ouverte, de voir s'il accroche ou pas. De «voir» : parce qu'il y a une forme de communication non verbale, par le regard, les gestes. Et je dois dire que ça me plaît beaucoup, ça me convient tout à fait d'exprimer les choses d'une façon plus élégante qui n'oblige pas à perdre la face. Perdre la face, qu'y a-t-il de pire ! Rappelez-vous don Diègue dans *Le Cid*…"

D'une façon générale, les règles de politesse sont à la fois exquises et compliquées – est-ce vrai encore chez les jeunes citadins ? Sans doute bien moins. Dans son opuscule *Approche de la mentalité khmère* (pas écrit avec la langue de bois comme à l'accoutumée et, à dire vrai, sa lecture avant le départ m'avait un peu perturbée), François Ponchaud cite cette phrase supposée conclure toute lettre : "Bien ou mal, je vous demande de ne pas vous fâcher…" Sur l'exquise complexité de la langue, Alain Daniel avait commencé à me donner un cours particulier. Et notamment sur ce qu'elle dit de l'individualisme dans la société khmère traditionnelle par rapport à la nôtre. "En français, il y a deux verbes qui jouent un rôle tout à fait disproportionné, comme l'a bien montré un film récent : être et avoir. «Etre» n'est pas du tout conforme au bouddhisme : on est le résultat de ses actions antérieures, on est ici provisoirement, on va mourir, on va renaître. Par conséquent n'existe pas cet aspect d'individualisme qui réside dans le verbe «être».

"Et puis il y a le verbe «avoir», posséder. Il régnait avant les Khmers rouges une grande solidarité, un esprit d'entraide. Quand un paysan avait besoin de construire sa maison, tout le monde venait l'aider ; il offrait un grand repas et c'était à charge de revanche. Ne pas participer était très mal vu. Maintenant on assiste à une dérive vers la possession de l'argent, du terrain, qui est en partie due aux Khmers rouges, on en a déjà parlé.

"Toujours est-il que, dans la langue cambodgienne, ces deux verbes, «être» et «avoir», ne connaissent pas cette utilisation grammaticale disproportionnée qui est la nôtre. Il y a bien un verbe qui signifie «être» mais il est la plupart du temps inutile et même omis. Par exemple, si vous dites en français «je suis khmer», vous avez le pronom, le verbe, le qualificatif. En cambodgien, vous direz simplement *kniom*, qui correspond à notre «je».

Parenthèse sur *kniom* qu'on utilisait pour désigner les domestiques, les esclaves : quand on dit *kniom*, on signifie donc «je me considère comme étant votre serviteur», à la façon de la langue de Molière : «Serviteur !» Il n'y a pas d'une part cette individualisation dans le pronom et d'autre part on se passe du verbe «être». Autrement dit l'individu n'a pas de valeur en soi. Il existe, bien entendu, mais il fait partie d'un groupe, il existe en tant que membre d'une communauté. Ainsi, moi, les gens ne m'appellent pas M. Daniel, ils m'appellent «l'enseignant» : je suis défini comme étant un membre de la communauté enseignante…"

J'aurais aimé que le cours dure des heures…

Cette mise en veilleuse de l'individu par les valeurs bouddhistes, François Ponchaud estime qu'elle freine l'esprit d'entreprise, au sens large. Il n'a, à mon avis, pas tort mais il en tire des conclusions discutables : aider les Khmers à retrouver la fierté de soi, le "Parce que je le vaux bien !" (c'est moi qui le dis ainsi), par le truchement de la religion chrétienne qui – le fait est – donne à chacun sa personnalité unique, irremplaçable, et la confiance dans son pouvoir d'agir. Le "Aide-toi, le ciel t'aidera…" Autre caractéristique du même ordre pointée par François Ponchaud, une dévalorisation par rapport à l'étranger, qu'il explique ainsi : "Depuis le XIIIe siècle, l'histoire du Cambodge a été celle d'une succession de défaites militaires et de sujétions à l'étranger : Siamois et Vietnamiens, Français. Les Khmers en ont hérité un complexe d'infériorité devant l'étranger. «Nous, les Khmers, nous sommes comme ça… Nous sommes incapables, nous ne pouvons rien faire pour nous en sortir (…).» Rarement, au cours de leur histoire, les Khmers ont été maîtres de leur destin, on a toujours légiféré à leur place ! Les légistes ont utilisé des codes français, puis soviétiques, actuellement ils utilisent les codes anglais, jamais un code khmer !... Ils attendent le salut de l'étranger, en politique et ailleurs. Tout ce qui arrive de mal est également imputable à l'étranger, spécialement vietnamien, jamais aux Khmers !"

De l'autre côté de la balance, pourtant, pèse tout le poids de la fierté khmère, d'une sensibilité, d'une susceptibilité même, aux abois, je l'ai à plusieurs reprises ressenti. "Pendant ses dix-sept ans de règne, écrit Ponchaud, Sihanouk avait su redonner la fierté à son peuple. Et la révolte khmère rouge, dans son côté absolu, peut être interprétée comme un sursaut nationaliste de la fierté khmère."

De la fierté à la violence, le pas n'est pas si grand. Sur l'amok, cette violence incontrôlée, Sihanouk lui-même a écrit plusieurs pages dans *Prisonnier des Khmers rouges*. Il y explique qu'avant d'être métissé de Chinois, le peuple khmer était apparenté à certaines peuplades de Malaisie, d'Indonésie et des Philippines : "Au cours des nuits d'amok (ou «possession par le diable»), les hommes de ces peuplades sont capables de se déchaîner et, dans un coup de folie, de tuer à coups de poignard, de sabre, de hache..." Et plus loin il ajoute : "Notre amok à nous peut durer des années quand une bande de politiciens ambitieux, machiavéliques, nationalistes exacerbés, xénophobes frustrés, haineux, suscite et exploite la potentialité de la violence chez les Khmers pour atteindre leur but."

ÉPILOGUE

Envie d'écrire : *Où l'auteur réalise qu'elle en a trop dit ou pas assez…* Comme ces petits cartons dans les vieux films qui annoncent, résument, évitent toutes paroles à venir, et ça tombe bien, ce sont des films muets ! Car, au moment de clore, je repensais à *Dogora*, évidemment, le film sans mots de Patrice Leconte, qui, d'une certaine façon, m'avait aidée à démarrer.

Et voilà. Je m'étais laissé entraîner par les mots et les infos et les thèses et les hypothèses et les chiffres et les "on dit" et "il paraît"… Je n'avais pas laissé assez de place aux sensations pures. Je n'avais pas été assez poreuse. Trop raisonneuse. "Il ne faut pas comprendre, il faut perdre connaissance" : je n'avais pas assez fait mienne l'injonction de Claudel. Mais en même temps j'avais fait l'impasse sur beaucoup de faits, d'études, de lieux ! Par exemple, je n'avais pas été dans le Mondolkiri, ni dans les îles, à part l'île aux Lapins, ni vu les poteries de Kompong Cham, ni la Forêt noyée, ni Koh Ker, la capitale de l'empire angkorien au Xᵉ siècle…

L'impasse aussi sur beaucoup de témoins, spécialistes, rencontres fortuites, décrypteurs, initiateurs. Ainsi je n'avais pas consacré de chapitre à Bernard Berger, celui qui m'ouvrit la porte du pays khmer, ni à Marina Pok qui, dans un café parisien au Trocadéro, juste avant que je parte, m'avait donné confiance, me disant qu'elle m'enviait de faire ce livre et qu'elle savait que je le ferais bien. Je n'avais rien écrit sur Cham, au beau visage si serein, ni sur Meala finalement, juste quelques lignes, alors que je voulais retracer son épopée d'enfant, sous les Khmers rouges, dans la chaîne des Dangrek. Ni je n'avais dit les saveurs de ce restaurant chinois sur le Mékong – eh bien non, Xavier ! contrairement à ce qu'on avait cru ce jour-là, le *bahn xieo*, la crêpe à se damner avec une farce aux porc, soja et herbes, et la sauce légèrement pimentée, et la salade de poisson à la citronnelle, le *bahn xieo* donc n'avait pas été mâché, mastiqué, mouturé en mots ; d'ailleurs, sur le régal des papilles au Cambodge, et sur la cuisine khmère en particulier, j'avais été enthousiaste certes mais peu précise – le magazine américain *Gourmet*, parlant des valeurs culinaires en hausse en 2008, affirme : "La cuisine khmère a des saveurs plus profondes que sa voisine vietnamienne, elles sont plus subtiles que la thaïlandaise, et sa digestion est moins lourde que la chinoise !" Je confirme*.

---

* Pour goûter une vraie cuisine khmère à Paris, aller à *La Mousson*, 9, rue Thérèse, Paris 1er, ou 45, avenue Emile-Zola, Paris 15e. On peut aussi y suivre des ateliers cuisine. (www.lamousson.fr). Le restaurant a été monté et longtemps tenu par Lucile Samair. Partie de Phnom Penh avec ses enfants chez des amis, au Laos voisin, le 8 avril 1975, huit jours avant l'arrivée des Khmers rouges, elle ne reverra ni son mari ni son pays. Elle a sorti en 2006 un beau livre, *Souvenir d'un Cambodge heureux* (éditions Michel de Maule).
Autre petit lieu savoureux et si chaleureux : *Colline d'Asie*, 21, rue André-del-Sarte, Paris 18e.

J'avais également fait page blanche sur l'avenir politique. Sans état d'âme : pas armée pour traiter d'un thème qui me fait irrésistiblement songer à une pelote de laine embrouillée des années durant par un enfant doué et un peu pervers… Ce que je sais juste, et cela je l'ai dit, c'est que la paix est une des (rares ?) valeurs partagées par tous les Cambodgiens. "Ils ont trop souffert : ils ont peur d'un changement brutal, ils sont vaccinés pour longtemps contre la rupture et c'est un facteur important de vote conservateur" est un discours que j'ai souvent entendu et qui me semble juste. D'où la longévité de Hun Sen et de son parti, le PPC, le Parti du peuple cambodgien. Hun Sen, par ailleurs génie politique – le Mitterrand cambodgien, selon François Ponchaud – qui a laminé l'opposition : "Il a tué politiquement Ranariddh : le parti royaliste (Funcipec) ne vaut plus rien", affirme le même Ponchaud. Hun Sen, qui déclare pourtant vouloir poursuivre l'alliance avec le Funcipec et qui a récemment défendu Sihanouk mis en cause pour son attitude sous les Khmers rouges. Seul opposant, Sam Rainsy "qui a de bonnes idées mais pas de moyens", diagnostic de Ponchaud encore. Les élections législatives de 2008 changeront-elles la donne* ? Le sénateur musulman Sabu Bacha place l'espoir de changement – prendre à bras-le-corps le fléau de la corruption**, augmenter les salaires des fonctionnaires, s'attaquer au scandale des expropriations, mettre en place une justice digne de ce nom, développer la liberté de la presse… – dans les mouvements des droits de l'homme. "Je les appuie tous, insiste-t-il, afin qu'ils

* *A priori*, rien de bien neuf. Hun Sen et son parti en sortent confortés.
** Une commission anticorruption a bien été créée mais elle patine pour l'instant…

pèsent sur le gouvernement." Il espère aussi dans les jeunes. "Ceux qui ont gagné le pouvoir par les armes vont petit à petit mourir. Les jeunes pousses vont prendre la relève. Il ne faut rien bousculer, il faut préserver la paix, il faut beaucoup de patience." Version Ponchaud : "Que les jeunes qui sont au ministère des Finances ou même au sein du PCC en aient assez de cette oligarchie corrompue et balancent les vieux…"

Et enfin j'avais également quasi ignoré la religion ! Pourtant… Vishnu, Bouddha, Mahomet, Jésus, les *neak-tea*, génies du sol*, les esprits des ancêtres, ils cohabitent tous. Et plutôt bien. C'est rare de nos jours sur la planète. Un tel exemple de tolérance, d'intelligence – même pas honoré par un chapitre ! Il faut dire que le bouddhisme *Theravada*, pratiqué au Cambodge, par l'immense majorité de la population, est un bouddhisme tranquille : pas de métaphysique mais de la sagesse et de la morale. La minorité musulmane cham**, quant à elle, compte, selon les chiffres de Sabu Bacha, 280 000 personnes au lieu de 700 000 dans les années 1970, avant qu'elle ne soit la cible des Khmers rouges*** ; hormis ces

---

* Symbolisés par une pierre ou une racine dans une petite hutte sur pilotis, sous un grand arbre.

** Le peuple cham est le descendant du royaume de Champa, disparu au XIVe siècle, qui occupait le Sud du Viêtnam actuel. L'islam y est arrivé au XVIIe, remplaçant l'hindouisme.

*** Leur langue, le voile des femmes, leurs noms… les musulmans entraient encore plus difficilement que les autres Cambodgiens dans le moule des Khmers rouges qui étaient exaspérés par ces distinctions très visibles, explique en substance la chercheuse Agnès De Féo.

heures noires, leur attachement au roi les a, depuis l'époque du protectorat, toujours protégés et leur présence aujourd'hui, dans la vie politique*, est effective.

Agnès De Féo, spécialiste des Chams**, souligne que si, au Cambodge, les deux communautés, bouddhiste et musulmane, ne se mélangent pas, elles se respectent mutuellement. Et par ailleurs, précise-t-elle, "bien que le mouvement missionnaire du Tabligh, très actif dans le pays depuis 1991, ait pu donner une image rétrograde des musulmans, il n'y a pas de dérive djihadiste en perspective". Quant à la minorité chrétienne, elle compte près de 10 000 pratiquants khmers et 20 000 vietnamiens*** – sans parler d'une entrée en force et sans scrupule des évangélistes – et l'église peut s'enorgueillir (ce qu'elle ne fait d'ailleurs pas !) de deux porte-parole de qualité, chacun à leur façon peu orthodoxe, viscéralement attachés au peuple khmer, passionnés et passionnants : Bernard Berger et François Ponchaud.

Au terme de ce livre enfin, liée sinon à la religion, en tout cas à la spiritualité, une dernière question : que peuvent nous apporter les Khmers

* Il y a cinq Chams à l'Assemblée nationale, deux au Sénat, trois secrétaires d'Etat, quatre sous-secrétaires, et des fonctionnaires ; des deux partis, PCC et Funcipec.
** Pour en savoir beaucoup plus sur les Chams, se rendre sur le site d'Agnès De Féo, www.agnesdefeo.book.fr. On peut y lire ses articles et visionner ses deux films, *Un islam insolite* (Soltis, 2006) diffusé sur Arte en 2007 et *Le Dernier Royaume de la déesse* (Soltis, 2007).
*** Chiffres donnés par F. Ponchaud.

– la culture khmère que Marie-Sybille de Vienne, je le rappelle, voudrait voir inscrite au patrimoine de l'humanité – s'ils parviennent à se saisir de leur passé – d'où l'importance symbolique et pédagogique du procès – et du coup à embrasser leur présent et leur avenir ? "Au risque de vous décevoir, je pense que les Khmers n'ont pas aujourd'hui grand-chose à nous apporter." Ainsi commence le texte de François Bizot*, paru dans *Le Nouvel Obs* en août 2006. Provocation ? clause de style, venant de la part d'un grand expert amoureux de ce pays ? Recruté en 1965 par l'Ecole française d'Extrême-Orient, il choisit de vivre dans un village avec une Khmère, dont il aura une fille, Hélène**. "Pour la première fois je voyais des gens à qui j'avais envie de ressembler." Le Cambodge lui apprend ni plus ni moins à vivre : les gestes des paysans, les chefs de monastère, les vieillards, la façon de mourir, la musique, tout l'émerveille. Il s'abreuve à une sagesse millénaire liée à ce

* François Bizot est un écrivain. *Le Portail*, je le redis, est un grand livre même si sa réflexion sur le mal, sur l'humanité du bourreau, peut choquer certains. Dans l'article du *Nouvel Obs*, il le dit clairement ainsi : "(…) les gens qui n'ont pas été mis en situation de tuer, violer ou piller ne devraient pas en conclure qu'ils en sont incapables." *Le Saut du varan*, paru en 2006 chez Flammarion, est un roman sur le Cambodge, parfois un peu obscur mais traversé par un souffle puissant.
** En janvier 2006, il perd sa fille Laura, douze ans. Olivier de Bernon me dira à quel point ce fut un séisme et aussi qu'il assista à l'enterrement, une cérémonie presque insoutenable d'intensité. J'ai lu un superbe portrait de Bizot, dans sa maison en Thaïlande, dans *Le Monde* du 7 décembre 2007, qui se termine ainsi : "A travers les persiennes on voit l'écran de son ordinateur toujours allumé où défilent en boucle les images de sa fille Laura, douze ans, sur son lit de mort."

bouddhisme du Sud-Est asiatique (qu'il a sorti de l'ombre par ses travaux), "sagesse dont on peut douter, assène-t-il en conclusion de l'article, qu'elle soit de nature à troubler nos certitudes actuelles et puisse nous apporter quelque chose".

Moi, je sais juste qu'enveloppée par le vent tiède sur un toit-terrasse, l'odeur des tortillons contre les moustiques brûlant dans une coupelle, j'ai souvent songé au *No fear*, "N'aie pas peur", symbolisé par un geste de la main du Bouddha, et j'ai eu parfois la sensation d'être, de façon fugace mais foncière, simplement confiante. *Okoun tchraeun !*

La Gitane, le 27 février 2008.

ANNEXES

REPÈRES HISTORIQUES

1863 : le roi Norodom signe un accord avec la France qui établit un protectorat sur le Cambodge. L'empire colonial français s'étend sur toute la péninsule indochinoise.

Jusqu'en 1904, date de décès du monarque, la France accorde à Norodom une relative autonomie dans le gouvernement de son pays. Du reste la population se montre rétive à l'interventionnisme de la puissance coloniale, comme le démontre l'insurrection populaire de 1884.

En 1904, le frère de Norodom, le prince Sisowath, lui succède sur le trône. Sous son règne, les provinces occidentales de Battambang et d'Angkor, qui étaient sous domination siamoise, sont restituées au Cambodge. En 1927, Monivong, fils aîné de Sisowath, accède au pouvoir après le décès de son père. Toutefois l'administration reste aux mains des autorités coloniales. On trouve plus de Vietnamiens ou de Pondichériens que de Cambodgiens dans les douanes et la justice, tandis que les commerces sont tenus par les Chinois. L'enseignement n'est assuré qu'au stade de l'école primaire.

A la veille du second conflit mondial, les aspirations cambodgiennes restent modestes. Comme l'écrivait Charles Meyer : "Entre Français et Cambodgiens, il y eut, en somme, plus cohabitation que domination, la France n'avait pas humilié les Khmers." En 1941, Monivong décède et l'amiral Decoux, représentant du gouvernement de Vichy, choisit pour lui succéder le prince Norodom Sihanouk alors âgé de dix-neuf ans.

Les Japonais, tout en laissant le gouvernement de Vichy administrer son empire, encouragent les mouvements nationalistes de la péninsule jusqu'au coup de force de mars 1945 qui va permettre au Cambodge de connaître une brève période d'indépendance. Mais en octobre, peu après la capitulation du Japon, la France rétablit son autorité sur le protectorat.

Il faudra attendre la guerre d'Indochine et la défaite française pour que le Cambodge, qui n'avait guère joué de rôle dans le conflit, accède à l'indépendance en 1953. Norodom Sihanouk participe à la conférence de Genève et tire son épingle du jeu avec diplomatie et doigté. Il abdique en faveur de son père, Suramarit, et fonde un parti, le Sangkum. Les accords de Genève avaient établi le principe d'élections libres et le Sangkum obtient 83 % des voix en 1955.

Le pouvoir de Sihanouk sur le Cambodge va s'exercer pratiquement sans partage jusqu'en 1970. Avec l'Indien Nehru, l'Indonésien Soekarno et le Chinois Chou En-lai, il apparaîtra comme un des champions de la politique du "non-alignement". Puis, au fur et à mesure que les Etats-Unis s'impliqueront dans le conflit du Sud-Est asiatique, la position du monarque, redevenu chef d'Etat après le décès de son père en 1960, deviendra de plus en plus difficile à tenir. Le soutien du général de Gaulle, lors du fameux discours de Phnom Penh en 1966, ne suffira pas à lever les ambiguïtés de la politique extérieure cambodgienne. Le roi a reconnu le FNL (forces du Viêt-công) comme représentant du peuple vietnamien tout en nouant des relations avec les Etats-Unis d'Amérique.

Sur le plan intérieur, le Sangkum, dont le programme visait à établir dans le pays une forme de "socialisme bouddhique", tombe petit à petit sous la coupe des forces les plus conservatrices du pays. Corruption et mauvaise répartition des richesses entraînent des soulèvements paysans durement réprimés par le Premier ministre, Lon Nol, en 1967.

A partir de 1968, la guerre entre les Etats-Unis et le Viêtnam s'intensifie et les forces combattantes viêt-công installent des "sanctuaires" au Cambodge. De leur côté, les dirigeants de la droite cambodgienne souhaitent bénéficier d'une aide américaine plus accentuée et en mars 1970, alors qu'il était en France pour une cure médicale, Sihanouk est renversé par un coup d'Etat mené par Lon Nol et le prince Sirik Matak.

Jusqu'en 1975, le Cambodge, devenu "République khmère", va vivre sous diverses menaces. Le conflit américano-vietnamien n'épargne plus désormais l'ancien royaume. Les forces vietnamiennes réfugiées dans le pays subissent de lourds bombardements de la part de l'aviation américaine, tandis qu'un mouvement de guérilla communiste (les Khmers rouges), dont les forces s'étaient constituées quelques années auparavant, mène la vie dure au régime en place. Ses principaux dirigeants sont Khieu Samphan, Hou Youn, Saloth Sar (futur Pol Pot). Les exactions du régime contre les ressortissants vietnamiens atteignent une ampleur sans précédent. En 1970, cent mille personnes sont massacrées. Tiraillé entre les exigences américaines et les combattants intérieurs, le gouvernement de la République khmère n'exercera qu'un pouvoir limité sur son propre territoire.

Sihanouk, lui, s'est allié aux communistes et, dès avril 1970, il s'installe à Pékin où il fonde le Front uni national du Kampuchea (FUNK). Il forme également un Gouvernement royal d'union nationale (GRUNC), mais son influence au sein de la guérilla cambodgienne restera minime.

Au début de l'année 1975, les Khmers rouges lancent une offensive sur Phnom Penh. Les forces armées gouvernementales, gangrenées par la corruption, n'opposent pas de résistance valable et la débâcle américaine au Viêtnam contribue au succès des guérilleros. Lon Nol fuit son pays le 1er avril et le 17 les Khmers rouges font leur entrée dans la capitale.

De 1975 à 1979, le pays, désormais baptisé Kampuchea démocratique, va subir le régime sanglant des Khmers rouges qui, sous prétexte de créer un "nouveau peuple", instaurent un régime de terreur, vidant les villes, chassant et exterminant les "intellectuels" ou supposés tels, torturant et massacrant les résistants réels ou supposés au nouvel ordre des choses. Ce sont finalement les "ennemis héréditaires" vietnamiens qui mettront fin à ce régime en lançant, en décembre 1978, une offensive auxquelles les forces khmères rouges n'opposeront qu'une faible résistance. Et le régime sera balayé en janvier 1979.

Le pays va vivre sous protectorat vietnamien jusqu'en 1991 où des accords, signés à Paris, mettent le Cambodge sous tutelle de l'ONU en attendant des élections libres qui se dérouleront en 1993 et qui rétabliront Norodom Sihanouk sur le trône. Il abdiquera en 2004 en faveur d'un de ses fils, le prince Norodom Ranariddh. Le pays est actuellement dirigé par Hun Sen, issu du gouvernement provietnamien établi après la chute du régime de Pol Pot. Les derniers bastions khmers rouges ont été réduits en 1998 et Pol Pot s'est éteint en avril de la même année. Après des années de tergiversations, le procès des derniers dirigeants encore vivants est en principe sur les rails depuis 2007. Il devrait, sauf coup de théâtre, durer jusqu'en 2011.

REPÈRES ÉCONOMIQUES

14 millions d'habitants.

50 % de la population a moins de 15 ans.

Plus de 50 % de la population est illettrée, donc ne maîtrise ni la lecture ni l'écriture.

Espérance de vie de 59 ans.

35 % de la population a accès à l'eau potable.

45 % des enfants sont sous-alimentés.

36 % à 40 %, selon les sources, de la population vit au-dessous du seuil de pauvreté (85 euros par an).

92 % des pauvres sont en zone rurale.

720 000 ruraux n'ont pas de terre.

1,6 % de la population est touchée par le sida (en légère régression).

Le budget de l'Etat est de 750 millions dont 450 fournis par l'aide internationale.

ÉTAT DES LIEUX

Entre 1993 – date de réintégration du Cambodge dans le concert des nations – et 2007, l'aide au développement a représenté quelque 5,8 milliards de dollars, soit 12 % de son PIB par an, ce qui en fait l'un des pays les plus aidés d'Asie après l'Afghanistan et Timor (premier donateur en 2006 : le Japon avec 115 millions de dollars, suivi par la France, 39 millions).

Au premier abord, la reconstruction du pays paraît un modèle du genre avec une croissance du PIB en moyenne de 7,6 % par an sur la même période, laissant augurer d'un décollage économique. Croissance tirée par une accélération des échanges extérieurs multipliés par 10. Et par l'envolée des investissements étrangers multipliés par 28.

Pourtant, affirmait Marie-Sybille de Vienne à la journée "Cambodge – construction et déconstruction", organisée par les Langues O en novembre 2007, ce qui s'installe, ce ne sont pas les bases d'une économie moderne mais un capitalisme sauvage qui se repère à trois niveaux :

Une extrême vulnérabilité commerciale qui se manifeste par un déficit commercial multiplié par 15 depuis 1993 et un secteur textile d'une grande sensibilité. Le Cambodge est devenu mono-exportateur de vêtements : la confection totalise autour de 75 % de l'industrie et plus de 80 % des exportations – à 90 % vers les Etats-Unis ; avec l'entrée du Viêtnam à l'OMC et la levée des restrictions américaines sur les produits chinois, la baisse est inéluctable et il n'y a pas d'autre produit manufacturé pour prendre le relais.

Second symptôme de ce capitalisme sauvage, un développement des investissements étrangers pour le moins ambigu, affirme la chercheuse. Le ratio investissements étrangers/PNB, qui est de près de 50 % au Cambodge (contre 8 % en Indonésie, 33 % en Thaïlande, 36 % en Malaisie), est démesuré par rapport aux potentialités du pays. Si le Cambodge attire autant d'investisseurs, nous explique-t-elle, c'est à cause du flou de sa législation : la loi sur la nationalité de 1996 "permet à toute personne contribuant à hauteur de quelque 250 000 dollars au budget de la nation ou investissant 300 000 dollars dans le pays de disposer d'un passeport cambodgien"… C'est le tourisme (46 %) et l'industrie (40 %) qui récupèrent l'essentiel de cette manne, 4,6 % seulement vont vers l'agriculture.

Troisième symptôme, le Cambodge est sous la coupe de réseaux d'affaires internationaux. Près de 90 % des investissements étrangers au Cambodge sont d'origine chinoise, sans compter les investissements des Chinois du Cambodge. Les "Chinois" contrôleraient ainsi 94 % du textile, 64 % du secteur bancaire et sans doute autant de l'immobilier, 60 % des plantations de plus de 1 000 hectares…

Autre point noir, celui de la corruption. Le Cambodge, dit la maître de conférences, étant géré par des réseaux familiaux, la nation et l'Etat demeurent des concepts dépourvus de réel contenu. La corruption a toujours existé mais elle a pris des proportions gigantesques : en 2006, elle représentait 330 millions de dollars. Elle ponctionne chaque année près du quart des recettes budgétaires… (Entre 2005 et 2006, pourtant, l'indice de corruption a chuté de 2,3 à 2,1…) Enfin, la fracture sociale grandit entre ville et campagne mais aussi à l'intérieur des mondes rural et urbain. Conclusion de Mme de Vienne : le Cambodge est en train de voir renaître une "société de classes" sur fond de contradiction de ses espaces socioéconomiques. Bref, une situation qui n'est pas sans évoquer celle du début des années 1970, avec les risques d'implosion que l'on sait.

Restaurants (Paris)
Colline d'Asie, 21, rue André-del-Sarte, 75018 Paris
La Mousson, restaurant et ateliers cuisine, 45, avenue Emile-Zola, 75015 Paris ; 9, rue Thérèse, 75001 Paris, www.lamousson.fr

Hôtels (Cambodge)
Dara Reang Sey Hotel and Restaurant, Phnom Penh, www.darareangsey.com
The Billabong, Phnom Penh, www.thebillabonghotel.com
Boddhi Tree Hotel, Phnom Penh, www.boddhitree.com
Royal Hotel, Battambang, www.arshotel.com
Ancient Angkor Guesthouse, Siem Reap, www.ancient-angkor.com
Veranda Natural Resort, Kep, www.veranda-resort.com
Susaday, Ochheuteal Beach, Sihanoukville
Lodge des Terres Rouges, Ban Lung, www.ratanakiri-lodge.com

ASSOCIATIONS, ONG

Accueil cambodgien, Pierrefitte, www.accueilcambodgien.org
Agir pour le Cambodge (parrainer un enfant), Paris, www.agirpourlecambodge.org
Espace Cambodge, 98, rue d'Aubervilliers, 75019 Paris, espace.cambodge@wanadoo.fr
Les Jeunes Khmers, www.les jeuneskhmers.com
Adhoc, Cambodian Human Rights and Development Association, Phnom Penh, www.adhoc-chra.org

Bophana, Phnom Penh, www.bophana.org
Cambodian Living Arts, www.cambodianlivingarts.org
Friends, Mith Samlanh, Phnom Penh, www.friends-international.org
Kantha Bopha Foundation, www.beat-richner.ch
Krousar Thmey, Nouvelle famille, krousar-thmey.org
Les Enfants du sourire khmer, www.enfantsdusourirekhmer.com
Licadho, Cambodian League for the Promotion and Defense of Human Rights, www.licadho.org
Orphan Center, Roluos, Ecole de danse, Lognes (France), www.selepak-khmer.org
Osmose, Siem Reap, wwwosmosetonlesap.net
Phare Ponleu Selpak, Battambang, www.phareps.org
Sipar, Phnom Penh, www.sipar.org
Sovanna Phum Art Association, Phnom Penh, www.sovannaphum.org
Reyum, Phnom Penh (galerie d'art, éditions), www.reyum.org
Starfish, www.starfishcambodia.org
Angkor Hospital for Children, www.angkorhospital.org

SITES D'INFORMATION

www.dccam.org
www.norodomsihanouk.info
www.cambodgesoir.info
www.lecritdangkor.free.fr
www.ka-set.info

BIBLIOGRAPHIE

LAURE ADLER, *Marguerite Duras*, 1998, Livre de poche.

DENISE AFONÇO, *Rescapée de l'enfer des Khmers rouges*, Presses de la Renaissance, 2008.

SREY BANDOL, ASHLEY THOMPSON, *Visions d'Angkor*, éditions Reyum, 2006.

PIERRE BENOIT, *Le Roi lépreux*, 1927, Livre de poche.

FRANÇOIS BIZOT, *Le Portail*, 2000, Livre de poche.

— *Le Saut du varan*, Flammarion, 2006.

ROSELINE CARBONNEL, *Le Sastra kin kantrai*, Paris-Sorbonne, 1979.

DAVID CHANDLER, *S21 ou le Crime impuni des Khmers rouges*, éditions Autrement, 2002.

HÉLÈNE CIXOUS, *L'Histoire terrible mais inachevée de Norodom Sihanouk, roi du Cambodge*, Théâtre du Soleil, 1987.

DANE CUYPERS, *Bernard Berger, prêtre des sans-papiers*, (entretiens), Desclée de Brouwer, 2003.

MARIE-PIERRE DELCLAUX, catalogue de l'exposition *Rodin et les danseuses cambodgiennes*, 2007.

JEAN DELVERT, *Le Paysan cambodgien*, L'Harmattan, 2000.

— *Le Cambodge*, Presses universitaires de France, 1983 et 1998.

RANDAL DOUC, *Les Hommes désertés*, L'Harmattan, 2004.

LOU DURAND, *Jarai*, Kailash, 1980.

MARGUERITE DURAS, *Un barrage contre le Pacifique*, 1950, Livre de poche.

— *L'Eden Cinéma*, 1977, Livre de poche.

BENOÎT FIDELIN, *Prêtre au Cambodge*, Albin Michel, 1999.

— *J'ai vécu la guerre du Cambodge*, Bayard Jeunesse, 2005.

GEORGE GROSLIER, *Le Retour à l'argile*, L'Harmattan.

314

MATHIEU GUÉRIN, *Des montagnards aux minorités ethniques. Quelle intégration nationale pour les habitants des hautes terres du Viêtnam et du Cambodge*, Irasec/L'Harmattan, 2003.

LONG THONG HOEUNG, *J'ai cru aux Khmers rouges*, Buchet-Chastel, 2003.

CLAUDE JACQUES, MICHEL FREEMAN, *Angkor, cité khmère*, Olizane, 2000.

RAOUL M. JENNAR, *Les Clés du Cambodge*, Maisonneuve et Larose, 1995.

GILLES LAPOUGE, *L'Encre du voyageur*, Albin Michel, 2007.

ALBERT LONDRES, *Visions orientales*, Le Serpent à plumes.

PIERRE LOTI, *Angkor*, Magellan et Cie.

CHRISTOPHE LOVINY, *Les Danseuses sacrées d'Angkor*, Seuil, Jazz éditions, 1963.

CLAIRE LY, *Retour au Cambodge : le chemin de liberté d'une survivante des Khmers rouges*, éditions de l'Atelier, 2007.

ANDRÉ MALRAUX, *La Tête d'obsidienne*, éditions Soleil.

— *La Voie royale*, Livre de poche.

GENEVIÈVE MAROT, *Cambodge – dans les rues de Phnom Penh* (carnet de voyage), Gallimard, 2003.

HENRI MOUHOT, *Voyage dans les royaumes de Siam, de Cambodge, de Laos*, Olizane.

VANN NATH, *Dans l'enfer de Tuol Sleng*, Calmann-Lévy, 2008.

RITHY PANH, CATHERINE CHAUMEAU, *S21 ou le Crime impuni des Khmers rouges*, Flammarion, 2002.

RITHY PANH, LOUISE LORENTZ, *Le papier ne peut pas envelopper la braise*, Grasset, 2007.

MÉAS PECH-MÉTRAL, *Cambodge, mon pays, ma douleur*, hb-editions.com/France-Info, 2006.

— *Cambodge, je me souviens*, hb-editions.com/France-Info, 2003.

— *Une petite plume cambodgienne* (poèmes), hb-editions.com/France-Info, 2003.

MAGALI PETITMENGIN, *Graines de bois – 25 ans avec les Cambodgiens*, itoo.com, 2005.

MALAY PHCAR, *Une enfance en enfer*, Laffont, 2005.

FRANÇOIS PONCHAUD, *Cambodge, année zéro*, Julliard, 1977.

— *Brève histoire du Cambodge*, publié par Espace Cambodge.

— *Approche de la mentalité khmère*, publié par Espace Cambodge.

MICHEL RETHY ANTELME, SUPPYA BRU-NUT, *Dictionnaire français-khmer*, L'Asiathèque, 2002.

GRÉGOIRE ROCHIGNEUX, *Cambodge – chroniques sociales d'un pays au quotidien*, Aux lieux d'être, 2005 (ouvrage collectif, articles et photos).

LUCILE SAMAIR, *Souvenir d'un Cambodge heureux*, éditions Michel de Maule, 2006.

KHIEU SAMPHAN, *L'Histoire récente du Cambodge et mes prises de position*, L'Harmattan, 2004.

SERA, *Impasse rouge*, Albin Michel, 2003.

— *L'Eau et la Terre*, Delcourt, 2005.

— *Lendemains de cendres*, Delcourt, 2007.

PHILIP SHORT, *Pol Pot, anatomie d'un cauchemar*, 2004, Denoël, 2007.

NORODOM SIHANOUK, *Souvenirs doux et amers*, Hachette-Stock, 1981.

— *Prisonnier des Khmers rouges*, Hachette-littératures, 1986.

GUILLAUMIN SOR, *Pompe et peine, petite Khmère*, Baleine, 2001.

SOLANGE THIERRY, *Le Cambodge des contes*, L'Harmattan.

— *De la rizière à la forêt*, L'Harmattan, 1988.

— *Les Contes du Cambodge. Les deux frères et leur coq*, Ecole des loisirs.

OKNA VEANG THIOUNN, préface d'OLIVIER DE BERNON, *Voyage en France du roi Sisowath*, Mercure de France, 2006.

MARC TRILLARD, *Journal cochinchinois : de Saigon à Camau*, Afat Voyages, 1997.

MARION VAN RENTERGHEM, *Les Rescapés*, Philippe Rey, 2005.

Le Courrier du Cambodge, mensuel édité par l'ambassade du Cambodge en France.

Chatomukh. Journal indépendant d'information et d'opinion sur le Cambodge, Marne-la-Vallée.

Guide Lonely Planet, par Nick Ray, 2006.

La Cuisine du Cambodge avec les apprentis de Sala Baï, édité par l'association Agir pour le Cambodge.

FILMS

BRUNO CARETTE, *Khmers rouges amers*.

ROLAND JOFFÉ, *La Déchirure*, DVD.

PATRICE LECONTE, *Dogora*, DVD.

RITHY PANH, *Les Gens de la rizière*, 1994, DVD.

— *La Terre des âmes errantes*, 1999, DVD.

— *S21, la machine de mort khmère rouge*, 2002, DVD.

— *Les Artistes du Théâtre brûlé*, 2005.

— *Le papier ne peut pas envelopper la braise*, 2007.
— *Un barrage contre le Pacifique*, 2008.
OLIVIER WEBER, MALAY PHCAR, *Retour au Cambodge*, France 5/ Voyage.

TÉLÉVISION

Série *"Tout le monde à la mer"* : *Cambodge – le sourire retrouvé*, System TV, 2008.
AGNÈS DE FÉO, *Un islam insolite*, Soltis, 2006.
— *Le Dernier Royaume de la déesse*, Soltis, 2007.

RADIO

LAURE DE VULPIAN et MEHDI EL HADJ, *Cambodge, le pays des tigres disparus*, France-Culture, 2007.

Merci à…

Bernard Berger qui m'a ouvert la porte du royaume khmer.

Chandy Kim qui m'y a si chaleureusement accueillie.

Xavier d'Abzac, Olivier de Bernon, Alain Daniel, Agnès De Féo, Liesbeth Van Opstal, Marina Pok-Renouf, Anne-Laure Porée, Michel Rethy Antelme, Laure de Vulpian qui m'ont ouvert leur carnet d'adresses, donné des clés, encouragée.

Et bien sûr à Marie, Didi, Hone, Sirivan, Thérèse, Boppha, Chhorvivoinne, Nak… qui m'ont accordé leur confiance.

Et merci, *last but not least*, à Jacques Sélamé pour ses éclaircissements historiques.

Et merci aussi au bistrot *La Gitane*, Paris 19e, qui a été le giron de la gestation…

TABLE

OUVRAGE RÉALISÉ
PAR L'ATELIER GRAPHIQUE ACTES SUD
REPRODUIT ET ACHEVÉ D'IMPRIMER
EN FÉVRIER 2009
PAR NORMANDIE ROTO IMPRESSION S.A.S
61250 LONRAI
POUR LE COMPTE DES ÉDITIONS
ACTES SUD
LE MÉJAN
PLACE NINA-BERBEROVA
13200 ARLES

DÉPÔT LÉGAL
1re ÉDITION : MARS 2009
N° impression : 090458
(Imprimé en France)